ESTRATÉGIAS DE MARKETING DIGITAL E E-COMMERCE

O GEN | Grupo Editorial Nacional – maior plataforma editorial brasileira no segmento científico, técnico e profissional – publica conteúdos nas áreas de ciências sociais aplicadas, exatas, humanas, jurídicas e da saúde, além de prover serviços direcionados à educação continuada e à preparação para concursos.

As editoras que integram o GEN, das mais respeitadas no mercado editorial, construíram catálogos inigualáveis, com obras decisivas para a formação acadêmica e o aperfeiçoamento de várias gerações de profissionais e estudantes, tendo se tornado sinônimo de qualidade e seriedade.

A missão do GEN e dos núcleos de conteúdo que o compõem é prover a melhor informação científica e distribuí-la de maneira flexível e conveniente, a preços justos, gerando benefícios e servindo a autores, docentes, livreiros, funcionários, colaboradores e acionistas.

Nosso comportamento ético incondicional e nossa responsabilidade social e ambiental são reforçados pela natureza educacional de nossa atividade e dão sustentabilidade ao crescimento contínuo e à rentabilidade do grupo.

SANDRA R. **TURCHI**

ESTRATÉGIAS DE **MARKETING** DIGITAL E E-COMMERCE

2ª
Edição

gen | atlas

- A autora deste livro e a editora empenharam seus melhores esforços para assegurar que as informações e os procedimentos apresentados no texto estejam em acordo com os padrões aceitos à época da publicação, *e todos os dados foram atualizados pela autora até a data de fechamento do livro*. Entretanto, tendo em conta a evolução das ciências, as atualizações legislativas, as mudanças regulamentares governamentais e o constante fluxo de novas informações sobre os temas que constam do livro, recomendamos enfaticamente que os leitores consultem sempre outras fontes fidedignas, de modo a se certificarem de que as informações contidas no texto estão corretas e de que não houve alterações nas recomendações ou na legislação regulamentadora.

- A autora e a editora se empenharam para citar adequadamente e dar o devido crédito a todos os detentores de direitos autorais de qualquer material utilizado neste livro, dispondo-se a possíveis acertos posteriores caso, inadvertida e involuntariamente, a identificação de algum deles tenha sido omitida.

- **Atendimento ao cliente: (11) 5080-0751 | faleconosco@grupogen.com.br**

- Direitos exclusivos para a língua portuguesa
  Copyright © 2018, 2023 (4ª impressão) by
  Editora Atlas Ltda.
  Uma editora integrante do GEN | Grupo Editorial Nacional
  Travessa do Ouvidor, 11
  Rio de Janeiro – RJ – 20040-040
  www.grupogen.com.br

  Reservados todos os direitos. É proibida a duplicação ou reprodução deste volume, no todo ou em parte, em quaisquer formas ou por quaisquer meios (eletrônico, mecânico, gravação, fotocópia, distribuição pela Internet ou outros), sem permissão, por escrito, da Editora Atlas Ltda.

- Capa: MSDE | MANU SANTOS Design

- Imagem da capa: Nikada | iStockphoto

- Editoração eletrônica: Bianca Galante

- Ficha catalográfica

CIP-BRASIL. CATALOGAÇÃO NA PUBLICAÇÃO
SINDICATO NACIONAL DOS EDITORES DE LIVROS, RJ

T826e

Turchi, Sandra R.
Estratégias de marketing digital e e-commerce / Sandra R. Turchi. – 2. ed. – [4. Reimpr.]. – São Paulo : Atlas, 2023.

Inclui bibliografia
ISBN 978-85-97-01469-3

11. Marketing na Internet. 2. Comércio eletrônico. 3. World Wide Web (Sistema de recuperação da informação). I. Título.

18-46991 CDD: 658.0546
CDU: 005.94

Respeite o direito autoral

DEDICATÓRIA

Dedico esta obra à minha maior realização, meu filho Lucca, que nasceu na mesma época do lançamento da 1ª edição deste livro. Ainda bem que você não nasceu antes da hora, caso contrário eu não conseguiria tê-lo concluído.

Espero que eu esteja conseguindo compartilhar adequadamente o tempo entre curtir a sua infância, brincar com você e educá-lo, com a árdua tarefa de pesquisar, escrever, reescrever e revisar um livro, dentre várias outras atividades. Mas tenho certeza que você compreenderá.

Obrigada por fazer parte da minha vida e torná-la muito mais relevante!

PREFÁCIO À 1ª EDIÇÃO

Sou do tempo do telefone preto. Era um privilégio tê-lo – e os afortunados até o exibiam sobre um pedestal, atiçando a inveja dos sem-linha. As ligações interurbanas, só com ajuda da telefonista, podiam demorar seis horas ou mais, quando não ficavam para o dia seguinte. E ainda se falava aos gritos. Aí a vizinhança participava das alegrias e tristezas das conversas.

Também sou do tempo do estêncil. Quando o lembro em palestras a estudantes de jornalismo, é infalível a pergunta ao final, entre os que me rodeiam: "Tio, o que é estêncil?".

Passei pela lenta evolução da máquina de escrever, que hoje crianças acham "dez" porque já então vinham com "printer". Inaugurei a linha de telex Porto Alegre-São Paulo, repórter do Estadão. Virei um experto: sabia ler aquela fita amarela perfurada à medida que se datilografava um texto, preparada antes para economizar tempo na transmissão, via linha telefônica.

E cheguei à Era Digital. Viajava carregado de cabos, adaptadores de tomada e até uma chave de fenda, o horror dos hotéis em que a usava, sempre em último caso, para abrir circuitos telefônicos embutidos na parede, ligar fios com "jacaré" e iniciar a pescaria desesperada por um sinal de *modem*, mesmo que fosse em outros países, para então enviar um artigo ao jornal pela fascinante e imprevisível internet. Era o máximo da modernidade. Ah, e tinha o *fax*.

Mas os tempos passam. Hoje esbocei este prefácio, como todos os textos que escrevo, no meu cérebro digital, o *software* PersonalBrain (www.thebrain.com). E agora o digito num *smartphone*, blindado contra eventuais distrações, como *e-mail*, Twitter,

Facebook, iGoogle, YouTube, del.icio.us, SlideShare, Wikis, LinkedIn, MySpace, *blogs*, *podcasts*, Flickr, Orkut, RSS, SMS e MMS.

Hoje, as inovações só não congestionam a *web* porque ela não tem limites. E cada dia fica mais difícil, ou impossível, manter-se atualizado. O mérito deste livro é o de flagrar, descrever e refletir o momento tecnológico que estamos vivendo. Cada um de seus artigos surfa na crista da onda da atualidade, nas praias do marketing, Web 2.0, blogosfera, interatividade, mídia social. E traz *cases*. É didático: mesmo quem veio do telefone preto consegue entender tudo. No final, o leitor terá avistado o horizonte em que já está surgindo o futuro, sempre renovador. E o receberá, preparado.

Moisés Rabinovitch
Diretor do Diário do Comércio, Repórter especial e
correspondente no Oriente Médio e nos EUA dos jornais O
Estado de SP e Jornal da Tarde, da rádio Eldorado, entre outros

PREFÁCIO À 2ª EDIÇÃO

Empreender é uma tarefa árdua e complexa, cheia de incertezas.

Estar no lugar certo, na hora certa, com as pessoas certas, com uma ideia pronta para decolar, é privilégio de poucos.

Muitas vezes, a decisão de empreender nem sempre surge num ambiente estável ou a partir de uma ação consciente e racional.

Este era o contexto em abril de 2003, quando a SOAP (State of the Art Presentations), empresa que fundei, começou sua trajetória.

Na época, não era uma questão de empreender em algo conhecido; tínhamos principalmente a necessidade e o desafio de criar um novo mercado, mostrando que apresentações elaboradas a partir de um formato inovador poderiam impactar substancialmente nos resultados das empresas em momentos decisivos.

Desde então, passados quase 15 anos, conseguimos expandir nossas atividades de forma constante, fidelizando clientes em centenas de empresas e em mais de 20 países.

Sem dúvida, o que tornou possível este desafio de crescimento, em diferentes partes do mundo, foi a amplitude de possibilidades trazidas pelo Universo Digital.

Entender e aproveitar as oportunidades relacionadas à Transformação Digital foi, e é, crucial para a sustentabilidade e evolução contínua de nosso negócio.

Consideramos as Estratégias Digitais fundamentais para nosso sucesso, tanto que criamos uma área dedicada a esta atividade dentro da empresa.

Há anos, a SOAP pratica uma das estratégias que mais cresceu no mundo digital, o chamado "Inbound Marketing", termo aparentemente complexo, mas de aplicação e conceitos simples. Se é possível estar sempre próximos aos clientes, procurando trazer alta *performance* em suas apresentações estratégicas para momentos decisivos, é porque os princípios do *inbound* marketing são seguidos diariamente. Estes princípios levam em conta:

• A geração de conteúdo relevante para nossos clientes de forma contínua. Hoje, além dos serviços de consultoria, disponibilizamos nosso aprendizado em treinamentos e *workshops*, bem como via *e-books* gratuitos, *blog posts* e *newsletters* mensais.

• Postagens periódicas nas redes sociais (Facebook, LinkedIn, Instagram e Twitter), adequando a linguagem a cada um dos meios.

• Análise de métricas e desempenho, que nos possibilita identificarmos novas oportunidades e estarmos em constante evolução.

Hoje, a evidência de sucesso na aplicação dessas diversas estratégias digitais se reflete no fato de termos nos tornado referência no assunto e de a empresa aparecer em primeiro lugar no principal buscador, de forma orgânica, em pesquisas relacionadas ao nosso mercado.

Conheci minha amiga, Sandra Turchi, como cliente em 2008, quando era Superintendente de Marketing. Desde então tive o privilégio de acompanhar sua trajetória de perto como profissional de referência mundial na área de Marketing Digital, tanto em sua vida profissional como acadêmica.

Lembro-me, inclusive, do dia em que conversávamos e eu a incentivei, e muito, a empreender também, pois tinha plena convicção da contribuição que ela poderia trazer ao mercado com seu conhecimento sobre estratégias digitais. E fiquei extremamente orgulhoso ao ver sua empresa nascer, em 2012, e crescer ao longo dos últimos anos, apoiando empresas e profissionais em sua transformação digital.

Muito do aprendizado para a implementação desses projetos de marketing digital e consequente transformação contínua de nosso negócio veio desta relação de tantos anos.

Este livro traz em sua essência os conceitos e o "caminho das pedras" para uma efetiva transformação do seu negócio, levando-se em conta toda a revolução digital que vivemos, ao longo dos últimos 25 anos, a partir de uma abordagem simples e prática.

Boa leitura!

Eduardo Adas
(Sócio fundador e CEO da SOAP)

AGRADECIMENTOS

O projeto deste livro surgiu a partir da minha vontade de transmitir meus conhecimentos e experiências profissionais, bem como para atender a pedidos de estudantes e profissionais que participam dos cursos e palestras que venho ministrando ao longo dos últimos anos.

Sua realização só foi possível graças ao apoio e à colaboração de várias pessoas que me deram inspiração, confiança e determinação para seguir em frente.

Serei eternamente grata à minha família, que é o meu porto seguro, para onde eu volto sempre.

Ao Moisés Rabinovici, ilustre jornalista, com vastíssima experiência, que aceitou redigir o prefácio da primeira edição livro, e ao amigo Eduardo Adas, que aceitou o convite para escrever o prefácio à 2ª edição.

Agradeço também a parceria da jornalista Silvia Giurlani, que colaborou em sua organização geral, e também à profissional Renata Benigna, parceira de muitos cursos, a quem eu tive a honra de inserir no meio acadêmico de marketing digital e que também colaborou com essa revisão.

E, finalmente, sou especialmente grata aos meus clientes, alunos, empresários e demais profissionais, com os quais aprendo diariamente e, em particular, àqueles que participaram diretamente da criação do conteúdo aqui presente, seja por meio de entrevistas ou de depoimentos.

A Autora

SUMÁRIO

1	**A (r)evolução trazida pela Internet**		1
	Objetivos		1
	1.1	A Internet no Brasil	2
	1.2	O potencial da rede e as pequenas e médias empresas	7
2	**A evolução do *e-commerce***		13
	Objetivos		13
	2.1	O potencial do *e-commerce* no mundo	15
	2.2	O *e-commerce* no Brasil e na América Latina	16
	2.3	Perfil do *e*-consumidor	19
	2.4	Comércio eletrônico e as PMEs	20
	2.5	Vantagens da loja virtual e passos a seguir	23
	2.6	Fraudes no comércio eletrônico	37
	2.7	Formatos de lojas virtuais	40
	2.8	*E-commerce* em operações B2B, franquias e atacados	42
	2.9	Casos de sucesso	43
	2.10	Casos de PMEs (Pequenas e Médias Empresas)	58
	2.11	*Social commerce*	63
	2.12	*Mobile commerce* e *mobile payment*	66
3	**Estratégias de marketing digital**		71
	Objetivos		71
	3.1	A importância de uma visão de marketing nos planos de negócios	73
	3.2	Planejamento de marketing vem antes do digital	74
	3.3	Marketing nos buscadores (SEM – *Search Engine Marketing*)	76
	3.4	Como funcionam os buscadores	79

3.5	*E-mail* marketing	86
3.6	Marketing viral	91
3.7	*Flash mob*	99
3.8	*Mobile site* e *mobile* marketing	102
3.9	Outras tecnologias: SMS, Bluetooth, realidade aumentada e *mobile tagging*	110
3.10	*Advertainment* e *advergaming*	115
3.11	TV digital e Web TV	120
3.12	Publicidade *on-line*	123
3.13	Marketing digital para pequenas e médias empresas (PMEs)	128
3.14	Mensurando os resultados	130
3.15	Tendências para o marketing digital	133

4 As mídias sociais e o relacionamento empresa-cliente ... 137
Objetivos ... 137

4.1	Rede social × Mídia social, SAC 2.0 e *Facebook Marketing*	139
4.2	A importância do planejamento nas mídias sociais e criação da *persona* da marca	147
4.3	Cocriação e *crowdsourcing*	152
4.4	Divulgação, promoções, conteúdo e *storytelling*	157
4.5	As PMEs e as mídias sociais	162
4.6	Monitorando o mercado nas mídias sociais – Brasil e América Latina	163
4.7	Redes sociais segmentadas, verticais, por afinidade ou de nicho	166
4.8	As redes sociais no mundo	169

5 A reinvenção das agências na era digital ... 173
Objetivos ... 173

5.1	Ações na Web 2.0	177
5.2	Agências digitais	182
5.3	Atividades da equipe de Relações Públicas e Assessoria de Imprensa 2.0	184
5.4	*Releases, podcasts* e outros recursos	188
5.5	Gerenciamento de crises	190
5.6	Maior foco nas PMEs	197
5.7	Transformações na relação com o mercado	198

6 Inclusão digital ... 201
Objetivos ... 201

6.1	A verdadeira democracia	202
6.2	Novo alvo: público de baixa renda	203
6.3	Inclusão digital das PMEs	206

7	**Desafios para os profissionais da nova era**	209
	Objetivos	209
7.1	Geração Y, geração Z e o que mais vem por aí	214
7.2	Outros desafios: as classes populares	216
7.3	Inclusão digital da terceira idade	218
7.4	Afinal, "o que querem as mulheres?"	220
7.5	*Crowdsourcing, open innovation* e *cocreation* – a sabedoria das multidões	222
7.6	A Internet no universo político	227
7.7	Um mundo de aplicativos (apps)	229
7.8	*Digital transformation*	231
7.9	Como atuar nesse cenário de transformação	233

Referências Bibliográficas 235

Índice Remissivo 251

A (R)EVOLUÇÃO TRAZIDA PELA INTERNET

OBJETIVOS

- ✓ Entender a influência da Internet nos negócios e na vida das pessoas, e o potencial de negócios que este meio de comunicação traz.
- ✓ Conhecer a evolução da Internet no Brasil e o perfil do consumidor *on-line* brasileiro.
- ✓ Identificar oportunidades para as empresas utilizando a Internet.

Nenhuma das facilidades de que dispomos na atualidade, tais como fazer compras, realizar operações bancárias, ter acesso a notícias, pesquisar diferentes assuntos, participar de jogos interativos e de fóruns de discussões, entre várias outras atividades que podem ser feitas tranquilamente por meio do computador sem sair de casa ou do trabalho, seria possível sem o surgimento e desenvolvimento da Internet. O crescimento deste ambiente digital, também chamado *grande teia mundial* (*World Wide Web*), ocorreu de forma acelerada e mantém-se em contínua evolução; acessam a rede cerca de 3,75 bilhões de pessoas, correspondendo a cerca de 50% da população mundial, segundo estudo realizado pela agência We Are Social. Entre essas pessoas, mais de 2,7 bilhões têm perfis em redes sociais e serviços de mensagens, 4,9 bilhões são usuários de celulares e 2,5 bilhões acessam as redes sociais por meio móvel.

O mundo corporativo, em particular, foi e continua sendo bastante impactado pelo crescimento rápido e contínuo da Internet, não só porque a rede abriu um novo canal para divulgação e comercialização de produtos e serviços para empresas de todos os tipos e portes, como as obrigou a repensar suas estratégias de marketing e a forma de se relacionar com clientes e parceiros de negócios – locais e do mundo todo. Não é mais possível ignorar o grande potencial oferecido pelo universo digital e as suas mais variadas opções de acesso, que hoje não se restringem apenas ao computador de mesa (*desktop*), mas englobam também os dispositivos móveis como *notebooks*, *netbooks*, iPads, iPods, celulares, *smartphones*, *tablets*, iPhones, entre tantos outros *gadgets*.

Algumas empresas de menor porte, que ainda não estão atentas para isso, precisam despertar e começar a marcar sua presença na Internet de alguma forma, seja por meio de um *site* institucional ou *blog*, pela participação em redes sociais, por anúncios como *banners* em grandes portais e *sites* verticais, *links* patrocinados nos *sites* de busca, entre outras opções, ou ainda iniciar uma operação de *e-commerce* para realizar transações comerciais pela *web*. E a razão para isso é muito simples: porque os clientes convencionais e, principalmente, os potenciais estão lá, bem como as empresas concorrentes.

1.1 A Internet no Brasil

Todos os números e estatísticas relacionados ao mundo digital mudam a cada momento, mas o fundamental é entender o que esses estudos comprovam: trata-se de um caminho sem volta, que requer um aprendizado contínuo (na maior parte das vezes, empírico) e apresenta grandes desafios e obstáculos a serem vencidos, mas que em contrapartida oferece uma gama inesgotável de possibilidades e oportunidades que, devidamente aproveitadas, podem render excelentes resultados.

No Brasil, o crescimento da Internet tem sido impressionante, passando de 2,5 milhões de usuários em 1999 para mais de 139 milhões em 2017 (Figura 1.1).

O acesso à Internet móvel está aumentando entre as classes C e D. O uso da banda larga no Brasil, especialmente pelas redes de telefonia móvel, vem crescendo muito nos últimos anos. Dados publicados pela Telebrasil mostram que em 2017 o Brasil alcançou um total de 223,9 milhões de acessos em banda larga, dos quais 197,1 milhões foram feitos por meio da banda larga móvel. Esse crescimento tem se dado em todas as classes sociais. A importância da banda larga, especialmente pelas redes móveis, favorece a inclusão de um maior número de brasileiros na moderna sociedade da informação e do conhecimento.

Ano	Usuários da Internet
2016	139.111.185
2015	132.357.306
2014	118.700.869
2013	104.253.986
2012	98.286.209
2011	91.616.484
2010	80.736.676
2009	77.146.249
2008	65.890.588
2007	59.531.860

Fonte: Livestats. Adaptada pela autora.

Figura 1.1 Crescimento do número de usuários de Internet no Brasil.

O acesso à *web* por celular já é maior que por PC. Segundo a FGV, a base total de computadores no País chegou a 166 milhões em 2017, e a de linhas celulares já superou 286 milhões.

A segunda edição da pesquisa "Jovem Digital Brasileiro" do Ibope, apresentada em 2014, feita com 1.513 jovens brasileiros com idade entre 15 e 32 anos, revelou que quase todos (96%) usam a Internet diariamente para navegar nas redes sociais (90%) e ver ou baixar vídeos. A distribuição entre as classes sociais é muito homogênea. Esses jovens possuem perfil em 7 redes sociais, em média, e em torno de 3 endereços de *e-mail* (17% apenas um, 40% dois e 21% mais do que três). A maioria dos jovens entre 18 e 25 anos (91%) usa constantemente o Facebook, 48% o YouTube, 15% o Instagram e 13% o Twitter.

Entre os achados do estudo estão a simultaneidade e a convergência, uma vez que 61% deles estão habituados a usar mais de um meio de comunicação ao mesmo tempo e 63% assistem TV enquanto navegam na *web*, por isso os jovens também podem ser considerados multitelas. No total, mais de 90 milhões de usuários acessam a rede de suas casas ou trabalho, e o maior crescimento do acesso ocorreu nas residências: 87,9 milhões, o que representou um aumento de 19% em um ano (Nielsen Ibope). Um quarto dos usuários ativos em residências no Brasil já utiliza banda larga com capacidade superior a 8 MB.

A existência de banda larga é um fator determinante para a melhoria da qualidade de acesso, sendo usada em 70% dos domicílios com acesso à Internet, lembrando que até pouco tempo atrás a participação das *lan houses* e cibercafés era superior a 50% do volume de acessos, devido à dificuldade na aquisição de computadores e banda larga pelo público de baixa renda.

Em pouco tempo, esses locais passaram a desempenhar um papel interessante de inclusão digital. Estima-se que no Brasil o número de *lan houses* superou a faixa de 100 mil em 2011. Nos anos posteriores, o setor passou por mudanças no modelo de negócios para se tornar centros de conveniência devido ao aumento do acesso domiciliar e móvel, como a criação de pequenas *lan houses* dentro de outros negócios, como em salões de cabeleireiro, pois viram aí uma oportunidade de novas receitas, levando o acesso à rede a mais pessoas sem recursos para adquirir seus próprios equipamentos.

Para as empresas é importante observar que a maioria da população *on-line* se enquadra numa faixa etária economicamente ativa, já que a maior quota de audiência varia de 35 e 54 anos (veja a Figura 1.2) da classe econômica C com 52%, seguida pela AB com 38% e DE com 10%.

Com relação à escolaridade, segundo dados do Ibope Inteligência, em média 29% dos acessos à Internet são de pessoas com curso superior completo e 50% de ensino médio completo, ou seja, brasileiros com curso superior ou cursando acessam a *web*, demonstrando ser um público bastante atrativo para quem pensa em fazer negócios nesse ambiente.

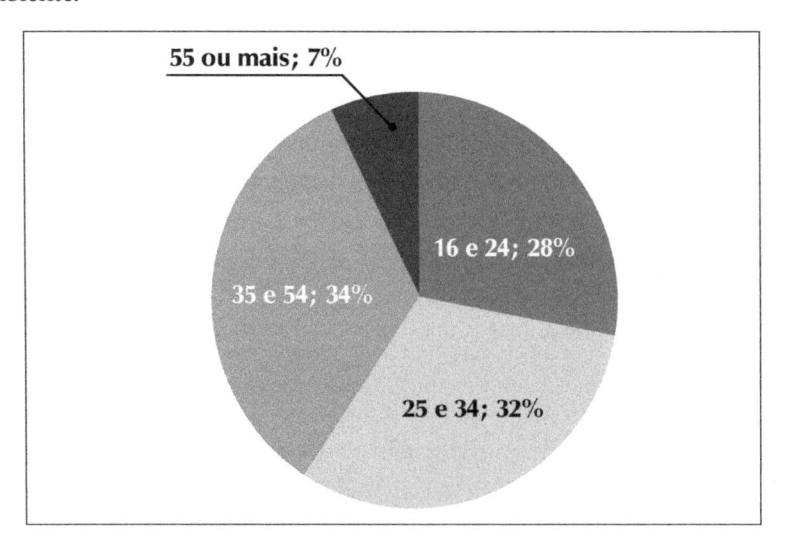

Fonte: Ibope Inteligência – Fevereiro de 2015. Adaptada pela autora.
Figura 1.2 Faixas etárias de acesso à Internet no Brasil.

De acordo com os dados do Ibope Inteligência de 2015, 7% do total de internautas estão na faixa a partir dos 55 anos. A pesquisa revelou ainda que 53% do total de usuários são mulheres e 47% homens.

Em termos regionais, a região mais conectada do País é o Sudeste, que concentra o maior volume de acessos, com 49% do total, seguido pelo Nordeste com 22%, Sul com 14%, Centro-Oeste com 8% e a região Norte, com 7% (Figura 1.3).

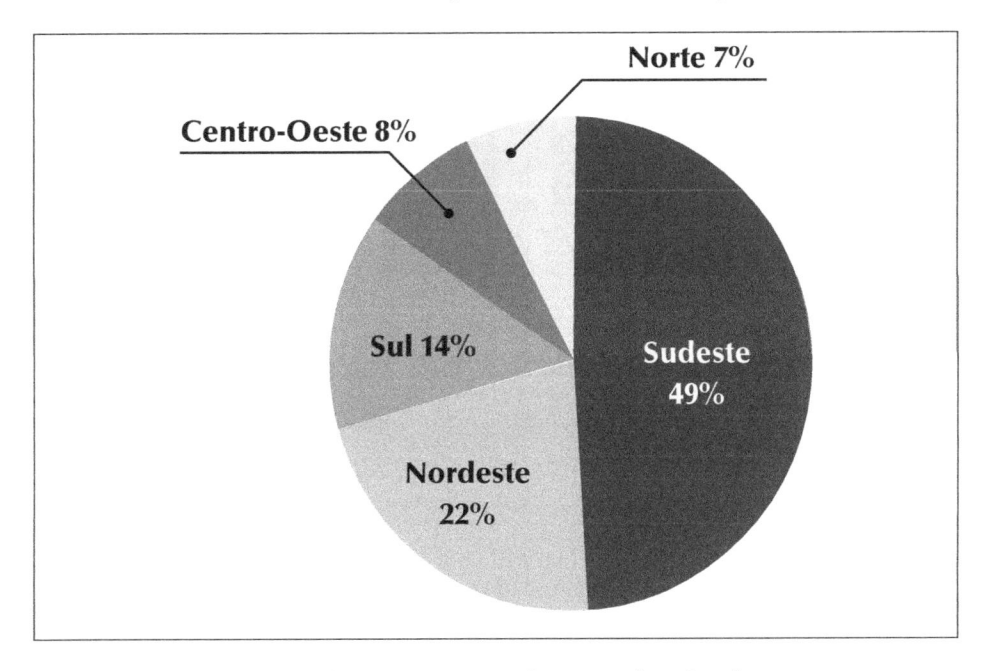

Fonte: Ibope Inteligência – Fevereiro de 2015. Adaptada pela autora.
Figura 1.3 Regiões de acesso à Internet no Brasil.

Ainda segundo o estudo da agência We Are Social, de janeiro de 2017, o brasileiro fica em média 8,15 horas diárias conectado à Internet, gasta 3,56 horas com acesso móvel e gasta 3,43 horas com acesso a redes sociais (via *mobile* ou fixo).

Quanto a esse tópico, há muitas controvérsias, pois os mais céticos alegam que o brasileiro permanece muito tempo *on-line* porque seu acesso é de pior qualidade, fazendo com que as pessoas tenham que aguardar para as páginas serem carregadas. Independentemente dessa visão, podemos avaliar também que o brasileiro é um povo entusiasta das novas tecnologias, pois o mesmo se repete quando falamos de acesso à *web* via celular, em que também há um recorde mundial em tempo de acesso, bem como do interesse por outras mídias.

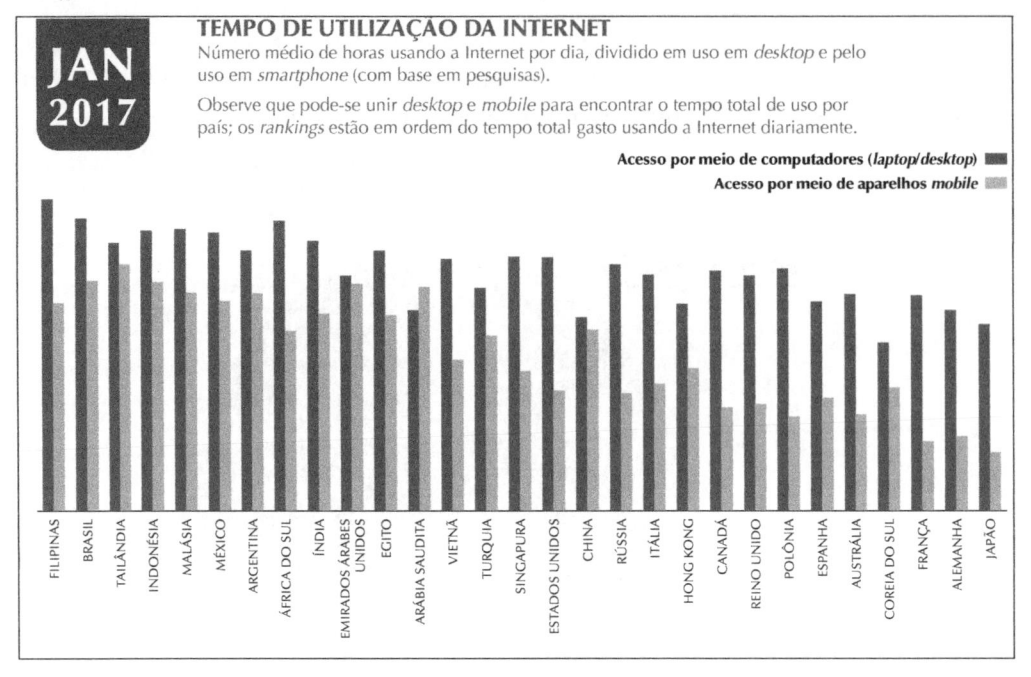

TEMPO DE UTILIZAÇÃO DA INTERNET
JAN 2017
Número médio de horas usando a Internet por dia, dividido em uso em *desktop* e pelo uso em *smartphone* (com base em pesquisas).

Observe que pode-se unir *desktop* e *mobile* para encontrar o tempo total de uso por país; os *rankings* estão em ordem do tempo total gasto usando a Internet diariamente.

■ Acesso por meio de computadores (*laptop/desktop*)
▨ Acesso por meio de aparelhos *mobile*

Fonte: We Are Social 2017. Adaptado pela autora.
Figura 1.4 Tempo total de utilização da Internet por país, considerando tempo gasto via *desktop* e *mobile*.

Os internautas brasileiros ocupam a segunda posição do *ranking* de maior tempo conectado, superando a média mundial. *Sites* de redes sociais detiveram o maior percentual desse tempo, liderados pelo Facebook, com 122 milhões de usuários cadastrados no Brasil, com 66% de acessos diários.

O comércio eletrônico continua crescendo, com algo em torno de 8% de aumento do faturamento em 2017. O portal Mercado Livre manteve-se líder em audiência entre os *e-commerces*, com mais de 23 milhões de visitantes únicos em janeiro de 2015.

As visualizações de páginas *web* no mundo em dispositivos como *smartphones* e *tablets* (não PCs) bateram recorde, com 50% em janeiro de 2017. O consumo de vídeos *on-line* no Brasil é acima da média global: 86% dos usuários assistiram 161 vídeos no início de 2014, totalizando mais de 11 horas por pessoa. O YouTube continuou sendo o principal *site* de vídeo. O uso de vídeo no Facebook teve o crescimento mais rápido: o volume de postagens aumentou 75% e a quantidade de vídeos nativos, publicados diretamente no *feed* de notícias, subiu 3,6 vezes (dados internos do Facebook).

O volume de informações disponíveis na Internet é tão grande e diversificado que é praticamente impossível encontrar o que se procura sem recorrer a um mecanismo de busca. Para se ter uma ideia, segundo dados do IAB Brasil de 2017, o mercado de *search* (busca), classificados e comparadores de preço faturou R$ 5,7 bilhões (48,5% do total) e não para de crescer. Segundo o mesmo estudo, o investimento publicitário em vídeo movimentou R$ 2,2 bilhões (19%); *display* e social, R$ 3,8 bilhões (32,5%); e mídia programática, R$ 1,9 bilhão (16,5%), totalizando R$ 11,8 bilhões no ano de 2016, e a estimativa para o ano de 2017 é de R$ 14,8 bilhões, ou seja, um crescimento de 26% sobre 2016.

O mercado de *search* está em ebulição e o motivo é óbvio: ele permite o maior retorno por investimento. De longe, a maior empresa do segmento de *search* em todo o mundo é o Google, lançado em 1998, e desde então já indexou páginas de mais de 230 milhões de domínios e encontrou mais de 60 trilhões de endereços na *web*. Mas, como a Internet está mudando, o Google tem de rastrear diariamente mais de 20 bilhões de páginas para se manter atualizado. Além disso, todos os meses, mais de 100 bilhões de pesquisas são feitas no Google, sendo 15% inéditas.

Comparação de preços é outro item muito importante. Na América Latina, essa atividade alcança a média de 21,5% do tempo gasto nas atividades *on-line*, próximo à média mundial de 23,7%. Nesse quesito, os americanos estão na frente, com 39%, e os brasileiros se destacam em segundo, com 33,8%, sendo o *site* BuscaPé líder nesse campo.

1.2 O potencial da rede e as pequenas e médias empresas

Apesar de todas as inovações tecnológicas e da disponibilidade de ferramentas gratuitas na Internet, que estão contribuindo para mudar os relacionamentos interpessoais, comerciais e a forma de se fazer negócios, a realidade tem demonstrado que grande parcela das pequenas e médias empresas ainda não usufrui desses recursos como deveria e sequer está familiarizada com as terminologias relativas a essas atividades.

Para se ter uma ideia, o faturamento do comércio eletrônico chegou a 44,4 bilhões em 2016, segundo a empresa de pesquisas Ebit, do grupo Buscapé, um crescimento de 7,4%, superior ao varejo tradicional. A previsão de faturamento para 2017, segundo a mesma fonte, é de R$ 50 bilhões.

As empresas especializadas e de menor porte poderão ser as protagonistas, já que se estima que apenas R$ 18,00 de cada R$ 100,00 faturados no setor foram para as pequenas, ou seja, elas detiveram apenas 18% do que se faturou no *e-commerce* em 2014, apesar de representarem 98% dos negócios formais no País.

Um dos motivos da baixa participação das pequenas no faturamento do comércio eletrônico ainda é a enorme quantidade de empresas que não possui sequer um *site* e uma presença digital mais consolidada, que são as portas de entrada para o *e-commerce*. Segundo dados divulgados pelo NIC.br, o índice das empresas que não fazem uso do ambiente *on-line* é de 40% no Sudeste e 50% no Nordeste.

Algumas das conclusões de um estudo feito pelo Grupo Incyte, realizado com proprietários e executivos de empresas norte-americanas de diversos setores, indicam que as companhias pequenas e médias (PMEs) ainda estão em descompasso com as novas tecnologias disponíveis e preocupam-se com a atualização precária de seus *websites*, o que prejudica a competitividade principalmente em relação às grandes empresas. O estudo também apontou que 68% dos entrevistados acreditam que o *site* foi importante para o direcionamento de negócios e fortalecimento da marca. Por outro lado, a maioria (51%) ainda não enxerga nas mídias sociais um fator relevante para seus esforços em marketing.

Outro destaque desse estudo foi o fato de as PMEs não criarem *sites* eficazes, com boa usabilidade, capazes de gerar boa experiência do consumidor e reter visitantes. Isso porque a maioria (75%) dessas empresas não usa ferramentas de análise, como o Google Analytics, por exemplo, para medir o desempenho de seus *sites* por não acreditarem que análises de *sites* sirvam para efetuar mudanças que possam garantir melhores resultados. Para completar, apenas 4% aproximadamente das empresas têm *sites* adaptados para celulares e *tablets*.

Quando analisados outros pontos, como a publicidade na *web*, 37% consideram o *e-mail* útil para aquisição e retenção de clientes, seguido por *sites* (32%), mídia impressa (16%), mídias sociais (7%), *sites* de avaliação e *links* patrocinados (4%). E pior, a maioria (72%) afirmou que menos de 25% das vendas foram provenientes do *on-line* e 7% nem sabem o quanto de negócios pode ser atribuído à Internet.

No Brasil, o cenário não é diferente. Segundo a pesquisa TIC Empresas, apenas 60% possuem *sites* próprios, a maioria para informações institucionais (93%); apenas 17% afirmaram ter sistemas de pedidos ou reserva/carrinho de compras; e 12% têm pagamento *on-line* para completar a transação.

Esses números são similares aos de uma pesquisa realizada pela Associação Comercial de São Paulo de 2013, em que também constava que apenas 60% das empresas tinham *site*. Um dado interessante era que menos de 30% usavam a *web* para publicidade naquele momento e apenas 17% delas tinham perfis cadastrados em redes sociais, embora 40% dissessem que monitoravam esse canal, mesmo que de forma "caseira".

A escassez de tempo, de recursos e de desconhecimento ainda fazem com que as PMEs pouco invistam em atualização tecnológica e concentrem seus esforços no negócio principal, relegando a presença *on-line* a um segundo plano.

Esses estudos também nos levam a concluir que é necessário disponibilizar a essas empresas maior conhecimento e condições para realizar negócios, utilizando a *web* como plataforma para conquistar e reter clientes, aumentar vendas, fortalecer sua imagem e marca e divulgar produtos e serviços, entre outras opções. Uma das principais dificuldades alegadas pelos gestores das PMEs para usar a Internet de forma mais intensa é a falta de tempo, de foco para buscar soluções e de equipe dedicada, tendo em vista que normalmente os microempresários são os responsáveis por grande parte da operação das suas empresas, desde a compra dos produtos, negociações, pagamentos até vendas, enfim, a gestão geral do negócio, o que demanda obviamente muito tempo, pois precisam "jogar em todas as posições". Em geral, eles não possuem muitos recursos financeiros, tampouco equipes de marketing e de tecnologia ou profissionais que possam contribuir com o desenvolvimento. Assim, a tarefa de buscar inovações e implantá-las acaba ficando em suas próprias mãos, ou então não é feita.

O ponto de partida deve ser o melhor esclarecimento para essas empresas sobre o potencial da *web* e, em especial, do *e-commerce*, atividade que apenas no Brasil cresceu aproximadamente 1.800% nos últimos nove anos e que será abordada, com mais detalhes, no próximo capítulo.

Um pouco de história

A Internet começou a ser idealizada na década de 1960, quando o Departamento de Defesa dos Estados Unidos, por meio da ARPA (Advanced Research and Projects Agency), desenvolveu um projeto de rede de computadores batizado Arpanet. A ideia era ligar pontos considerados estratégicos para o País, como bases militares e centros de pesquisa e de tecnologia, e impossibilitar a destruição da rede por possíveis ataques dos países inimigos.

Na época, era importante que a rede não se baseasse em um comando central, mas sim que todos os pontos (os nós da rede) tivessem a mesma importância, de forma que os dados fossem transmitidos em qualquer sentido, ou seja, sem uma ordem definida.

Antes disso, já existia outra rede que ligava os departamentos de pesquisa e as bases militares, mas como os EUA estavam em plena Guerra Fria, e toda a comunicação dessa rede passava por um computador central que se encontrava no Pentágono, sua comunicação era extremamente vulnerável e poderia ser cortada caso a antiga URSS (União das Repúblicas Socialistas Soviéticas) bombardeasse aquele local.

A Arpanet contava com um *backbone* (tronco principal da rede) subterrâneo, sem ter um centro definido ou mesmo uma rota única para as informações, tornando-se quase indestrutível. Pouco tempo depois, quatro universidades e outras instituições que faziam trabalhos relativos à defesa passaram a se conectar à rede, e em 1975 foram contabilizados cerca de 100 *sites*. A troca de mensagens e de arquivos já era uma realidade. No mesmo ano foi criada a Telenet, o primeiro serviço comercial norte-americano de acesso à rede.

Em 1983, com a substituição do protocolo Network Control Protocol (NCP) pelo Transfer Control Protocol/Internet Protocol (TCP/IP) – a linguagem comum usada por todos os computadores conectados a ela até hoje –, houve grande crescimento da rede, que passou a se chamar Internet. Mas apenas em 1990 foi criado o sistema de hipertexto *world wide web* (www), pelo físico Tim Berners-Lee, o que facilitou substancialmente a navegação pela rede.

Naquele momento a Internet era composta por aproximadamente 50 mil redes internacionais, e cerca de 50% delas estavam nos EUA. Por volta de 1992/1993 (chamada 1ª fase da Web) foi estabelecida uma melhor infraestrutura da rede, e entre

1993/1995 (a chamada 2ª fase da Web) ocorreu a adoção da Internet pelos *geeks*, usando o navegador Netscape 1.0. Entre 1995/1998 (3ª fase) atingiu o público em geral, e o mundo empresarial ocupou a rede. Surgiram grandes empresas, como Amazon, Ebay, UOL, Yahoo, Submarino, conforme detalhado a seguir.

A partir de julho de 1995, mais de 6 milhões de computadores estavam conectados à Internet, além de muitos sistemas portáteis e *desktops*, que ficavam *on-line* por apenas alguns momentos. Iniciava-se, assim, a segunda geração da Web.

Em 1994 foi criado o Yahoo; em 1997, o Google; em 1998, o MSN; e em 2009, o Bing. E, em 2000 (4ª fase), culminou com a "bolha da Nasdaq".

No Brasil, a Internet começou a dar seus primeiros passos em 1989, quando uma rede conectou a Fapesp (Fundação de Amparo à Pesquisa de São Paulo) ao Fermilab (Laboratório de Física de Altas Tecnologias de Chicago/EUA), por meio da troca de arquivos e correio eletrônico, e o Instituto Brasileiro de Análises Sociais e Econômicas (Ibase) colocou no ar a rede Alternex. Em 1991, o Ibase e a Associação para o Progresso das Comunicações (APC) liberaram o uso da Internet para ONGs, além das universidades e entidades ligadas ao setor acadêmico.

No mesmo ano o Ministério de Ciência e Tecnologia (MCT) inaugurou a Rede Nacional de Pesquisa (RNP), que teve um papel-chave na implantação da Internet no País, tanto no que se refere à infraestrutura tecnológica – organizou o *backbone* (tronco principal da rede) – na capacitação de recursos humanos, quanto na formulação de políticas de preço, gestão e uso.

Em dezembro de 1994 a Embratel lançou o serviço experimental de Internet comercial, mas somente em 1995 é que foi possível, pela iniciativa do Ministério das Telecomunicações e do Ministério da Ciência e Tecnologia, a abertura ao setor privado da Internet para exploração comercial. Naquele mesmo ano, a RNP redefiniu seu papel, deixando de disponibilizar o *backbone* apenas para o meio acadêmico, para estender seus serviços de acesso a todos os setores da sociedade.

Em pouco tempo, a Internet se expandiu, passando de 100 mil usuários, em 1996, para um milhão de pessoas, em 1998. Passados um pouco mais de 20 anos, o crescimento da rede no Brasil se intensificou, chegando a 120 milhões de usuários em 2014. Naquele ano, no mundo todo, segundo o relatório anual da União Internacional de Telecomunicações (ITU), havia 2,3 bilhões de internautas, ou seja, 33% da população. Em 2014, metade da população mundial estaria conectada à rede, segundo estimativa da entidade.

A terceira geração da Internet foi batizada de **Web 2.0** por Tim O'Reilly, entusiasta de movimentos de apoio ao *software* livre e diretor da O'Reilly Media Incorporated, editora de livros sobre tecnologia.

Essa fase, iniciada após o ano 2000, se caracteriza pela proliferação de portais, *blogs*, *microblogs* e *sites* de relacionamento (também chamados redes sociais) que permitem e estimulam maior interação e colaboração dos internautas por meio de computadores fixos e de dispositivos móveis. Se compararmos à fase anterior, em que éramos como espectadores diante dos conteúdos disponíveis, sem interferência, hoje somos todos criadores ou potenciais geradores de conteúdos, o que nos transforma, também, em mídia.

A chamada *Web semântica* ou **Web 3.0** é a etapa pela qual estamos passando, em que as informações são trabalhadas pelos grandes líderes da *web*, como Google, Facebook e outros, que detêm uma série de dados expostos pelos internautas no momento do cadastro, permitindo o acesso às pessoas no momento que navegam por diversos *sites* e deixam seus rastros. Essas informações passam a ser utilizadas para apresentar ao internauta os resultados de buscas mais coerentes com o que ele realmente deseja e com aquilo que está pesquisando. Um exemplo disso é o de determinada pessoa que tem a intenção de viajar nas férias e comenta sobre isso na sua rede social preferida e na troca de e-mails com seus contatos.

A partir disso, essa pessoa começa a receber ofertas de agências de viagens. Aquilo que parece coincidência, na verdade, não é. Por isso é importante que os internautas leiam todos os contratos que constam nos *sites* em que se inscrevem antes de aceitá-los para que saibam o que será feito com os seus dados ali cadastrados.

É o risco atual da superexposição. Isso faz parte também do conceito da "Era do Grátis", ou Freeconomics, termo criado por Chris Anderson (autor do livro *A cauda longa*) para descrever esse movimento de oferta de um serviço grátis (como acesso a informações, conta de *e-mail*, vídeos etc.), em troca da obtenção das informações de interesse do usuário, que serão então utilizadas pelas empresas de forma comercial, para uma oferta de produtos e serviços mais assertiva.

Especula-se que a próxima geração da Internet (Web 4.0), que começa a ser delineada agora, será marcada pelo aumento de redes fechadas que, paradoxalmente, se encontram dentro da rede global, como Facebook, só para citar a mais popular, e também pelo crescimento das restrições de uso, como já ocorre na China, Arábia Saudita e Egito, em que as pessoas não têm acesso à rede aberta, mas apenas ao que o governo dos respectivos países permite.

A Internet também está começando a perder seu caráter global para se tornar cada vez mais local. Um exemplo disso é o Hulu, *site* que exibe séries de TV e só é acessível nos EUA. Outra tendência que começa a ganhar corpo é o aumento de portais e *sites* que deverão passar a cobrar para permitir o acesso a determinados conteúdos, como notícias, por exemplo.

O uso de diferentes aplicativos para celulares e *tablets* é outro elemento que poderá criar pequenos feudos dentro da Internet, como é o caso dos iPods, iPads e iPhones da Apple, e do Android do Google – todos fazem parte da *web* mas tudo é fechado e o acesso é restrito aos seus usuários.

A EVOLUÇÃO DO E-COMMERCE

OBJETIVOS

- ✓ Entender as operações e modalidades do *e-commerce*.
- ✓ Conhecer os números e a história do *e-commerce* no Brasil e no mundo.
- ✓ Passo a passo para montar e administrar um *e-commerce*.
- ✓ Casos de *e-commerces* mundiais.
- ✓ A importância do *mobile commerce* (*m-commerce*).

Com o desenvolvimento da Internet, o ambiente digital passou a ser visto pelo setor corporativo como um terreno fértil a ser explorado e como forma de imprimir maior agilidade aos negócios. Na década de 1980, as grandes corporações, principalmente dos setores industrial e varejista, já realizavam transações comerciais pela via eletrônica, com o uso de tecnologias específicas, como o *Electronic Data Interchange* (EDI – Troca Eletrônica de Documentos) e *Electronic Funds Transfer* (EFT – Transferência Eletrônica de Fundos) para envio de documentos (ordens de compra e de pagamentos), visando agilizar as operações de logística e da cadeia de suprimentos. Esses serviços eram disponibilizados por provedores especializados, como a Interchange (atual GXS Brasil) e Proceda, entre outras.

A partir do final dos anos 1990 e início de 2000, com a evolução da Internet e dos mecanismos de segurança, essas operações começaram a ser feitas também pela *web*. Mas o potencial oferecido pela Internet levou as empresas a pensar de forma mais ampla e a incluir em seus planejamentos de marketing as estratégias de *e-business*

– conceito abrangente que se refere a uma fusão complexa dos processos internos, aplicações empresariais e estrutura organizacional, com uso de tecnologia (*hardwares* e *softwares*), de modo a criar um modelo de negócios de alto desempenho.

Estavam lançadas as **bases para o *e-commerce*** – operações de compra e venda de produtos e de serviços pela Internet – e suas derivações atuais, tais como: *m-commerce* (*mobile commerce* – comércio por meio de dispositivos móveis), *t-commerce* (*television commerce* – comércio por meio da televisão), o *social commerce* (comércio com influência das redes sociais), entre outras.

Em termos conceituais, o comércio eletrônico engloba as modalidades:

- *B2C – Business to Consumer*: modelo de negócio que abrange qualquer transação em que uma companhia ou organização venda seus produtos ou serviços diretamente para os consumidores finais; nesse caso, consumidores que navegam pela Internet. Esse segmento se assemelha muito às lojas que fazem venda direta ao consumidor (varejo) através de catálogos, e se apresenta tipicamente na *web* na forma de lojas virtuais. Também pertencem a essa categoria os leilões virtuais e os modelos de *shoppings* virtuais, que funcionam como os *shoppings* tradicionais, onde diferentes lojas vendem seus produtos e pagam taxa de condomínio.

- *B2B – Business to Business*: abrange as transações comerciais – compra e venda de produtos e serviços – entre empresas ou entidades. Como exemplos, temos as indústrias que vendem para os atacados, os atacados que vendem para pequenas lojas de varejo, e assim por diante.

- *B2G – Business to Government*: define as atividades comerciais, nesse caso pela Internet, entre empresas privadas e governamentais.

- *B2I – Business to Institutions*: atividades comerciais pela via eletrônica entre empresas e instituições (educacionais, associações etc.).

- *B2E – Business to Employee*: modelo de comércio eletrônico em que empresas vendem serviços ou produtos a seus funcionários.

- *E-Procurement*: modalidade de comércio eletrônico utilizado pelas empresas para compra de suprimentos (como materiais de escritório, higiene e limpeza etc.).

- *CtoC – Consumer to Consumer*: comércio entre consumidores, feito de forma direta, por meio de *sites* apropriados, tais como Mercado Livre, Imovelweb, Webmotors, ou seja, pessoas anunciando para vender para outras pessoas, sejam produtos novos ou usados, que hoje é uma grande tendência, via *sites* como OLX, Bom Negócio, Enjoei, entre outros.

Com o fortalecimento das trocas de informações e influência nas mídias sociais, surgiu também um termo novo, citado pela primeira vez em 2011 pela Harvard Business Review, que é o BtoN, conforme descrito a seguir:

- **OtoO (On-line to Off-line):** são serviços adquiridos no *on-line* para uso no *off-line*, e embora tenha crescido 30% em 2016 com relação a 2015, esse é um mercado que ainda tem muito para crescer.

- **BtoN,** ou **Business to Network:** nos tempos atuais, quando vende um produto ou serviço para um cliente, a empresa deve considerar essa transação não apenas com uma pessoa, e sim com a rede à qual ela pertence, pois esse consumidor poderá impactar, de acordo com suas atitudes, as vendas futuras dessa empresa, ou seja, se ele for bem atendido e ficar satisfeito poderá difundir informações que vão favorecer a empresa. Mas o contrário também é verdadeiro: se ele ficar insatisfeito, poderá difamar a organização, fazendo que ela perca futuros negócios. É necessário, hoje mais do que nunca, que as empresas reconheçam o poder que os consumidores adquiriram com a expansão do boca a boca, resultante principalmente da evolução da Web 2.0, como veremos nos próximos capítulos. Esse termo, BtoN, ainda é pouco disseminado.

2.1 O potencial do e-*commerce* no mundo

O *e-commerce* começou a deslanchar nos EUA por volta de 1995, com o surgimento da Amazon.com e de outras empresas pioneiras que decidiram apostar nesse novo modo de fazer negócios. Naquela época, a Internet mostrava-se altamente promissora e atraiu investimentos vultosos, com a promessa de retornos ainda mais vantajosos. No entanto, a chamada "bolha de oportunidade" acabou estourando no ano 2000, na Bolsa de Valores americana, a Nasdaq, e muitas empresas e investidores que apostaram alto na *web*, talvez prematuramente, quebraram. De forma bastante simplificada e resumida, o estouro da "bolha" aconteceu porque muitos investimentos e valores relacionados às empresas no mundo digital não tinham um fundamento real que se sustentasse, e isso veio à tona em 2000, quando esses valores, de certa forma ilusórios, foram colocados em xeque e muitas empresas acabaram quebrando. Muitas pessoas não se lembram desse episódio, e alguns até o confundem com o "bug do milênio", pois ocorreram no mesmo período, mas um fenômeno não tem nada a ver com o outro.

Após esse acontecimento, as empresas que investiram no varejo virtual enfrentaram sérias dificuldades e muitas delas encerraram suas atividades. As que continuaram acreditando nesse novo canal de comercialização, buscando maior desenvolvimento de suas operações *on-line*, conseguiram se firmar e se destacar nesse segmento. Foi o caso da Amazon, nos Estados Unidos, e da Submarino (atual B2W, formada pela fusão da Submarino com a Americanas.com e Shoptime), no Brasil, só para citar dois exemplos.

Aliás, conforme exposto no Capítulo 1, o nome Web 2.0 foi cunhado por Tim O'Reilly para o período seguinte, pois estava relacionado às empresas que "sobreviveram" a esse estouro da bolha, pois elas tinham um traço em comum: contavam, de alguma forma, com a participação ativa dos usuários e consumidores em seu modo de atuar. E não é por acaso que o termo Web 2.0 está relacionado com colaboração e interação, como veremos no capítulo destinado a esse tópico.

Após esse período da bolha no mundo todo, o comércio eletrônico manteve crescimento contínuo, consistente ao longo dos anos e em ritmo acelerado, como veremos em alguns números do setor mais adiante.

Atualmente, o Brasil ocupa o décimo lugar no *ranking* de faturamento do *e-commerce* mundial. É o único país da América Latina que figura entre os 10 primeiros, com 4,1% do total de vendas do varejo em geral do País.

Com base nessa tendência, nota-se que a *web* funciona como veículo principal de acesso e venda de determinados produtos, ou como canal complementar de redes tradicionais. É o que vem sendo constantemente apresentado na NRF (National Retail Federation – feira realizada anualmente em Nova York), onde os tópicos mais discutidos nos últimos anos estão sempre relacionados ao ambiente digital.

Como exemplo, desde 2015 os assuntos de maior destaque em 76 palestras focalizaram *Omnichannel* (explicaremos adiante), Novas tecnologias, Personalização e experiência do cliente, *Big data*, Mobilidade e Varejo digital (*e-commerce*; tecnologias digitais dentro da loja), devido aos grandes impactos no consumo que vêm causando: o *mobile* e as tecnologias dentro da loja, porque os consumidores consultam seus dispositivos móveis até o último minuto antes de realizar suas compras – são os chamados *showroomers*; e o *Omnichannel*, que é a integração de diversos canais de atendimento e informação ao cliente, pois este se utiliza naturalmente de vários caminhos antes, durante e depois da sua compra.

> "Atualmente, a 10ª maior empresa de varejo do mundo, se mantiver o seu crescimento dos últimos anos, a Amazon deve se tornar a 2ª varejista do mundo em no máximo 3 anos. Este fato mostra a força do *e-commerce* no mundo, com empresas ganhando cada vez maior representatividade. As vendas pela Internet já representam 19,6% do varejo na China, 18% no Reino Unido, 10% nos EUA 10% e 3,3% no Brasil."
>
> Fonte: <http://onegociodovarejo.com.br/6-insights-da-nrf-2017/>. Acesso em: 23 out. 2017.

2.2 O *e-commerce* no Brasil e na América Latina

No Brasil, o *e-commerce* vem se fortalecendo e crescendo consistentemente a cada ano. Segundo a 35ª edição do "Relatório Webshoppers" da empresa de pesquisas Ebit, em 2016 o setor faturou no País R$ 44,4 bilhões, correspondendo a um crescimento nominal de 7,4% em relação ao ano anterior.

Evolução do faturamento no e-commerce

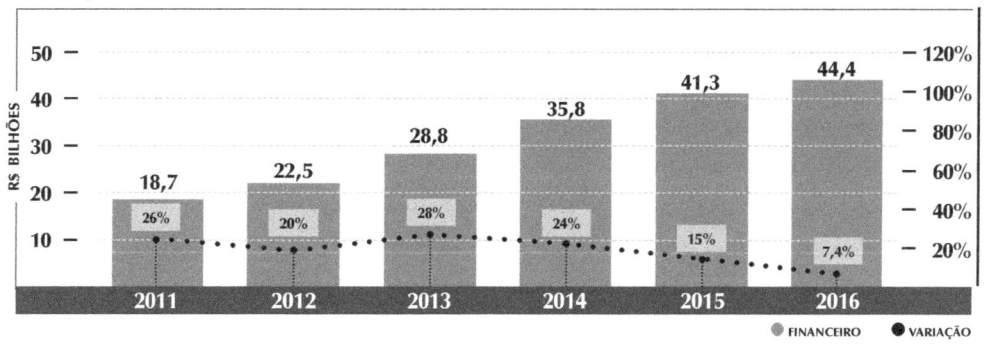

	2011	2012	2013	2014	2015	2016
R$ Bilhões	18,7	22,5	28,8	35,8	41,3	44,4
Variação	26%	20%	28%	24%	15%	7,4%

Fonte: EBIT INFORMAÇÃO

Fonte: 35ª edição do "Relatório Webshoppers", Ebit 2017.
Figura 2.1 Evolução do faturamento do *e-commerce* no Brasil.

Em volume de pedidos

- 13,6% — 1. MODA E ACESSÓRIOS
- 13,1% — 2. ELETRODOMÉSTICOS
- 12,2% — 3. LIVROS/ASSINATURAS/APOSTILAS
- 11,2% — 4. SAÚDE/COSMÉTICOS E PERFUMARIA
- 10,3% — 5. TELEFONIA/CELULARES
- 9,8% — 6. CASA E DECORAÇÃO
- 5,9% — 7. INFORMÁTICA
- 4,7% — 8. ELETRÔNICOS
- 3,8% — 9. ESPORTE E LAZER
- 3,0% — 10. BRINQUEDOS E *GAMES*

Fonte: EBIT INFORMAÇÃO

Fonte: 35ª edição do "Relatório Webshoppers", Ebit 2017.
Figura 2.2 Participação das categorias mais vendidas no *e-commerce* brasileiro.

Em 2016, o número de pedidos chegou a 106,3 milhões. Já o tíquete médio teve um crescimento de 8% em relação ao ano de 2014, ficando em R$ 417,00. Poderemos ver uma migração maior do *off-line* para o *on-line* nas vendas de bens de consumo mais caros, como das categorias de Eletrodomésticos, Eletrônicos, Telefonia e Informática, seguindo a tendência dos últimos anos.

A respeito da evolução de algumas categorias, vale o destaque para duas delas. Primeiro para Moda e Acessórios, que desde 2014 passou a ocupar o primeiro lugar, com 13,6% entre os produtos mais vendidos em volume de pedidos, como apontado na Figura 2.2.

Antes de 2012 essa categoria nem figurava entre as cinco principais. Esse avanço demonstra o aumento da confiança nas compras *on-line*, pois é uma categoria de difícil adequação ao meio virtual, visto que, em geral, as pessoas desejam provar a roupa antes de adquiri-la.

Além disso, ilustra também outro fator, que é a necessidade de grande investimento em marketing para que os negócios *on-line* tenham maior sucesso, como bem demonstram dois grandes *players* desse segmento, Netshoes e Dafiti, que costumam fazer intensas campanhas de divulgação dos seus produtos.

Outra categoria que merece destaque é a de Saúde, Cosméticos e Perfumaria, que retrata uma tendência relativa à compra de produtos de conveniência e em 2017 figurou na quarta colocação entre os mais vendidos, com 11,2%.

No caso específico de medicamentos, não há um fator de compra por satisfação, nem a aquisição é feita por impulso; e como no meio *on-line* a comparação de preços é quase instantânea, o consumidor deseja resolver um problema, pagando o menor valor possível e no menor tempo.

A evolução dessas duas categorias, bem como a de Casa e Decoração (sexta categoria mais vendida), também demonstra outro ponto muito relevante: o crescimento do público feminino nas compras *on-line*, o que vem ocorrendo nos últimos anos.

Até 2011 os homens eram maioria, mas nos anos seguintes as mulheres praticamente empataram com o público masculino em participação no volume do *e-commerce*. Ao tornar a compra de roupas, acessórios, sapatos e outros itens de moda, higiene e beleza um hábito, que cresce a cada dia entre pessoas de todas as classes sociais, houve o aumento da participação do público feminino, com aproximadamente 51,6% do total, a maioria no consumo desses setores.

Em 2016, o número de *e*-consumidores únicos (que fizeram ao menos um pedido através da Internet) foi de 47,93 milhões de *e*-consumidores, segundo a Ebit.

Entre os fatores que contribuíram e continuam contribuindo para o crescimento e fortalecimento do *e-commerce* no Brasil inclui-se a contínua entrada de consumidores das classes chamadas de "baixa renda". Isso se deve ao crescimento do poder aquisitivo dessas camadas da população e à retomada do crédito ao consumidor, estimulando a inclusão das classes C, D, e E, que passaram a adquirir produtos incentivadas pelos planos de financiamento de longo prazo, e a ter acesso à banda larga. Houve também aumento da confiança para realizar compras no ambiente *on-line* em consequência do aprimoramento das operações e do maior uso dos serviços financeiros; além da entrada de novos *players*, o que expandiu a oferta diária de produtos, bem como a consolidação dos que já estavam operantes e da fusão de grandes grupos do varejo.

Importante fator que também contribuiu para o *e-commerce* atingir um resultado além do esperado foi a apropriação de **datas comemorativas para o varejo**. O Black Friday, evento do *e-commerce* realizado no final de novembro que traz ofertas com grandes descontos e com crescente adesão entre as lojas no Brasil, representou

R$ 1,9 bilhão em faturamento em 2016. Outra data que vem ganhando importância no Brasil é o Dia do Consumidor Brasil, realizado no dia 15 de março, em 2017, cujo faturamento representou um volume superior a 100% de um dia normal de vendas.

As compras de produtos em *sites* internacionais também vêm se tornando cada vez mais relevantes nos últimos anos, já que cresceu a proporção do público que efetuou essa modalidade de compra: eram 8,3 milhões em 2013 e foram 21,2 milhões em 2016. Os *sites* chineses tiveram o maior volume de compras, com 45% dos entrevistados em sua última compra, e as categorias mais consumidas foram Moda e Acessórios, Eletrônicos e Informática. A participação em volume de vendas via *mobile commerce* era de 0,8% (do total transacionado) em 2012, avançando para 21,5% em 2016; no primeiro semestre de 2017 já representou 31%, ou seja, tem tido um crescimento vertiginoso.

Mais do que uma tendência, representa uma realidade. É assim que o *m-commerce* pode ser interpretado dentro do mercado digital. O crescimento exponencial desse canal é um claro sinal disso, com novos aplicativos e tecnologias direcionadas a esse tipo de comércio, e o avanço continuará nos próximos anos. Para reforçar essa conclusão, a categoria com maior participação de compras realizadas por meio de *smartphones* foi Alimentos e Bebidas (8,4%), que, apesar de não representar uma categoria expressiva em volume de pedidos, possui uma parcela significativa de *share* de vendas de *mobile*, devido ao investimento em *sites* responsivos e otimizados nos últimos anos.

Na América Latina, **o Brasil lidera o** *e-commerce*, representando em torno de 41% das vendas, sendo aproximadamente 85% das compras feitas de empresas locais, o que demonstra uma ameaça para novos entrantes internacionais. Comparando, por exemplo, com Porto Rico, em que 95% das compras são provenientes de fora da América Latina, podemos crer que nossa *performance* se deve a fatores não apenas comerciais, mas também culturais. Porém, os *sites* internacionais vêm conquistando espaço no *e-commerce* brasileiro ao oferecer preço mais baixo, produto não disponível em lojas brasileiras e lançamentos que não chegaram ao País.

Esses dados revelam que, além de a população estar perdendo o receio de efetuar compras *on-line*, também foi constatado que aqueles que compraram estão satisfeitos, como demonstra o estudo feito pelo Serviço de Proteção ao Crédito (SPC Brasil) e pela Confederação Nacional de Dirigentes Lojistas (CNDL), em que o índice de satisfação dos consumidores foi de 90%.

2.3 Perfil do *e-consumidor*

Quem é o *e-consumidor*? Quais são suas preferências, faixa etária e quanto gasta em média?

O estudo da 35ª edição do "Relatório Webshoppers" revelou que o setor continua abastecido pela constante entrada das classes C e D, como citado anteriormente. Do total de *e*-consumidores, a maioria (56%) é formada por pessoas dessas classes sociais. Quanto ao *m-commerce*, que anteriormente era dominado pelas classes A e B, desde 2015 muitos consumidores das classes C e D, que não tinham acesso à Internet, realizaram as primeiras compras utilizando o *smartphone*. Nos demais países emergentes esse fenômeno pode ser constatado com ainda mais intensidade.

Ainda sobre o perfil do consumidor de *e-commerce*, as mulheres representam 51,6%. A faixa etária que mais consome é a entre 35 e 49 anos (35%), seguida da faixa acima dos 50 anos (34%) e da faixa entre os 25 e 34 anos (23%), o que representa uma quebra de paradigma, pois há hoje a participação de um público mais maduro nas compras *on-line*, o que abre inúmeras oportunidades para novos negócios.

Sobre o gasto *on-line*, o *ticket* médio esteve aproximadamente em R$ 417,00 em 2017, como dito. Se comparado ao varejo tradicional, no qual o valor gira em torno de R$ 50,00, percebe-se que o público opta pela compra de categorias mais caras pela *web*, ou por pacote com valores mais altos, para compensar o valor do frete.

Há que se destacar também que o **perfil do consumidor tem mudado muito** ao longo dos últimos anos: com o acesso a muito mais informações e à voz que ganhou com as mídias sociais, ele se tornou mais crítico com relação às empresas e menos fiel às marcas.

2.4 Comércio eletrônico e as PMEs

Não restam dúvidas de que existem motivações suficientes para estimular os empresários, principalmente os das pequenas e médias empresas (PMEs), a começar a explorar todas as potencialidades oferecidas pelo *e-commerce*. Porém, as pequenas e médias empresas ainda têm muito por fazer com relação ao uso da Internet, seja para marketing e divulgação, seja para estabelecer negócios e relacionamento com clientes. Dados do Sebrae indicaram que em 2014 havia 6,4 milhões de PMEs. Atualmente, elas são responsáveis por 52% dos empregos no País e é o segundo maior mercado em transações de crédito, movendo US$ 1 trilhão, segundo a Associação Brasileira das Empresas de Cartões de Crédito e Serviços (Abecs). Em 2013, as PMEs faturaram aproximadamente R$ 5 bilhões no *e-commerce*, representando cerca de 16% do volume de toda a categoria, devendo atingir 25% até o final de 2017, segundo previsão da ABComm. Um dos motivos da ainda baixa participação das pequenas no faturamento do comércio eletrônico é a enorme quantidade de empresas que não possuem sequer um *site* responsivo ou mesmo uma plataforma de *e-commerce* moderna e segura. Segundo dados de 2012 divulgados pelo NIC.br, no Sudeste o índice é de 40%, e, no Nordeste, 50% das empresas não fazem uso do ambiente *on-line*.

Outra pesquisa realizada internamente com 850 mil associados da CDL (Câmara de Dirigentes Lojistas) em 2012 verificou que apenas 61% usavam a Internet para alguma ação de marketing e 92% afirmaram não terem loja virtual. Esses dados são muito similares aos levantados por uma pesquisa realizada pela Associação Comercial de São Paulo em 2010, o que demonstra pouca evolução no setor em dois anos.

Normalmente, a alegação dos empresários que não realizam negócios *on-line* é que não veem necessidade; porém, na verdade, eles não sabem ao certo o que a Internet pode lhes proporcionar. No entanto, quando notam que os concorrentes estão expandindo seus negócios por utilizar a *web*, passam a se interessar e sentir essa "necessidade". Ou então quando sentem de perto a ameaça dos grandes varejistas *on-line*, quando esses passam a fazer entregas nas residências de seus clientes, logo ao lado de suas lojas, por exemplo.

Também há grandes questionamentos quanto à capacidade das pequenas empresas de competir em igualdade de condições com as grandes companhias na Internet. Porém, a questão muitas vezes não é competir e bater de frente com as grandes, e sim pensar em soluções criativas para identificar oportunidades focadas em nichos específicos e atuar em âmbito nacional através da *web*. Como exemplo, podemos pensar no Submarino, que vendia de tudo, dando a impressão que não tinha mais nada a ser feito em seu segmento de atuação, quando surgiu um especialista em produtos esportivos, a Netshoes, e posteriormente um especialista em camisas de futebol, e depois um especialista em camisas de futebol retrô. Ou seja, o mundo do *e-commerce* é o único que permite esse nível de especialização de forma sustentável. A proposta não é brigar com uma empresa grande, mas pensar de forma diferente, além do fato de que, ao focar, ao se especializar, o varejista acaba sendo mais relevante naquele setor do que aquela grande empresa.

Na verdade, **as PMEs podem não só competir, como até sobressair**, mesmo com menor investimento, desde que saibam implantar corretamente ações de marketing e ter foco.

Essas companhias poderão ser encontradas pelos consumidores que estiverem buscando aqueles produtos ou serviços específicos que elas oferecem e na *web*; isso é o que mais importa, ou seja, se as PMEs focarem sua atuação em nichos, buscando não atender a todos, mas sim a grupos específicos, com interesses próprios, haverá grandes chances de alcançarem sucesso em suas operações *on-line*.

Um exemplo seria a criação de uma loja de roupas voltadas para bebês prematuros, algo difícil de entrar em cidades menores ou fora das capitais, mas que na *web* funciona porque se vende para o Brasil todo, ou seja, uma atuação em nicho com abrangência nacional. Afinal, a vantagem das PMEs está na proximidade com o cliente, já que nas operações menores o atendimento é oferecido numa escala mais personalizada.

O desafio a todas as companhias, contudo, é o mesmo: investir e evoluir no relacionamento com o cliente. No caso das PMEs, é recomendável uma divulgação voltada exclusivamente para aqueles que pertencem ao seu público-alvo ou têm interesse pelo que elas comercializam.

Embora isso pareça uma observação óbvia, o que percebemos é que muitos empresários, mesmo com poucos recursos, acabam optando por ações de massa; e normalmente quando são feitas ações de mídia de massa ocorre uma grande dispersão, ou seja, atingimos um grande público e convertemos pouco em venda, o que eleva muito o custo da operação. Na *web*, ao contrário, é possível executar ações extremamente segmentadas e investir com base em algum tipo de resultado almejado, como ocorre, por exemplo, quando se usam *links* patrocinados. Isso faz que os custos sejam menores, pois só se paga quando o anúncio recebe um clique (custo por clique (CPC) ou o termo em inglês PPC – *pay per click*).

Além disso, há ações que podem ser implantadas de forma mais rápida que no mundo físico, como uma campanha de *e-mail* marketing – *versus* o envio de mala-direta, por exemplo. A primeira pode trazer melhores resultados, com menor investimento, do que a última opção, desde que feita de forma adequada. Há diversos pontos que devem ser observados com relação a isso, como veremos no Capítulo 3.

Uma empresa pode, por exemplo, utilizar técnicas e ferramentas para segmentar seu público, procurar se comunicar com uma base com que já tenha relacionamento, elaborar peças criativas, dar a opção de descadastramento, entre outras ações. Com isso poderá alcançar excelentes resultados. Além disso, as peças de *e-mail* marketing podem ser rapidamente alteradas para novos testes, o que não ocorre no caso das malas diretas, visto que há altos custos envolvidos, como os de impressão e correio.

A união de dois fatores, como atendimento a nichos específicos de mercado e investimento em divulgação segmentada, já faz que as PMEs possam competir de forma muito interessante na *web*. Não quer dizer, necessariamente, que elas "roubarão" mercado das grandes redes, mas sim que hoje elas podem figurar como opções de compra para o consumidor. Como exemplo, podemos citar o caso de alguém que busca acessórios para instalar uma TV em sua casa. Numa pesquisa na *web*, com certeza, serão encontradas opções de lojas diferentes das marcas já conhecidas. Muito provavelmente o consumidor vai se deparar com quem é especializado no assunto. Isso demonstra que produtos ou locais mais específicos podem ser atendidos por determinadas empresas especializadas, ou regionais, e não unicamente pelas grandes redes, e é aí que está o "pulo do gato" para as PMEs.

2.5 Vantagens da loja virtual e passos a seguir

Pode ser muito vantajoso para as PMEs investir em uma loja virtual, por representar mais uma forma de conquistar novos clientes, além de ser uma fonte alternativa de receita, e de ampliar a visibilidade da sua marca. Os custos também são menores, se considerarmos que a loja virtual não requer a contratação de vendedores nem local físico, o que dispensa pagamento de aluguel ou de luva pelo ponto comercial. Funciona 24 horas, sem horário de pico, e não apresenta nenhuma barreira física nem regional.

Planejamento

Assim como no mundo físico, atuar no ambiente digital requer planejamento, estudo do mercado, análise sobre o que já é oferecido pela concorrência, entre várias outras questões. Durante o processo de desenvolvimento da loja virtual não se pode negligenciar a decisão sobre o público-alvo, pois na Internet tudo pode ser muito segmentado. É o famoso conceito da "Cauda Longa" – do inglês *long tail* – criado por Chris Anderson, editor da revista *Wired* (veja boxe sobre "A Cauda Longa").

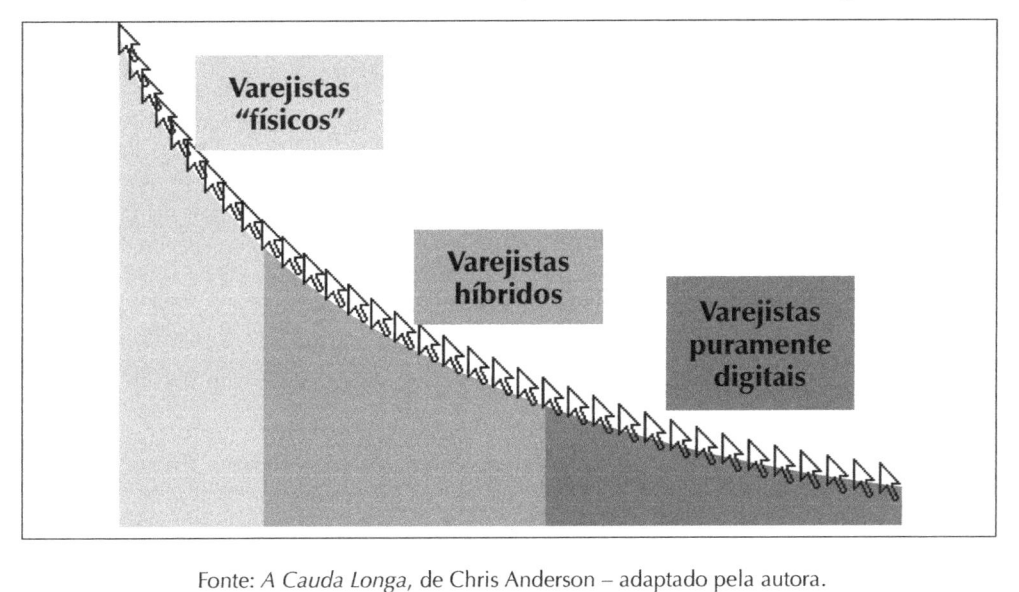

Fonte: *A Cauda Longa*, de Chris Anderson – adaptado pela autora.
Figura 2.3 Ilustração da teoria da Cauda Longa.

A teoria da Cauda Longa

O jornalista Chris Anderson, graduado em Física e editor-chefe da revista *Wired* (EUA), desenvolveu uma teoria que foi mais bem descrita em seu livro intitulado *A Cauda Longa* (*Long Tail*). O conceito se baseou na curva estatística de Pareto, que supõe que 80% da receita das empresas provêm de 20% dos produtos. Na impossibilidade de colocar todos os produtos existentes em suas prateleiras, o que exigiria altos custos, espaço físico, entre outros elementos, as empresas acabavam optando por vender apenas os itens mais lucrativos. Isso levou a uma economia baseada em *hits*, ou seja, em produtos muito populares e campeões de venda, oferecidos por poucos concorrentes. Assim, na representação gráfica da distribuição estatística dos produtos, o eixo horizontal é muito mais largo que o vertical, o que originou o nome Cauda Longa.

Anderson partiu da observação de que, com a Internet, a cultura e a economia começaram a mudar de foco de forma muito rápida, saindo dos chamados *hits*, ou seja, pouca quantidade de produtos, campeões de venda, que estão no topo da demanda, e voltando-se para uma grande quantidade de produtos de nichos específicos, que se encontram na cauda. A ideia é que, com a queda de custo de produção e de distribuição, especialmente nas transações *on-line*, tornou-se desnecessário massificar produtos em um único formato e tamanho para os consumidores, mas sim oferecer várias opções. Em um ambiente virtual em que não há mais problema de espaço nas prateleiras e sem gargalos de distribuição, produtos e serviços segmentados podem ser economicamente viáveis e tão atrativos quanto os de massa. Assim, os produtos de nicho, quando considerados em conjunto, passam a ter grande potencial de lucro para as empresas. O desafio é saber explorar melhor esses nichos. Anderson recomenda a oferta de maior variedade de produtos possível, realização de promoções (descontos) e disponibilização de mecanismos de busca para que os clientes possam encontrar o que estão procurando, ou mesmo ter acesso a novas opções até então desconhecidas.

Muitas empresas receberam bem essa teoria porque, segundo Chris Anderson, ela nada mais é do que uma figura de linguagem que descreve, de forma simples, um fenômeno complexo como o da Internet e as mudanças que ela provocou na economia. No século XX havia os *hits* ou nada ("era da escassez"); no século XXI temos os *hits* e os nichos ("era da abundância"). Em consequência, os mercados tornaram-se mais diversificados e cada vez menos concentrados, havendo maiores oportunidades para empresas de menor porte oferecer produtos e serviços voltados para determinados perfis de consumidores.

Na visão de Pedro Guasti, diretor geral da Ebit, empresa do Grupo BuscaPé, entrevistado em 2011, a teoria da Cauda Longa contribuiu para que se entendesse o valor da relativização:

"Diversos nichos da indústria e do comércio que trabalhavam com a Internet tiveram a chance de perceber que, mais importante do que a grande audiência, o segredo do sucesso estava em estabelecer um relacionamento estreito com o consumidor, oferecendo a ele um produto ou serviço que se adequasse especificamente a cada uma das suas necessidades. Muito mais do que uma simples explicação filosófica, a teoria cooperou efetivamente para que se entendesse a fase de transformação pela qual o mercado passava. Entre os exemplos mais emblemáticos citados pelo autor estava o caso do e-Bay, *site* de vendas norte-americano que acumulava 60 milhões de usuários ativos vendendo ou comprando mais de 30 milhões de itens, transformando-o em um dos maiores varejistas do mundo."

Já no Brasil, onde o comércio eletrônico começou a se desenvolver somente no final da década de 1990, cerca de cinco anos mais tarde em relação aos principais mercados mundiais, é possível perceber que o movimento estabelecido pela Cauda Longa dá sinais de relevância. A participação no mercado do *e-commerce* só começa a sofrer mudanças a partir do surgimento de empresas de tecnologia especializadas, que passam a garantir a infraestrutura necessária a preços viáveis para os pequenos. Em alguns casos, até mesmo gratuitamente.

Outro ponto de relevância nessa movimentação fica por conta da crescente audiência dos buscadores e comparadores de preço que, de maneira democrática, alinham as ofertas de grandes e pequenos, possibilitando que o e-consumidor tome sempre a melhor decisão de compra. Para se ter uma ideia da audiência que esses canais possuem, somente o líder em comparação de preços dentro da América Latina, o BuscaPé, acumula mais de 14 milhões de visitantes únicos por mês (janeiro/2015). É preciso citar ainda a segurança proporcionada pelos meios de pagamento digitais (conforme exposto adiante), bem como o fato de os consumidores se sentirem cada vez mais confiantes para realizar negócios via Internet, quando as lojas apresentam selos de certificação.

A empresa deve investir em um planejamento completo, tanto financeiro como mercadológico, para avaliar e validar a viabilidade econômica do projeto, bem como se ainda há espaço no mercado para um projeto como o que está sendo estudado. Essa análise financeira deverá considerar todos os investimentos, despesas fixas e variáveis pertinentes à operação do negócio, por um período de tempo. Esse estudo é muito aconselhado, até, para que os sócios do negócio tenham melhor consciência de tudo o que o projeto contempla, no curto, no médio e no longo prazos. Veja mais detalhes sobre Planejamento Financeiro no boxe a seguir.

A falta de planejamento é um dos principais fatores responsáveis pela não evolução e mesmo quebra de muitas empresas, seja no mundo *on-line* ou não, num curto espaço de tempo.

Planejamento Financeiro para Comércio Eletrônico

Gabriel Lima, sócio-fundador e CEO da eNext

O *Planejamento Financeiro* é fundamental para lojas virtuais por auxiliar o time de gestão a tomar decisões mais acertadas e permitir confrontar o realizado com o planejado para evolução contínua do negócio. Sua elaboração é importante tanto para novos negócios, que precisam entender as condições deste mercado e do negócio em particular, quanto para empresas que já atuam no ambiente *on-line* e que precisam de um diagnóstico para traçar as metas e objetivos de médio e longo prazo. Para tanto, dois aspectos são fundamentais: o demonstrativo de resultados do exercício (DRE) e a análise do fluxo de caixa.

Para o desenvolvimento do DRE, o primeiro ponto a ser observado é a expectativa de **Receita Bruta**, que deve ter como base qual o volume esperado de vendas dos produtos comercializados e o frete cobrado dos clientes dentro de um período de anos estabelecido. Esta métrica é importante para identificar qual será o volume de investimento necessário tanto para a compra de estoque como também para investimentos em pessoal, comunicação, tamanho de armazém logístico e tipo de solução tecnológica etc. Além disso, este fator é fundamental para avaliar qual será o enquadramento da empresa: Simples Nacional, Lucro Presumido ou Real, que afeta a base de cálculo e as alíquotas de impostos e consequentemente as **Deduções de Receita**. Neste item também devem ser observadas as expectativas de perdas, como fraudes e trocas e devoluções.

O próximo item a ser analisado é o **Custo da Mercadoria Vendida** (CMV), que acusa qual a margem ou *mark-up* que se obtém sobre os produtos vendidos. Este item é de suma importância para avaliar a saúde do negócio, pois as margens de contribuição devem ser suficientes para cobrir as despesas operacionais, caso contrário o negócio irá operar em prejuízo.

Na sequência observam-se as **Despesas Operacionais**, que são divididas em: *Operações & Tecnologia, Marketing & Vendas e Gerais & Administrativas*. Neste ponto é onde o *e-commerce* mais se diferencia de uma operação de varejo física.

As despesas relacionadas a **Operações & Tecnologia** devem endereçar todos os gastos relacionados à logística, armazenagem, embalagens, fretes, plataforma tecnológica, sistema de gestão e pessoal, tanto os que trabalham na área de operações quanto os que trabalham na área de tecnologia do negócio. Por conta da venda ser não presencial e da entrega ser fracionada, as despesas com logística, via de regra, são maiores que as de um comércio físico. Além disso, as despesas de tecnologia são mais elevadas, pois o canal é virtual e necessita da aplicação intensiva tanto da plataforma de *e-commerce* quanto dos sistemas de gestão e controle específicos de operações de comércio eletrônico, como *gateway* de pagamentos e análise de risco.

As despesas de **Marketing & Vendas** também possuem características bastante particulares, pois não há um custo intensivo com vendedores, porém o investimento em comunicação é alto e os profissionais, cuja capacidade analítica deve ser grande, geralmente são mais caros que os profissionais do varejo físico. Além disso, todas as despesas relacionadas a cadastro e produção de conteúdo e fotos, bem como gastos com agência de comunicação, central de atendimento e pagamento das administradoras de cartão também devem ser contabilizados nesta parte da análise. O principal vilão, que muitas vezes não é contabilizado no planejamento financeiro, é o frete grátis, pois geralmente sua margem é mal calculada, levando um negócio de *e-commerce* a ter problemas significativos de resultados devido ao alto custo imposto pela logística no Brasil.

Já para as despesas **Gerais & Administrativas**, devem ser levados em conta todos os custos com pessoal administrativo, pagamento de escritório de contabilidade e advocacia, bem como todas as despesas de manutenção e aluguel de escritório.

Finalmente, após o abatimento das despesas operacionais tem-se o **Lucro Antes dos Juros, Impostos, Depreciação e Amortização** (Lajida), também conhecido como Ebitda, sua sigla em inglês. Este indicador, bem como sua margem, serve para mensurar o resultado do negócio, e é uma das bases de comparação para se justificar ou não o investimento em um negócio de *e-commerce*. A Margem Ebitda varia consideravelmente de indústria para indústria, sendo que um índice considerado bom em um mercado pode ser ruim em outro. Além disso, é ilusório pensar que os resultados de um negócio de *e-commerce* serão maiores que o de um negócio tradicional, pois, como visto acima, existem custos e despesas que são inerentes ao canal e afetam esta margem.

Os investimentos em ativos não devem ser levados em consideração no DRE, e sim no Fluxo de Caixa, que também deve contemplar o giro de estoque, ou seja, o prazo médio que as mercadorias ficam armazenadas até serem vendidas, o prazo médio de pagamento aos fornecedores, que quanto maior melhor e, finalmente, o prazo médio de recebimento das vendas, que idealmente deve ser o menor possível. Mais uma característica do comércio eletrônico brasileiro que afeta esta análise de forma acentuada é o baixo índice de pagamento à vista (Boleto e Débito Automático) como a ampla quantidade de parcelas; isso faz com que este prazo seja significantemente maior que no varejo tradicional e quando comparado com o varejo *on-line* de outros países.

Com todos estes dados em mãos, as decisões ficam mais fáceis de serem tomadas, desde a contratação de profissionais, passando pela negociação com fornecedores. A margem de erro passa a ser mitigada e o acerto tende a ser maior. Outro ponto importante do Planejamento Financeiro é a comparação do que está sendo realizado com o que foi planejado para avaliar a *performance* do negócio e das pessoas envolvidas. É importante notar que o planejamento é algo dinâmico e deve ser revisto com frequência. Negócios mais novos devem reavaliá-lo de duas a três vezes por ano, enquanto que em *e-commerces* mais maduros, de uma a duas vezes pode ser suficiente.

Demonstrativo de Resultado do Exercício

R$ Mil	Ano 1	Ano 2	Ano 3	Ano 4	Ano 5
Receita Bruta (+)	6.330	10.359	15.096	21.009	28.891
Deduções de Receita (–)	(782)	(1.290)	(1.893)	(2.654)	(3.677)
Receita Líquida (–)	5.547	9.070	13.203	18.355	25.214
CMV (–)	(3.318)	(5.405)	(7.838)	(10.853)	(14.845)
Despesas Operacionais (–)	(2.656)	(3.778)	(4.871)	(6.093)	(7.515)
Operações & Tecnologia	(1.219)	(1.802)	(2.472)	(3.108)	(4.033)
Marketing & Vendas	(1.211)	(1.737)	(2.146)	(2.716)	(3.196)
Gerais & Administrativas	(226)	(239)	(253)	(269)	(286)
Ebtida (+/–)	(427)	(114)	494	1.409	2.854
Margem Ebitda	–7,7%	–1,3%	3,7%	7,7%	11,3%
Depreciação e Amortização (–)	(66)	(67)	(68)	(114)	(116)
Impostos (–)	–	–	(77)	(284)	(711)
Lucro Líquido (+/–)	(493)	(181)	348	1.011	2,028

Fonte: eNext Consultoria – Exemplo de Demonstrativo de Resultado de Exercício.

Feito todo o planejamento e verificada sua viabilidade financeira, o empreendedor deverá se preocupar também com o plano mercadológico, para avaliar, entre outros pontos, se há mercado para o seu produto entre diversos outros pontos, como os citados a seguir e que serão detalhados no capítulo seguinte.

O *site* de comércio eletrônico deverá ser construído com uma estrutura adequada para que seja indexado (capturado) pelos buscadores, como o Google, pois, se não for encontrado em uma posição de destaque, ele passa a não existir na perspectiva do consumidor que pesquisa todos os detalhes nessas ferramentas antes de tomar suas decisões de compra por produtos ou serviços.

Outro ponto fundamental é que tenha uma boa navegabilidade e seja simples, pois as pessoas não dispõem de tempo nem paciência para visitar *sites* complexos e lentos, o que em geral leva ao abandono do carrinho de compras. Isso é, de forma simplificada, o que chamamos de usabilidade, e quando tratamos de *e-commerce* torna-se ainda mais fundamental, pois as pessoas buscam praticidade na hora de realizar suas compras.

A escolha do nome da loja é outro ponto relevante. Deve ser claro, sonoro e estar alinhado (e em sintonia) com os produtos e/ou serviços que serão disponibilizados para que a loja possa ser facilmente encontrada pelos consumidores e para que apareça com maior destaque nos buscadores. É necessário fazer uma pesquisa para saber se o nome escolhido está disponível. Ele também deve constar no domínio (endereço da loja na Internet, por exemplo, <www.sualoja.com.br>). Essa consulta pode ser feita no *site* <**www.registro.br**>, da Fundação de Amparo à Pesquisa (Fapesp), órgão governamental responsável pela liberação, administração e registro dos domínios com final ".br", ou seja, de *sites* brasileiros. A loja poderá também reservar domínios com outras terminações, como o ".com", internacional, ou mesmo outras, de acordo com seu setor de atuação, como ".ppg", para propaganda, ou ".edu", no setor de educação, por exemplo.

Alternativas de plataformas de e-commerce

Para iniciar suas operações *on-line* a empresa precisa de uma plataforma de *e-commerce*, que é o sistema desenvolvido para viabilizar transações comerciais eletronicamente, composto pela interface *web*, em que se realiza o pedido, e pelo gerenciamento das transações efetuadas em um painel de administração cuja escolha é uma das partes mais críticas do planejamento.

A plataforma pode ser um fator determinante para o crescimento da loja virtual; mesmo assim um erro comum dos empreendedores é escolher a ferramenta de menor preço, sem ponderar se ela irá atender às demandas futuras do negócio, pois para lançado um comércio eletrônico é preciso ter claramente definidos o tamanho do negócio (número de produtos, tíquete médio e faturamento projetado) e a projeção de crescimento (expectativa de faturamento a médio prazo, crescimento do *mix* de produtos e representatividade do negócio). Somente após esse diagnóstico será possível ter uma loja completa, pronta para atender as necessidades de hoje e de amanhã. O desafio realmente está em ter um sistema de *e-commerce* alinhado aos planos da loja.

Uma plataforma de *e-commerce* pode contemplar recursos como: personalização de *layouts*, resultados de busca orgânica relevante visualização do produto, facilidade de compra, cálculo de frete no carrinho ou produto, carrinho de compras *clean*, *zoom* e várias fotos por produto, comparação de produtos, recomendação inteligente de produtos, entrega programada, lista de eventos (casamento, chá de bebê etc.), *cross-selling e up-selling* (baseado no histórico), gestão de *hotsites*, FAQs e criação de lojas especiais, gestão de clientes (histórico de pedidos, comportamento de compra e segmentação de listas) e gestão de pedidos (produtos mais vendidos, produtos mais abandonados, categorias mais vendidas e mais visitadas), entre outros.

É, porém, indispensável que ela seja compatível com soluções de gestão de meios de pagamento e controle a fraudes, como veremos a seguir.

Além dos recursos mencionados, ferramentas promocionais e relatórios precisam ser avaliados. No ítem ferramentas promocionais podemos destacar a criação de cupons de desconto/crédito, tabelas de preços para múltiplos canais, compatibilidade com o Google Adwords para campanhas de *link* patrocinado, gerenciamento de frete e otimização para *sites* de busca. Os relatórios podem incluir a compatibilidade com o Google Analytics, relatórios de vendas, monitoramento das vendas em tempo real e informações sobre clientes.

Deve ser considerada a facilidade de realizar correções de *bugs*, caso aconteçam, pois esse tipo de problema pode acarretar queda de faturamento do *e-commerce*. E, por fim, o empreendedor deve ainda buscar uma ferramenta que possibilite integração com os sistemas das lojas física e virtual, como o *Enterprise Resource Planning* (ERP), que permite integrar dados e processos a fim de dar suporte e tornar os procedimentos administrativos, como o controle de estoque/logística, vendas/compras, gestão de pedidos e faturamento, gestão financeira, monitoramento em tempo real, dados tangíveis para a tomada de decisão, otimização do tempo (automatização), e elimina o uso de interfaces manuais.

A plataforma pode ser 1) própria (personalizada); 2) alugada ou pronta (SaaS – Software as a Service – *software* oferecido em forma de serviço ou prestação de serviços); ou 3) *open source*.

A primeira opção, **plataforma própria ou personalizada** (Plataforma Build), também chamada proprietária ou customizada, é desenvolvida por uma equipe da própria empresa. Normalmente, o processo requer maior investimento de tempo (cerca de 10 meses a um ano) e capital. As vantagens são: personalização total, atendimento a todas as necessidades, atualização de acordo com demanda e servidor semi-dedicado ou dedicado. As desvantagens são: implementação demorada, investimento inicial alto, atualizações demoradas e dependência de programador ou fornecedor. Exemplos: VTEX, JetCommerce e Vertis.

A segunda opção, **alugada ou pronta** (Plataforma SaaS), é uma plataforma fechada, de propriedade de empresas que licenciam o uso. Nesse caso é cobrada uma mensalidade e um valor para a configuração inicial ou melhorias que não estejam contempladas no sistema, no caso de algumas dessas empresas. Há vários fornecedores desse tipo de serviço, com custos e modelos comerciais variados. As vantagens são: implementação rápida, investimento inicial baixo, recursos variados, atualizações automáticas e integrações consolidadas com intermediadores de pagamento, *softwares* de *score* de fraude, sistemas de ERP e equipes de suporte estruturadas. As desvantagens são: pouca personalização, recursos extras podem ter valores elevados, servidor compartilhado, preço aumenta de acordo com volume, pode ocorrer demora no atendimento, informação fora da empresa e dependência do fabricante. Exemplos no Brasil: Tray (do grupo Locaweb), Fast Commerce e DotStore.

A terceira opção, ***open source***, é uma plataforma em código aberto disponível na Internet e demanda a contratação de uma equipe para as customizações necessárias e implantação. As vantagens são: custos menores de implementação e modificação, além de permitir a personalização do código. As desvantagens são: tempo maior de implementação devido às customizações, equipe experiente – exige time interno ou terceirizado de programadores – e custos de implementação, manutenção de equipe e suporte. Exemplos: Magento e OS Commerce.

Por todas essas características, optar por uma plataforma apenas pelo critério do menor preço pode ser uma decisão arriscada, visto que muitas vezes migrar de plataforma posteriormente pode ser ainda mais complexo. Dessa forma, indica-se uma pesquisa prévia para que essa seleção seja feita de forma correta. Um dos pontos mais relevantes a ser observado é se a plataforma é de fácil customização para se enquadrar nas necessidades de cada empresa. O ideal é escolher plataformas que ofereçam soluções completas, para que a empresa não tenha necessidade de agregar mais fornecedores, principalmente no caso das PMEs, que apresentam maior escassez de recursos.

Para finalizar, é importante avaliar a possibilidade de personalização do *design*, custo e tempo de implementação, experiência do desenvolvedor, liberdade para adquirir e cancelar o serviço e, principalmente, o compromisso com o SLA (Service Level Agreement), acordo de nível de serviço que determina os serviços prestados pelo fornecedor e o tempo máximo para a resolução dos problemas técnicos ou para a manutenção.

Outros cuidados referem-se à contratação de um provedor para hospedagem do *site* que tenha capacidade para guardar arquivos pesados, como vídeos e imagens em alta resolução e o cuidado com a questão da segurança.

Há ainda a alternativa de montar sua loja num modelo de *shopping virtual*, em que tudo já está estruturado, bastando inserir os produtos da sua loja e pagar uma espécie de condomínio ao gestor do *shopping*. Essa alternativa, em alguns casos, permite que se tenha um domínio (endereço do *site*) independente, mas nem sempre isso ocorre; de qualquer forma, pode ser uma boa experiência para aqueles que desejam experimentar o mundo *on-line*, com baixos investimentos iniciais; porém deve-se ressaltar que o modelo não permite personalização ou customização da loja.

Módulo de meios de pagamento

As formas de pagamento são fatores críticos de sucesso de uma loja virtual, pois são cruciais na tomada de decisão de compra pelos consumidores.

O cliente quer opções de formatos, prazos de pagamento e preços competitivos, enquanto o lojista precisa atender a essas necessidades mantendo sua margem de lucro e o fluxo de caixa sob controle.

Para os clientes, os meios de pagamento normalmente disponibilizados são cartões de crédito, de débito, boleto bancário e transferência bancária. Os cartões de crédito são os mais utilizados, segundo pesquisas da Ebit: aproximadamente 54% das compras são feitas por esse meio. Para a operação do lojista existem algumas formas de atuação, porém as mais comuns são utilizar os *gateways* ou os intermediadores de pagamento, como veremos a seguir.

Gateways de pagamento

Os *gateways* de pagamento facilitam a transferência de informações entre o portal do vendedor (*site* de *e-commerce* ou celular) e a instituição que fará a compensação do pagamento (um banco ou uma operadora de cartão de crédito). São interfaces utilizadas por empresas de *e-commerce* que servem para a transmissão de dados entre clientes, comerciantes e seus bancos. Em geral são utilizados pelas empresas que fazem negócios *on-line* para processar pagamentos com cartão de crédito, e também podem ser equipados para serem utilizados em pagamentos via telefone.

Quando o consumidor faz seu pedido de compra em um *website* onde um ou mais *gateways* de pagamentos estão habilitados, os dados do pedido são enviados ao *gateway* de pagamento selecionado para que este, geralmente em tempo real, faça uma série de procedimentos para processar o pagamento e em seguida envie o resultado de volta para o *site* de *e-commerce*. Entre esses procedimentos estão a confirmação se o cartão é válido e se existem fundos suficientes disponíveis ou de crédito para que se processe o pagamento. Essa informação é armazenada, permitindo que o comerciante apresente uma listagem de todas as transações realizadas a seu banco, para posteriormente receber os fundos.

Seria o equivalente a um ponto de venda físico convencional com um terminal para leitura de cartões de crédito e análise de crédito, presente na maioria das lojas varejistas.

Os *gateways* de pagamento permitem que os comerciantes processem cartões de crédito com segurança e praticidade. Eles protegem os comerciantes contra cartões roubados, falsificados ou com fundos insuficientes para realizar a transação. Eles também oferecem segurança aos consumidores, uma vez que os comerciantes não têm acesso aos dados financeiros, como o número do cartão, protegendo-os de criminosos que atuam na Internet.

Uma das grandes diferenças com relação aos intermediários é que, **com o gateway, quem recebe o pagamento é a loja virtual** (assim como no mundo *off- -line*). Seu serviço é tecnológico e geralmente remunerado em função do número de operações realizadas.

As vantagens do uso de *gateways* são: as taxas de juros cobradas, por serem menores que as taxas cobradas por intermediários; os valores são depositados diretamente da administradora de cartões para a conta da loja virtual; e a manutenção das negociações comerciais que a loja física possui junto às administradoras de cartão.

As desvantagens são: o recebimento dos pagamentos parcelados, conforme o cliente efetua o pagamento, a cobrança de taxas maiores para antecipação dos pagamentos, os riscos assumidos pelo lojista com a prevenção de fraudes nas vendas e a necessidade de afiliação com cada forma de pagamento que será disponibilizada aos seus clientes.

Intermediadores de pagamento

O modelo de intermediadores é a maneira mais prática e rápida de receber pagamentos com todos os cartões de crédito, débitos, boletos bancários e pagamentos por celular. Esse modelo vem ganhando espaço: 24% das compras são feitas por esse meio, e constantemente aumentam as opções de fornecedores. Os mais conhecidos são: PayPal (pertence ao eBay), PagSeguro (ao UOL), Pagamento Digital (ao BuscaPé Financial Services), Ipagare, Mercado Pago (ao Mercado Livre), Moip, CobreBem, entre outros, que fazem a intermediação entre comprador e vendedor. Essa é uma opção de meio de pagamento seguro para os clientes e que previne, do lado do lojista, problemas quanto a fraudes (veja a seção 2.6). Nesse modelo, o lojista estará optando por terceirizar o processo de recebimento para uma integradora de meios de pagamento que cuidará de toda a operação, e assumirá, inclusive, o risco de fraudes nas compras. É uma alternativa para o empreendedor; porém, o custo é cerca de 2% maior que o cobrado pelos bancos e operadoras.

Esse serviço oferece vantagens, tais como: aceitação de todas as formas de pagamento; recebimento antecipado (os repasses de pagamento ao lojista são feitos entre 2 e 14 dias conforme o intermediador, contra os 30 dias das administradoras de cartões); análise de risco (o módulo de pagamento analisa cada transação antes de aprovar a compra); garantia de recebimento das vendas após sua aprovação; armazenamento dos dados financeiros dos clientes; possibilidade de assumir os juros do parcelamento ou repassar para os clientes e gestão do risco de fraudes totalmente assumida pelos integradores.

As desvantagens são: taxas de juros maiores que os *gateways* sem intermediação; aprovação dos pedidos podem levar até dois dias, enquanto nos *gateways* com as financeiras o lojista pode aprovar ou cancelar uma venda imediatamente; e, por fim, em alguns casos, o comprador tem de digitar duas vezes os dados de cadastro, a primeira na loja virtual e a segunda no *site* do intermediador.

É importante salientar que muitos consumidores preferem utilizar intermediadores de pagamento por não conhecerem as lojas em que estão comprando, principalmente as PMEs, por terem a segurança de receber os produtos ou o dinheiro de volta.

Precificação

Outro ponto importante para o lojista no comércio eletrônico é a **definição do preço dos produtos**, além da adequação das formas de pagamento – pois na *web* existe um padrão que deve ser seguido, que é o parcelamento em várias vezes.

Para a definição de preços, as empresas precisam monitorar os concorrentes e fazer ajustes constantes em suas tabelas, já que o consumidor consegue, em poucos cliques, descobrir a loja que está cobrando menos pelo mesmo produto ou serviço e efetuar sua compra. Por esse motivo, os programas que reajustam preços automaticamente em lojas virtuais podem ser grandes aliados. Eles são uma forte tendência no Brasil, visto que em outros países o uso da precificação automática já é bastante comum, principalmente em grandes empresas como Best Buy, Amazon e Target.

A principal vantagem desse serviço é permitir a tomada de decisões rápidas, já que o *software* monitora 24 horas por dia os preços praticados por concorrentes e realiza reajustes automáticos, levando em conta o frete, condições de pagamento e disponibilidade de estoque. Como o programa obedece aos níveis máximo e mínimo preestabelecidos pelo lojista, o sistema não irá realizar uma mudança fora do mínimo previsto, mesmo no caso de o concorrente praticar um preço irreal. E ainda possibilita o aumento automático do valor de um produto que está em falta em outras lojas virtuais ao rastrear mensagens de "produto indisponível" na rede, o que ajuda a melhorar os resultados do lojista.

A importância da tributação e da gestão do frete
Alexandre Soncini, diretor da VTEX

O *e-commerce* ainda não possui uma legislação contábil específica e as operações *on-line* são submetidas às mesmas regras das empresas em geral. Atualmente, existem três sistemas de tributação na legislação do Brasil: Simples Nacional, Lucro Presumido e Lucro Real.

O sistema Simples Nacional prevê uma alíquota que unifica o recolhimento dos tributos e pode variar de acordo com a atividade exercida pela empresa e o faturamento acumulado em 12 meses. O Simples Nacional é permitido somente para empresas que faturem até R$ 3,6 milhões por ano.

O sistema de Lucro Presumido, como o próprio nome já diz, fixa um percentual da receita bruta como o lucro da empresa de acordo com a atividade exercida. As alíquotas incidentes desse tipo de tributação são: PIS – 0,65%; Cofins – 3%; IRPJ – 15% sobre a base de cálculo, mais 10% sobre a base de cálculo superior a R$ 60.000,00 apurada trimestralmente; CSLL – 9% sobre a base de cálculo, sendo que a base de cálculo poderá ser 1,6%, 8%, 16% ou 32% sobre a receita bruta. E o faturamento máximo permitido nesse sistema é de R$ 48 milhões por ano.

O sistema de Lucro Real é o mais complexo para se atuar e, geralmente, é adotado pelas empresas com um faturamento mais representativo ou que possuem margens baixas cujo sistema favoreça uma redução de custos. As alíquotas incidentes desse tipo de tributação são: PIS – 1,65%; Cofins – 7,6%; IRPJ – 15% sobre o lucro; CSLL – 9% sobre o lucro.

Além dessas alíquotas, no comércio de produtos também temos a incidência do ICMS, que é o Imposto sobre Circulação de Mercadorias e Serviços. No Simples Nacional, o ICMS está embargado na alíquota única; já no Lucro Presumido e Real, o ICMS dependerá da origem e destino da mercadoria. Temos também a ST ou substituição tributária, onde tudo que a empresa comprar poderá tomar crédito e o que vender irá se debitar do ICMS destacado.

Veja na tabela a seguir um exemplo comparando os três modelos, sendo que usamos como premissa que a empresa se enquadraria no Anexo 1 do Simples Nacional, na base de cálculo de 8% para o Lucro Presumido, considerando como dedução do lucro operacional apenas as compras para o Lucro Real e ICMS de 18% para uma operação de venda a um não contribuinte.

Vendas	R$ 100.000,00
Custo da Mercadoria Vendida (CMV)	R$ 50.000,00
Outras despesas dedutíveis (Salários, INSS etc.)	R$ 15.000,00

	Simples	8%	Presumido		Real
Simples	R$ 4.000,00		R$ –		R$ –
PIS	R$ –	0,65%	R$ 650,00	1,65%	R$ 825,00
Cofins	R$ –	3,00%	R$ 3.000,00	7,60%	R$ 3.800,00
IRPJ	R$ –	15,00%	R$ 1.200,00	15,00%	R$ 4.556,25
CSLL	R$ –	9,00%	R$ 720,00	9,00%	R$ 2.733,75
ICMS	R$ –	18,00%	R$ 9.000,00	18,00%	R$ 9.000,00
Total impostos	R$ 4.000,00		R$ 14.570,00		R$ 20.915,00
Resultado	R$ 31.000,00		R$ 20.430,00		R$ 14.085,00

O cenário mostrado na tabela é puramente ilustrativo e é importante fazer uma imersão nessa área de conhecimento alinhada com o seu negócio para entender todas as particularidades e alíquotas incidentes, pois isso poderá ter grande influência nas margens da operação e na geração de passivos, caso as regras não sejam seguidas.

Além do conhecimento na legislação tributária, é importante conhecer os detalhes da operação logística, principalmente no que diz respeito à distribuição, sendo importante analisar a melhor localização do seu centro de distribuição, visando aproveitar da legislação tributária quanto ao ICMS e ST, em conjunto com a eficiência na distribuição, olhando para o melhor custo/benefício para atender à maioria dos seus pedidos. Você também poderá ter várias opções de transportadoras, com custos e prazos diferenciados.

Nesse sentido, para se diferenciar no *e-commerce*, conhecer muito bem a legislação tributária e os detalhes da operação logística será um dos grandes diferenciais que irão destacar as operações *on-line* em um futuro muito próximo.

Divulgação e promoção

Não basta ao lojista identificar uma boa plataforma de comércio eletrônico, oferecer meios de pagamentos e preços adequados, inserir seu *mix* de produtos etc. se não se preocupar em divulgar a existência de sua operação na *web*. Isso é fundamental para que sua loja se torne acessível àqueles que desejam comprar os produtos que ela tem a oferecer.

Para as PMEs, que em geral não possuem equipes dedicadas, é recomendável a contratação de uma agência especializada em Internet para cuidar do *design* da loja virtual e que seja capaz de auxiliar, no futuro, na criação de campanhas de vendas e promoções, publicidade, divulgação, análise de resultados, entre outras questões. Devem ser utilizados diversos formatos promocionais que complementem as ações de buscas orgânicas.

Um desses formatos são as **promoções sazonais**, que pressupõem a realização de campanhas específicas para determinadas datas, como Natal, Carnaval, Páscoa, Dia das Mães, Dia dos Pais, Dia das Crianças, Dia dos Namorados etc., mas que também podem ser feitas durante os dias normais do ano, utilizando outros atrativos, como descontos para compras com pagamento a vista, ou frete grátis para valores iguais ou superiores a determinada quantia, e coisas do tipo. Existem também promoções específicas do mundo *on-line*, por exemplo, a famosa Black Friday, que fez sucesso inicialmente nos EUA e foi adotada também pelo *e-commerce* brasileiro nos últimos anos. Porém, na edição de novembro de 2012, observou-se um aumento real de preços no lugar de uma redução, como seria o mais correto numa promoção desse tipo, tanto que ela começou a ser chamada ironicamente de "Black Fraude". Nas edições seguintes houve uma redução nesse tipo de problema, mas o que se pôde perceber é que o *e-commerce* no Brasil ainda tem muito a evoluir, pois mesmo que haja um grande crescimento no volume, o que demonstra o sucesso dessa promoção, ainda há problemas gigantescos no cumprimento dos prazos de entrega desses grandes volumes, caso observado mesmo junto aos grandes *players*, que, teoricamente, seriam mais bem estruturados.

O detalhamento das diversas possibilidades de ações de marketing e promocionais será apresentado no Capítulo 3, que tratará especificamente de Estratégias de Marketing Digital.

No caso do *e-commerce*, o maior foco é para ações de marketing de *performance*, ou seja, ações voltadas para otimização das vendas da loja, através de métricas constantes para análise dos resultados e ajustes contínuos das estratégias.

Outro recurso que pode ser empregado para dinamizar as vendas são os vídeos explicativos, que demonstram ao consumidor como fazer a compra na loja virtual, como acompanhar o *status* do pedido, ou mesmo se informar sobre mais detalhes de produtos e serviços.

Quanto mais canais de contato, melhor

Para as empresas que ingressam no *e-commerce* é importante, ainda, oferecer vários canais de contato como números de telefone, seja para compras ou de SAC (serviço de atendimento ao consumidor), uma vez que muitos consumidores, especialmente os pouco familiarizados com a Internet, gostam de tirar dúvidas ou obter mais informações por esse meio; endereço de *e-mail; chat on-line* – que podem ser muito úteis para os clientes de outros estados ou cidades e que precisam de explicações mais detalhadas sobre produtos, formas de pagamento, garantias, entre outras questões. Esses são apenas alguns exemplos das aplicações possíveis e voltadas a fomentar as vendas *on-line*; afinal o consumidor cada vez mais se utiliza de diversos canais antes, durante e após a compra. Isso faz parte do conceito de *Omnichannel*, que é quando a rede de lojas tem seus diversos **canais de atendimento e vendas integrados,** para levar a mesma experiência ao consumidor, independentemente de onde ele queira adquirir o produto. E para atingir esse nível as empresas devem não só investir muito em tecnologia, como também em treinamento, para que suas equipes transformem a forma de atender o cliente. Há uma necessidade de mudança de paradigma, além, obviamente, de conhecer o consumidor e entender por quais caminhos ele deseja ser atendido.

Finalmente é bom ter em mente que não basta apenas criar e lançar a loja virtual. Esse é só o começo da história. É imprescindível buscar apoio de fornecedores diversos, desde fabricantes de produtos até as empresas especializadas em marketing digital, que deem suporte depois que a loja estiver no ar, pois as ações *on-line* requerem dedicação e muito trabalho de acompanhamento e mensuração. Tudo isso ainda é novo e mais complexo do que era no passado para se fazer marketing, quando uma loja simplesmente anunciava no jornal do bairro, distribuía folhetos com suas ofertas e, se possível, anunciava na TV da sua cidade.

2.6 Fraudes no comércio eletrônico

Segurança na Internet é um tema que interessa a todos os que navegam pela rede em razão dos inúmeros riscos existentes, tais como acesso a conteúdos inapropriados (especialmente por crianças e adolescentes), riscos de assédio sexual, golpes dos mais diversos tipos, entre outras questões pertinentes. Especificamente com relação ao comércio eletrônico, o fator mais preocupante refere-se a **fraudes**. Segundo levantamento realizado pela Clearsale, empresa de gestão antifraude, as tentativas de fraudes no comércio eletrônico brasileiro aumentaram para 3,8% no terceiro trimestre de 2014. Os estados das regiões Norte e Nordeste foram as que apresentaram os maiores índices. O Ceará, que obteve 9,7%, foi o estado mais arriscado do País, seguido por Acre, com 9,2%, e Bahia, com 9,1%. Entre as regiões, o Sul é a mais segura, com Rio Grande do Sul, que obteve 1,9%, seguido por Santa Catarina, com 2,3% e Paraná, com 2,4%.

Os comerciantes no mundo físico já lidam com fraudes no seu dia a dia, tais como cheques e cartões de crédito roubados, cheques sem fundo, cheques com valores adulterados etc. No caso do comércio virtual, somam-se a esses riscos alguns outros, porque não há como ter certeza sobre a identidade do comprador e a veracidade das informações fornecidas. Esse é o tipo de fraude mais comum, ou seja, a compra de um bem ou serviço através de um meio de pagamento (principalmente cartões de crédito) fraudulento. Para dirimir esses problemas, o comerciante da loja virtual deverá considerar o risco como parte do negócio e, tendo consciência disso, precisará mensurar qual será o provável índice de perda e verificar a possibilidade de incluir esse percentual no seu custo. Por outro lado, obviamente, deverá lançar mão de estratégias que reduzam esse risco e suas perdas.

Para isso, há alguns caminhos possíveis. O mais prático é terceirizar toda operação para empresas especializadas atuantes no setor, que são os intermediadores de pagamento, como já abordado neste capítulo, que oferecem soluções completas de meios de pagamento (abertura comercial com bandeiras de cartões de crédito e bancos, análise antifraude e *scrow* – segurança de recebimento de mercadoria). Isso gera maior segurança para quem compra e para quem vende, proporcionando menor perda de vendas. Essa opção é a ideal para as pequenas empresas, com pouca ou nenhuma estrutura interna disponível. O ponto negativo a ressaltar nesse modelo é que, em geral, essas empresas podem cancelar ou negar um número maior de pedidos por suspeitas de fraude, o que reduzirá as vendas do lojista. Esse cancelamento maior acontece porque os intermediadores de pagamento têm como diferencial o pagamento de fraudes contra o lojista, caso elas aconteçam.

Outro formato é a empresa criar uma estrutura própria de análise de crédito. Dependendo do porte da operação, esse é o melhor caminho. Para isso, deverá focar na identificação do comprador e de suas fontes de pagamento. Além disso, esse processo de análise e liberação de crédito não poderá ser demorado e pressupõe o uso de ferramentas automáticas de *scoring* (escoragem – o que pode ser entendido como um *ranking* que aponta se há maior ou menor risco em vender para aquele consumidor) ou de detecção de sinais de fraudes. Em caso de suspeitas, algumas medidas serão necessárias:

- validação do nome e CPF do comprador, bastando verificar o comprovante de inscrição e de situação cadastral do referido CPF, disponível no *site* da Receita Federal;
- conferência se o endereço é mesmo aquele que foi informado e consultar o CEP no *site* dos Correios para verificar se confere com o endereço informado;
- validação dos dados junto a sistemas de proteção ao crédito (no Brasil temos como exemplo empresas como Serasa Experian, SPC Brasil e Boa Vista Serviços);
- validações ativas, quando se entra em contato direto com os clientes;
- verificar o endereço IP (Internet Protocol) da conexão, por meio do qual se pode saber qual estado, cidade e em alguns casos até o bairro de onde foi feito o pedido, usando os serviços de geolocalização;

- endereços de difícil acesso ou em locais de nível de renda incompatíveis com o produto pedido também podem indicar uma tentativa de fraude.

Os comerciantes de lojas virtuais também podem empregar ferramentas de prevenção e informação oferecidas por empresas como a FControl (http://www.fcontrol.com.br) e a Clearsale (http://www.clearsale.com.br), entre outras que empregam tecnologias sofisticadas como redes neurais e inteligência artificial para identificar fraudes em tempo real.

Essas empresas identificam comportamentos suspeitos, cruzam dados e informações de diversas fontes, inclusive que apontam problemas em compras anteriores feitas por essas pessoas. Isso tudo indicará o grau de risco daquela venda, e é o próprio lojista quem decide, com base nesses índices ou *scores*, se deverá prosseguir ou não.

Principais fragilidades dos meios de pagamentos

Para tentar prevenir-se de eventuais golpes ou fraudes, o lojista virtual precisa estar atento a alguns fatores. No caso de o comprador optar pelo pagamento com cartão de crédito, o risco é de o fraudador utilizar dados de um cartão clonado ou roubado. Alguns criminosos mais experientes chegam a ter o cadastro completo do verdadeiro titular do cartão, o que os habilita a responder a qualquer pergunta de verificação que possa ser feita.

Há também casos de fraudes feitas pelo titular do **cartão de crédito** que nega ter efetuado a compra que ele, de fato, realizou. São os chamados BNP (bens não presentes), difíceis de ser comprovados como fraudes porque não há um sistema que permita verificá-las. Quando o comprador não reconhece e exige o cancelamento, isso é chamado de *chargeback*. E muitas vezes é o lojista que arca com o prejuízo.

Nas compras feitas em *sites* de leilões, em que as operações são realizadas com certa rapidez, é comum o pagamento ser feito com **cheque**. Por isso, há grande chance de este ter sido roubado. Como a fraude pode ser identificada em menos tempo do que se fosse feita com um cartão de crédito, esse tipo de engodo costuma ser usado em operações rápidas nas quais a vítima deve enviar a mercadoria logo após receber o pagamento. O correto seria esperar a compensação do cheque antes de entregar o produto em questão.

No caso do fraudador que faz o pagamento através de **transferência eletrônica entre contas,** usando uma conta bancária invadida (obtida com uso da técnica de *fishing*, na qual *hackers* enviam mensagens falsas para o *e-mail* das pessoas solicitando seus dados bancários, simulando mensagens dos bancos), o objetivo pretendido tanto pode ser comprar mercadorias e/ou serviços para uso próprio como revender esses produtos posteriormente (os itens mais visados são aqueles de fácil revenda, como CDs, joias, livros, eletrônicos e eletroportáteis).

Outro golpe comum em pagamentos via **boleto bancário** é o fraudador digitar um valor inferior ao do boleto original – por exemplo, em vez de R$ 50,00 ele digitar R$ 5,00 – uma vez que a formação do código de barras é pública. Para se precaver disso é importante o lojista verificar o número do pedido e o valor original do produto em questão.

Fraudes no m-commerce (mobile commerce – *comércio via celular)*

Com o crescimento do uso de dispositivos móveis como celulares, iPads etc., aumentam também os riscos de fraudes nas negociações feitas por esses canais. Segundo a Ebit, 21,5% de todas as transações do comércio eletrônico em 2016 foram feitas por meio de *smartphones* ou de outros dispositivos móveis. A questão é que as ferramentas atuais não funcionam bem nos aparelhos existentes no mercado, o que exigirá das companhias maiores investimentos nesse sentido.

Um dos métodos de proteção mais usados se baseia em um servidor em que o usuário precisa se "logar"/cadastrar por meio de um programa em Java. Dessa forma, o *script* consegue capturar as informações sobre o navegador e o telefone do usuário, podendo recolher também o número serial do dispositivo e número da placa de rede, e transmite tudo isso às empresas de *e-commerce*. Outra opção para prevenir fraudes é utilizar as informações de localização do *smartphone*, e a compra apenas é efetivada se esses dados forem fornecidos pelo usuário. Usar as informações de geolocalização, em sinergia com outros sistemas, pode ajudar as empresas a autenticar o cliente.

2.7 Formatos de lojas virtuais

Shoppings virtuais

Os empreendedores digitais contam hoje com diferentes formatos para iniciar suas atividades *on-line*. Um deles são os ***shoppings* virtuais**, nos quais a loja pode ser inserida de forma rápida e econômica, passando a ofertar uma gama menor de produtos, juntamente com outros lojistas. Nesse modelo não há muitas possibilidades de customização, ou seja, a loja deverá se enquadrar em um padrão preexistente, comum aos outros lojistas. Em alguns casos poderá ter um domínio (endereço na *web*) independente e também ser acessado apenas pelo portal do *shopping*. Em outros casos, não há essa possibilidade – a loja é acessada unicamente pelo endereço do *shopping*.

Esse formato se aplica bem àqueles lojistas que ainda não sabem ao certo o que devem fazer, e por isso não desejam investir uma soma maior em um desenvolvimento próprio, mas também para aqueles que desejam estar em vários pontos de contato com os clientes. Há vantagens e desvantagens. Algumas vantagens são o custo reduzido, a agilidade, a divulgação conjunta e a possibilidade de aprendizado. Entre as desvantagens estão a não customização, a dificuldade para gerir muitas categorias de produtos e a falta de controle sobre a política de divulgação do portal.

Lojas customizadas

As **lojas customizadas,** por sua vez, oferecem a possibilidade de um desenvolvimento mais adequado aos anseios do empresário e às estratégias por ele estabelecidas. Isso dependerá muito de quais são os objetivos dessa nova empreitada. Em geral, o investimento é maior, tanto no desenvolvimento como na manutenção do *site*. Após entrar em operação, no entanto, pode-se selecionar com quais fornecedores se deseja trabalhar, quais serão os meios de pagamento utilizados, os canais de atendimento, quantidade de produtos praticamente ilimitada, em quais portais ou redes sociais focar as ações de marketing e assim por diante.

O mais indicado é que o empresário faça uma etapa anterior de planejamento, como dito anteriormente, para definir melhor qual rumo tomar, e somente a partir de então buscar os parceiros e fornecedores adequados, por meio de indicações e de muitas pesquisas e, sempre que possível, deve frequentar cursos e seminários sobre o tema, como os realizados por entidades como as Associações Comerciais e Câmaras de Lojistas em cada cidade, Camara-e.net, Sebrae, entre outras, que visam apoiar empreendedores e empresários nessa busca por conhecimento, reduzindo taxas de eventuais fracassos.

Sites de compras coletivas e clubes de compras

Além dessas opções de formatos de lojas, há outras possibilidades, que podem ser consideradas também por empresas que estão fora da *web*, mas que, com isso, poderão utilizar seu potencial, dependendo do porte e ramo de atuação.

Um dos modelos que atingiu seu ápice e posteriormente queda vertiginosa foi o de **compras coletivas,** nos quais os consumidores deviam se cadastrar para ter acesso a promoções e descontos, desde que um número X de consumidores também adquirisse aquele produto ou serviço. Esse modelo foi mais utilizado para venda de serviços, pois não envolvia uma logística complexa de entrega de produtos, e sim a impressão de *vouchers* para a utilização do desconto no local indicado, em geral restaurantes, salões de beleza, entre diversas outras opções à disposição dos clientes.

A modalidade cresceu tanto que em um ano o mercado passou a ter mais de 1.600 *sites* desse tipo, chegando a uma saturação com tantas promoções similares e levando a uma revisão do setor. Por isso, o que se viu foi uma grande segmentação e as ofertas passaram a ser focadas em alguns setores, como o de turismo, ou de estética, gastronomia e assim por diante.

Por outro lado, deve-se ressaltar o grande volume de reclamações gerado por esse tipo de negócio, devido à baixa qualidade na entrega dos serviços. Muitos clientes relatam que ao tentar utilizar os *vouchers* adquiridos nesses *sites* tiveram dificuldades de agendamento (em clínicas de estética, por exemplo) e sentiram diferença no atendimento (principalmente em restaurantes).

O *e-commerce* passou por diferentes modelos de operação ao longo da sua existência. Nem todos chegaram a sustentar o bom desempenho dos primeiros anos, como é o caso citado dos *sites* de compras coletivas. Porém, outros começam a despontar mediante ofertas agressivas, sortimento diferenciado e medidas de fidelização eficazes e por isso caíram no gosto dos brasileiros. É o caso dos clubes exclusivos de compras, em que o consumidor deve se cadastrar para ter acesso a diversos produtos de grifes com até 90% de desconto. Entre os exemplos podemos citar o Privalia, West Wing e Coquelux, cada um deles com milhares de participantes que esperam ansiosamente por ofertas apresentadas em quantidades limitadas.

2.8 *E-commerce* em operações B2B, franquias e atacados

Uma dúvida frequente dos empreendedores é saber qual o melhor formato de *e-commerce* quando se trata de franquias, de operações atacadistas e do mercado B2B (*business to business*), para que não haja conflito. No caso das **franquias,** em geral a intenção de iniciar uma operação de *e-commerce* parte do franqueador, mas o dilema em questão é que isso pode ser visto como mais um "concorrente" pelos seus franqueados. No caso dos **atacadistas,** o questionamento é outro, pois se trata do seu interesse em iniciar vendas diretas ao consumidor, o que obviamente seria visto como um atravessamento por parte dos seus clientes, os varejistas. E quando de trata de vendas B2B, em que uma indústria, por exemplo, deseja vender diretamente aos pequenos varejistas, sem ter de passar pelos atacadistas, mais uma vez se estabelece um conflito potencial.

São todos chamados de **conflitos de canal,** pois o risco é de haver uma ruptura na cadeia de distribuição já estabelecida. Ainda não há respostas conclusivas sobre como proceder em todos esses casos, mas já são praticadas iniciativas no sentido de não agredir o parceiro do canal. Uma solução, por exemplo, refere-se ao repasse de um comissionamento para o membro do canal supostamente "prejudicado" por essa nova operação. O valor a ser empregado nesses casos, por sua vez, tem uma complexidade relacionada à questão da delimitação de território ou da área de influência da loja.

O mais importante é que o setor vem encontrando soluções, pois acima de quaisquer disputas deve estar o consumidor. E este é cada vez mais multicanal, ou seja, deseja mais opções para que possa consumir com maior comodidade. Ora ele deseja comprar na loja física, ora deseja praticidade para solucionar um problema, o que é atendido pelo comércio eletrônico; e se nesse momento não encontrar a loja em que está habituado a comprar, poderá trocar por outra que o atenda e, com isso, a loja original corre sérios riscos de perder não apenas uma venda, mas um cliente e suas futuras compras. Deve-se, então, avaliar os investimentos adicionais necessários para solucionar esses conflitos ou ter o custo, muito maior, de perder um cliente.

2.9 Casos de sucesso

Em menos de duas décadas o comércio eletrônico cresceu e se fortaleceu, passando a ser visto pelos consumidores como uma forma cômoda, prática e segura de escolher e adquirir bens e serviços através de um simples *click* no *mouse*. Por outro lado, também conquistou grande número de empresas dispostas a investir nesse formato de negócios.

Hoje existem muitos exemplos, no mundo todo e no Brasil, de companhias que surgiram e se mantiveram unicamente no ambiente digital, e tantas outras que já tinham atuação consolidada no mundo físico e que apostaram na loja virtual para oferecer a seus clientes mais um canal de compras e também de informação e de interação. A seguir, exemplos de algumas dessas companhias – como surgiram, quais estratégias empregaram e os resultados obtidos.

Grandes players *internacionais*

Amazon.com – Um dos mais famosos casos do *e-commerce* internacional, sem dúvida, é o da Amazon.com, criada nos EUA por Jeff Bezos em 1994, ou seja, nos primórdios do *e-commerce*. Naquela época, muita gente duvidava que o comércio pela Internet pudesse ser rentável. Tudo começou a partir de um estudo sobre o hábito de compras dos norte-americanos. Jeff concluiu que os **livros** figuravam como o segundo item mais comprado pelos consumidores, mas que, curiosamente, não eram vendidos pelo correio porque não havia como enviar catálogos que abrangessem os mais variados interesses das pessoas. Um catálogo desses seria tão pesado que tornaria inviável seu envio pelo correio. Assim, ele teve a ideia de comercializar esses produtos pela Internet, considerando que, além de não haver limitação de peso ou tamanho no ambiente digital, o catálogo de livros poderia ficar disponível para os possíveis compradores 24 horas por dia. E foi assim que começou a maior empresa de *e-commerce* do mundo. A Amazon é um exemplo de varejo puramente virtual.

Disposto a apostar no novo negócio, Jeff abandonou seu emprego em uma famosa empresa de Wall Street, mudou-se para Seattle com a esposa, levantou capital de

US$ 1 milhão entre amigos e investidores e um ano depois lançou sua loja virtual, com um milhão de títulos. Sem contar com recursos para publicidade ou assessoria de imprensa, ele optou pelo boca a boca para divulgar a Amazon.com. Para isso, convidou 300 pessoas entre amigos e conhecidos para testar o novo *site* e pediu para que eles o indicassem a outros possíveis interessados. A estratégia funcionou e em apenas 30 dias a loja virtual enviou encomendas para 50 estados americanos e 45 países. Apesar do sucesso de público, o negócio só obteve lucro quase 10 anos depois do início de suas atividades, quando a loja virtual passou a vender também DVDs, CDs, brinquedos, entre outros produtos. Hoje a Amazon.com comercializa mais de 20 milhões de produtos para mais de 160 países, contando com faturamento de US$ 35,71 bilhões no primeiro trimestre de 2017 e mais de 20 centros de distribuição espalhados pelo mundo. Uma das principais estratégias que fizeram o sucesso da Amazon foi o uso inteligente dos dados capturados dos clientes e visitantes do *site* para fazer recomendações de produtos de acordo com o perfil de navegação de cada um, além do registro de compras, uma estratégia denominada VRM – Visitor Relationship Management.

Em 2016 lançou a loja Amazon.go em Seattle, nos EUA, para venda de produtos alimentícios, sem *check out*: basta o cliente baixar um aplicativo e acioná-lo ao entrar na loja.

E em junho de 2017 a Amazon deu mais um passo: o segmento de alimentos, mais um sinal de sua força ao adquirir a Whole Foods, por quase US$ 14 bilhões.

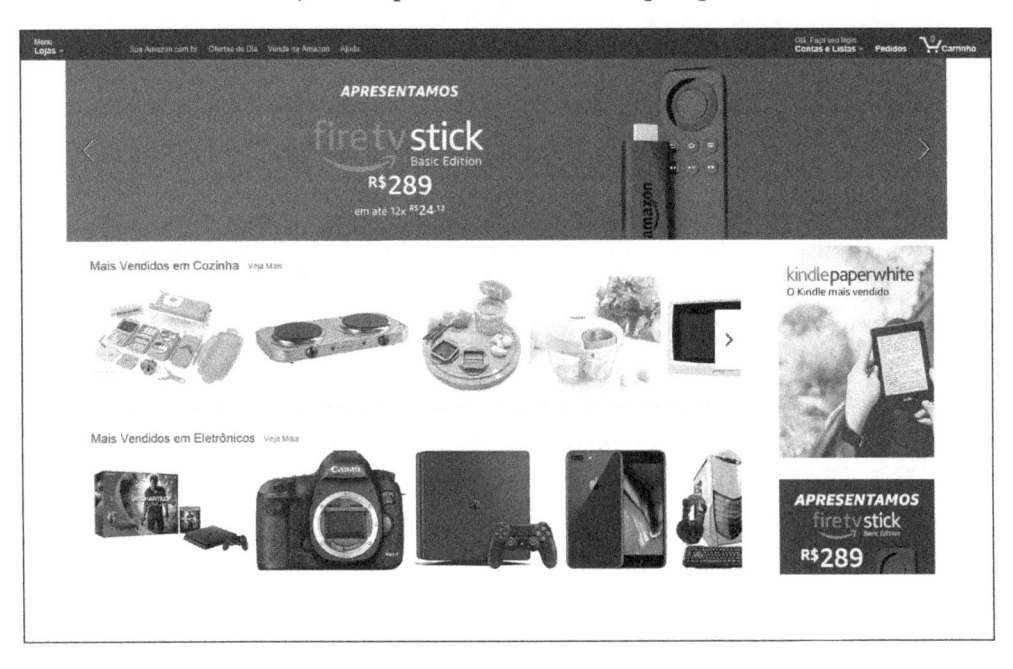

Fonte: Disponível em: <www.amazon.com.br>. Acesso em: 30 nov. 2017.

Figura 2.4 *Site* da Amazon.

Zappos.com – Outro exemplo de sucesso é o da Zappos.com, originalmente focada na venda de **calçados,** criada em 1999 por Tony Hsieh, um jovem descendente de chineses e um dos mais brilhantes e criativos empreendedores dos Estados Unidos, que graças à sua forma inovadora de lidar com os consumidores. Primando pelo bom atendimento e por oferecer sapatos de tamanhos e formatos difíceis de encontrar no varejo tradicional, cresceu de forma vertiginosa em pouco tempo. A implantação de práticas de gestão e de liderança pouco usuais também foram outros fatores que contribuíram para atrair novos consumidores e consolidar a imagem de excelência no atendimento aos clientes. Uma das estratégias, por exemplo, foi a de não cobrar pelo frete na ida e na volta, ou seja, quando o comprador não gosta do produto adquirido, **pode devolvê-lo sem custo e em até 365 dias.**

Um dos canais mais usados para conversar com os clientes é o telefone, e os funcionários não têm roteiro para seguir, prática comum em qualquer *call center*, inclusive nos EUA. Certa vez, uma ligação chegou a durar quatro horas para ajudar um consumidor que tinha problema de sensibilidade nos pés a escolher um tênis ideal. A opção da empresa em ser transparente e tocar seu negócio baseando-se em valores, e não apenas em dinheiro e lucro, funcionou muito bem. A política de contratação de pessoas também fugiu a qualquer padrão, uma vez que o objetivo principal não se baseou na escolha de candidatos capazes tecnicamente, mas sim daqueles que tivessem maior chance de se adaptar aos valores da empresa. Outro canal de comunicação usado pela Zappos com clientes e funcionários é o Twitter, forma que a empresa encontrou não para fazer promoções, mas sim para criar relacionamentos e conexões pessoais, o que demonstra que entendeu e aplicou os princípios que regem as redes sociais.

Para divulgação, a empresa escolheu trabalhar inicialmente apenas com *links* patrocinados e de inteligência de busca, investindo numa comunicação mais voltada à sua base de clientes. A empresa também apostou em ações locais e pontuais, por exemplo, o patrocínio da Maratona e do Campeonato Estudantil Nacional de Basquete em Las Vegas. Mais de 12 milhões de americanos já adquiriram algum item no *site*. Em um dia normal, 75% das vendas são para consumidores que já fizeram alguma compra anterior. A empresa conta com um centro de distribuição com capacidade para mais de 4 milhões de produtos, de mil marcas diferentes. Em 2009, a Zappos, que já incluía em seu catálogo outros produtos como roupas e acessórios, foi adquirida pela Amazon, por US$ 1,2 bilhão em ações. Nenhum dos 1.600 empregados foi demitido e os executivos permaneceram em seus cargos, incluindo o CEO, Hsieh. A Zappos figura também como um exemplo de varejo puramente virtual.

Em 2014, Tony Hsieh implantou um sistema que chamou de "holacracy", acabando com a hierarquia dos cargos de chefia e dos gerentes. Assim, com o novo modelo de gestão, a companhia passou a ser estruturada com base nas funções de que necessita, e não nas pessoas responsáveis por esses trabalhos.

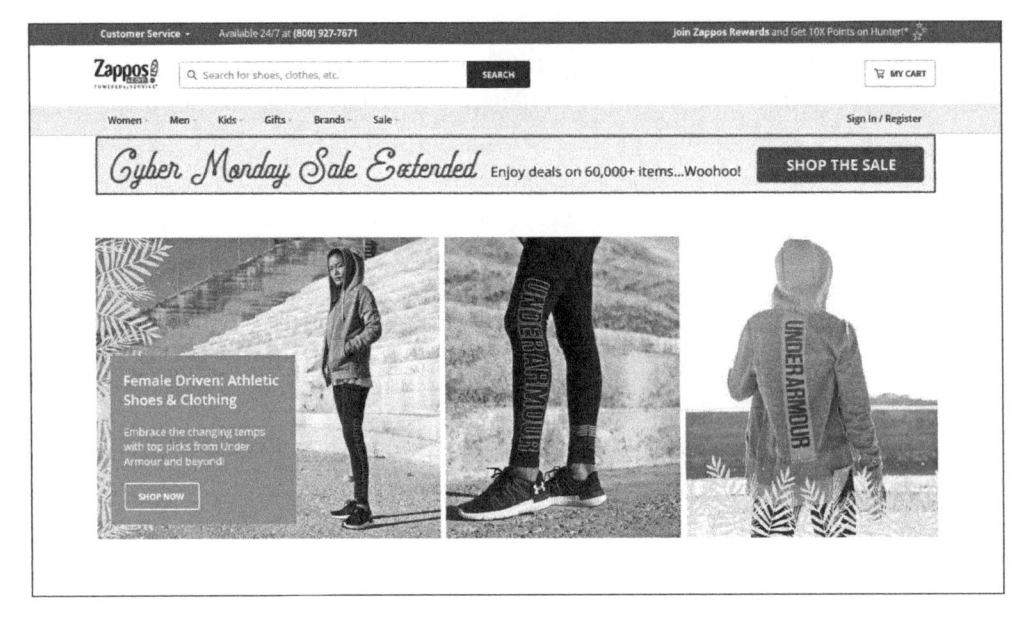

Fonte: Disponível em: <www.zappos.com>. Acesso em 30 nov. 2017.
Figura 2.5 *Site* da Zappos.

Macys.com – É um exemplo de varejo virtual com origem no varejo físico. A mais tradicional **loja de departamentos** norte-americana que vende roupas, artigos domésticos, acessórios e cosméticos sofisticados foi fundada na cidade de Nova York em 1851 por Rowland Hussey Macy, um ex-baleiro. Batizada com o nome de R.H. Macy and Company, a empresa sempre se caracterizou por apostar na inovação.

Foi a primeira loja a ter uma mulher, Margaret Getchell, ocupando um cargo executivo; a primeira a vender itens com o mesmo preço para todos os consumidores e a anunciar preços específicos para alguns produtos no jornal; a primeira loja do segmento a conseguir licença para vender licores e bebidas na cidade de Nova York; e a primeira a introduzir toalhas de banho coloridas, entre outras novidades.

A empresa começou na época em que não havia sequer eletricidade no mundo e cresceu muito durante os últimos 162 anos até se transformar no conglomerado atual de 431 lojas Macy's espalhadas nos EUA, contando também com uma presença significativa na Internet.

A loja virtual passou a operar em 1996. Seu maior desafio foi integrar, da melhor maneira possível, as operações *off-line* da Macy's com as operações *on-line* naquilo que foi batizado de Macy's 3.0, estratégia que tem como objetivo oferecer uma experiência de compras extremamente dinâmica para o cliente. A Internet é considerada tanto um canal de marketing quanto como uma ferramenta de vendas.

Além de comprar produtos pela *web*, os clientes podem usar a loja virtual da Macy's para localizar informações sobre as lojas físicas, horário de funcionamento, pagar contas e acessar o catálogo de produtos. Confiando na habilidade da *web* em direcionar negócios para as lojas físicas, a empresa investiu mais de US$ 300 milhões na operação eletrônica, incluindo centros de distribuição, tecnologia e pessoas.

Há, por exemplo, funcionalidades como "Encontre na Loja", e "Encontre e Envie", por meio das quais os funcionários das lojas podem localizar produtos para os clientes e enviá-los pelo correio gratuitamente. A Macy's é hoje um dos melhores exemplos de operação multicanal do varejo, conforme apresentado na NRF (National Retail Federation – maior evento de Varejo do mundo, que ocorre anualmente nos EUA).

A empresa também optou por utilizar o Twitter e o Facebook nas suas operações de *e-commerce*. Apenas no Facebook conquistou 75 mil fãs após 60 dias do lançamento da comunidade. A Macy's também tem planos de ampliar a presença do seu *m-commerce*, além de utilizar serviços como o "Mobo", que fez a empresa registrar um aumento de 15% nas vendas, por oferecer cupons de desconto baseado em geolocalização para quem está passando perto de uma de suas lojas.

O uso da *web* como ferramenta de marketing foi evidenciado em duas campanhas que a Macy's colocou no ar há alguns anos: o *Macy's Make Over America*, uma parceria com Clinton Kelly do "What Not to Wear", pelo qual foram escolhidas 15 mulheres em 15 cidades para fazer um *makeover* (mudança radical de visual, nesse caso, com o apoio da loja, a exemplo do que ocorre em alguns programas de TV). Mais de 30 mil mulheres se cadastraram e a empresa publicou na *web* os *makeovers*, além de lançar um *blog* sobre estilos e transmitir, ao vivo, vídeos dos *shows* que aconteceram em todas as cidades.

Alibaba.com – É um exemplo de uma espécie de **ponto de encontro virtual**, que conecta empresas do mundo todo com potenciais compradores e fornecedores. Fundada por Jack Ma, a empresa com sede em Hangzhou controla 80% de todo o comércio eletrônico na China, segunda maior economia do mundo. O Alibaba movimentou cerca de US$ 250 bilhões em 2013, mais do que Amazon e o eBay juntos.

No Brasil, o Alibaba traduziu para português seu *site* Aliexpress, voltado para o consumidor final. Em julho de 2014, assinou um acordo com os Correios para ajudar empresas brasileiras, especialmente as menores e médias, a acessar o mercado chinês por meio de suas plataformas. Segundo a Ebit, o Alibaba foi o *site* internacional mais utilizado pelos brasileiros em 2014 (50% das citações), tirando o lugar da eBay, um grande avanço se comparado com o ano anterior, em que ocupava a terceira posição (20% das citações). Especialmente nos *sites* chineses, com o Alibaba, Moda e Acessórios, é a categoria mais procurada por 52% dos *e-consumidores*, seguida pela linha de Eletrônicos, com 39% de citações.

O preço mais baixo é a principal razão que motiva 85% dos e-consumidores brasileiros a realizar compras em *sites* chineses. Esses *sites* se tornaram conhecidos principalmente pela indicação de amigos e conhecidos (53% das citações) e através dos buscadores (31%). Esse e-consumidor é feminino (62%), com idade média de 36 anos, superior completo (31%) e renda média de R$ 5.580,26.

A empresa fundada em 1999 com o *site* Alibaba.com apresenta cerca de 1 bilhão de produtos e é um dos 20 *sites* mais visitados no mundo. Tudo começou quando Jack Ma convidou 17 amigos ao seu apartamento e fez uma longa apresentação sobre suas ambições e o quanto a China precisava de uma grande empresa de Internet. Segundo de três filhos, com pais artistas, Ma aprendeu inglês com turistas estrangeiros, e isso lhe rendeu seu primeiro emprego, dando aulas de idioma, em 1988, a US$ 14 por mês. Entrou na faculdade após prestar vestibular por três vezes. Estudou Pedagogia. Empreendedor, criou uma das primeiras empresas de Internet da China, em 1995. Hoje é executivo e um dos homens mais ricos da China.

Para quem tiver interesse, recomenda-se conhecer também outros grandes *cases* de sucesso no *e-commerce* internacional, como o das lojas norte-americanas Target, Toy'R'us, Babies'R'us, Best Buy, Warby Parker, True Religion, ou das lojas europeias como Tesco e Ikea ou de moda japonesa Uniqlo, entre tantos outros exemplos de ótima utilização do mundo digital para geração de negócios.

Grandes cases brasileiros

Grupo B2W – Criado em novembro de 2006, com sede no Rio de Janeiro, receita bruta da ordem de R$ 6 bilhões e um crescimento de venda de 30% (nos nove primeiros meses de 2014), a **Business to World**, ou apenas **B2W**, como costuma ser chamada (http://www.b2winc.com), é atualmente a maior empresa de *e-commerce* do setor **varejista** da América Latina, resultante da fusão entre a Americanas.com (criada em 1999), Submarino.com (criado em 1999) e Shoptime, além das subsidiárias Ingresso.com, B2W Viagens, Submarino Finance e SouBarato, incluindo ainda o controle das operações da Blockbuster no Brasil. Essa união de empresas possibilitou a criação de um grupo de varejo com atuação por meio de diversos canais de distribuição, como televendas, televisão, catálogos, quiosques e Internet.

O modelo de negócio adotado possibilitou ao grupo obter vantagens de custos em relação aos varejistas tradicionais, uma vez que passaram a atender a uma base de clientes dispersa, operando de um único local e usando tecnologia de forma intensiva. Em relação a outras empresas brasileiras de varejo *on-line*, a escala da B2W permite maiores investimentos em infraestrutura de logística e em outras tecnologias que são utilizadas no comércio eletrônico, refletindo-se em vantagens nos custos operacionais.

O grupo caracteriza-se por oferecer a mais extensa variedade de produtos, composta de mais de 700 mil itens, em mais de 38 categorias, incluindo livros, CDs, DVDs, eletrônicos, computadores, *hardwares*, câmeras, celulares e muitas outras. São oferecidos, ainda, serviços *on-line* adicionais, incluindo viagens, ingressos para entretenimento e impressão de fotos digitais.

No final de 2010, o grupo apresentou sérios problemas ligados à logística de entrega dos produtos, ocasionando inúmeros atrasos nas compras realizadas no Natal, levando a muitas reclamações dos consumidores (o número de queixas contra o grupo nos Procons passou de 131 em 2006 para 1.860 somente em janeiro de 2011), transformando a empresa em um dos maiores casos de queda na qualidade do atendimento ao consumidor, segundo matéria publicada na revista *Exame* em maio de 2011. Esses fatos, além de ocasionarem queda em sua lucratividade e valor de mercado, também levaram a uma suspensão das vendas, imposta pelo Procon.

Tudo isso expôs outros problemas de infraestrutura da empresa, ligados ao atendimento ao consumidor, que culminou com negociações para ressarcimento ao cliente por parte da empresa. Ciente das consequências de todos esses problemas, a empresa realizou, no segundo trimestre de 2013, duas importantes aquisições: Click-Rodo Entregas Ltda., transportadora que possui uma operação de serviços exclusivos para o comércio eletrônico, e Uniconsult Sistemas e Serviços Ltda., empresa especializada no desenvolvimento de sistemas e soluções de *supply chain* para o varejo *on-line*.

Fonte: Disponível em: <www.americanas.com.br>. Acesso em: 30 nov. 2017.

Figura 2.6 *Site* da Americanas.com do grupo B2W.

Apesar dos problemas e aprendizados obtidos, ainda existe um significativo potencial de crescimento da frequência de compras através da criação de oportunidades para estímulo mediante a utilização de *data mining* em *e-mails* promocionais e páginas personalizadas. Da mesma forma, as iniciativas de financiamento ao consumidor contribuem para fidelizar, aumentar o poder de consumo dos clientes, além de gerar receitas financeiras.

O segundo trimestre de 2013 também foi marcado por uma nova aposta do grupo, o lançamento da categoria de moda no *site* do Submarino. Além de oferecer aos clientes acesso a inúmeras marcas, a nova categoria também conta com o auxílio de um "Provador Virtual", que faz recomendações de tamanhos a partir de dados como idade, altura, peso, sexo e manequim do usuário.

Casas Bahia – A Casas Bahia, do grupo Via Varejo (da fusão com o Ponto Frio), uma das mais tradicionais redes de venda de eletroeletrônicos, **eletrodomésticos e móveis,** também acabou se rendendo ao *e-commerce*. A empresa estreou no ambiente digital em fevereiro de 2009, com a expectativa de que em seu primeiro ano de atuação a loja virtual correspondesse a 2% do faturamento da rede, que em valores representava R$ 280 milhões.

O projeto procurou unir o melhor dos dois mundos, na medida em que usou sua operação física para alavancar a loja virtual, oferecendo as mesmas ofertas e produtos a preços mais vantajosos, além de disponibilizar, via YouTube, uma série de vídeos explicativos sobre as funcionalidades das mercadorias, bem como sobre o processo de compras.

Para bem atender sua clientela, formada basicamente pelas classes C, D e E, a empresa treinou operadores para que, por meio de *chat*, pudessem auxiliar os internautas sobre o funcionamento do *site* e sobre operações de compra, explicações que também são dadas por telefone. O interessante é que a operação *on-line* não conflita com a física. Ao contrário, ambas são complementares. E é na retaguarda que essa complementaridade se torna visível, por meio da unificação da gestão de estoques e das metas de vendas por produto, por categoria e por região – informações que são consolidadas no *mainframe* da rede.

Também é dada para o cliente a opção de comprar no *site* e retirar o produto na loja física mais próxima à sua casa, reforçando a ideia de que a loja virtual é, de fato, uma extensão da loja física. Isso está de acordo como modelo de multicanalidade apresentado neste livro.

A EVOLUÇÃO DO *E-COMMERCE* 51

Fonte: Disponível em: <www.casasbahia.com.br>. Acesso em: 30 nov. 2017.
Figura 2.7 *Site* da Casas Bahia.

Com a fusão da Casas Bahia com a rede Pão de Açúcar, em dezembro de 2009, foi criada uma nova empresa de comércio eletrônico, batizada de Nova Pontocom, reunindo todas as atividades de *e-commerce* dos dois grupos, com faturamento líquido de R$ 1,38 bilhão no terceiro trimestre de 2014, um crescimento de 30,8%. Pela negociação, a Casas Bahia passou a ter 23,5% do capital da nova companhia, que reúne as operações de *e-commerce* do Ponto Frio.com, Extra.com, Ponto Frio Atacado e Casas Bahia.com.

Aumentar a presença no segmento de *e-commerce* foi um dos fatores que motivou a realização do negócio. Como benefícios da sinergia, foram integradas as operações de comércio eletrônico, tecnologia da informação e logística.

Em junho de 2014 os Conselhos de Administração do GPA, Via Varejo, Casino e Exito aprovaram os termos para a criação da CNova, com sede na Holanda, para ser um dos grandes participantes globais do comércio eletrônico, com um volume bruto de mercadorias de US$ 4,9 bilhões em 2013, presente no Brasil com os *sites* do Extra.com, CasasBahia.com.br e PontoFrio.com.br, operados pela Nova Pontocom.

BuscaPé – Criado em 1998 pelos universitários Romero Rodrigues, Rodrigo Borges e Ronaldo Takahashi, que cursavam engenharia elétrica na Poli-USP, o BuscaPé tornou-se a **maior ferramenta da América Latina para ajudar o consumidor** a fazer a melhor compra de um produto ou serviço através de rápida comparação entre preços, lojas, serviços e produtos. Sua utilização é gratuita e o internauta não perde tempo entrando e saindo de lojas (físicas ou na Internet) para procurar informações.

Estas são fornecidas pelo *site*, que reúne, em apenas uma página da *web*, todas as lojas de comércio eletrônico mais importantes, exibindo os preços, facilidades de pagamento, endereço e contato das lojas, filtros de busca etc., para que o usuário busque e pesquise o menor preço. É um serviço em que os consumidores podem avaliar produtos e empresas, assistir a vídeos demonstrativos de produtos, receber alertas de preços mais baixos por *e-mail* ou celular, receber *newsletters* informativas de promoções, ler fichas técnicas de produtos e comparar produtos lado a lado, para que, na hora da decisão da compra, obtenham um resultado satisfatório.

Pioneiro nesse tipo de negócio, o BuscaPé caracterizou-se por renovar continuamente as **ferramentas de interação com os usuários,** para garantir que a informação fosse 100% segura. Tudo isso foi possível graças ao *software* desenvolvido pelos criadores da empresa, que percorre produtos e preços das lojas e traz todas as informações para o banco de dados. A receita da empresa é gerada pela quantidade de cliques em produtos e pela conversão feita após o clique do consumidor na loja, ou então pela publicidade do *site* que viabiliza o serviço ao consumidor (ações de *branding*, *banners* em *sites* afiliados, *banners* de promoções em canais como os grandes portais de informação).

A idealização do BuscaPé começou quando Rodrigo, um dos sócios, queria comprar uma impressora e, após uma busca na Internet, constatou que todos os *sites* traziam muita informação, mas em nenhum constava o preço dos produtos. Assim, os amigos tiveram a ideia de desenvolver um *site* que ajudasse a responder as questões típicas de decisão de compra. O pai de Romero, por ser também um empreendedor, incentivou o negócio ao presentear o filho com um computador de última geração. Um ano depois (1999), com investimentos mensais médios de R$ 300,00, o *site* entrou no ar com 35 lojas cadastradas e 30 mil produtos disponíveis. Atualmente (2014), o portal é acessado mensalmente por 120 milhões de consumidores, com acesso a mais de 11 milhões de produtos. Segundo estimativa do grupo, cerca de 25% do *e-commerce* brasileiro passa pelo BuscaPé.

Em 2000 houve uma associação com o fundo americano Merrill Lynch, do qual receberam aporte de US$ 3 milhões e permaneceram sócios até 2005. Naquele ano, entrou outro acionista, o Great Hill Partners, que adquiriu a participação dos investidores, passando a ser o único sócio ao lado dos fundadores. Em 2006, o BuscaPé fundiu-se ao seu maior concorrente, o Bondfaro, do carioca Rodrigo Guarino, e criou novas marcas, entre as quais o *QueBarato!*, *site* de classificados que permite anunciar, vender e criar pequenas lojas sem custo, e o CortaContas, primeiro *site* da América Latina a permitir simular, cotar e comparar ofertas de Cartões de Crédito, Consórcios, Seguros, Previdência, Tarifas Bancárias, entre outros.

No ano seguinte (2007), o BuscaPé adquiriu a Ebit Informação, empresa que anualmente realiza o Webshoppers, estudo que se tornou a maior referência sobre dados relativos ao mercado de comércio eletrônico no Brasil. Em janeiro de 2008, a empresa comprou 85% do capital da Pagamento Digital, que na época era líder em gerenciamento de transações *on-line*, e em março adquiriu a FControl, especializada em gestão de risco em transações de compra não presenciais, o que a levou a criar a divisão interna – a BuscaPé Financial Services (BFS) dedicada a serviços financeiros.

Em março de 2009 foi criada a Lomadee, que significa "raposa" em hindu, a primeira plataforma de afiliados da América Latina no conceito *one-stop-shop*. A ideia era revolucionar as formas de monetização da Internet, oferecendo aos adeptos do programa uma ferramenta completa de publicidade para que, por meio dela, conseguissem visualizar e encontrar as melhores oportunidades de lucro. A estratégia empregada baseia-se em quatro pilares: consumidores, *publishers*, anunciantes e desenvolvedores.

Ainda naquele ano, em setembro, o grupo sul-africano Naspers Limited comprou 91% do BuscaPé por US$ 342 milhões.

Em 2010, a empresa adquiriu o ZipMe – criado por Guilherme Wroclawski e Heitor Chaves, dois jovens publicitários que continuam detentores de 25% da empresa –, um agregador de ofertas de *sites* de compras coletivas. O produto passou a ser chamado SaveMe. Também naquele ano foi incorporada a eBehavior, para oferecer serviços de mapeamento de intenções de compra e direcionamento de campanhas de *e-mail* marketing. Com a intenção de explorar o mercado promissor de moda *on-line*, a companhia comprou o Brandsclub, um clube de compras virtuais que oferecia descontos exclusivos para produtos de grifes. A partir de fevereiro de 2014, o Brandsclub mudou seu modelo de negócios, deixando de ser um clube de compras e também de exigir do consumidor um cadastro para poder navegar no *site*.

Em 2013, duas novas funcionalidades foram agregadas ao portfólio de serviços do BuscaPé: "Calcular Frete", permitindo agregar às ofertas apresentadas os respectivos custos da logística de entrega, e "Comprar Agora", em que as transações podem ser concluídas no próprio ambiente desse portal de comparação de preços, funcionalidade esta que estava apenas disponível no aplicativo *mobile* do BuscaPé lançado no final de 2012. Tal serviço beneficia o consumidor porque, quando considerado também o custo do frete, uma oferta inicialmente apresentada como financeiramente mais interessante pode perder essa vantagem. O botão "Comprar Agora" possibilita a aquisição das ofertas de 1.070 varejistas diretamente, entre os quais se incluem o Submarino, Casas Bahia, Americanas, Walmart, Extra, Shoptime, Saraiva e Ponto Frio.

Com essas novas funcionalidades a empresa pretende agregar novas fontes de receita aos cliques nos *links* que conduzem aos *sites* dos varejistas, como as taxas proporcionais às vendas, cujos percentuais ainda estão sendo definidos, mas partem de uma estimativa inicial de 9,9%.

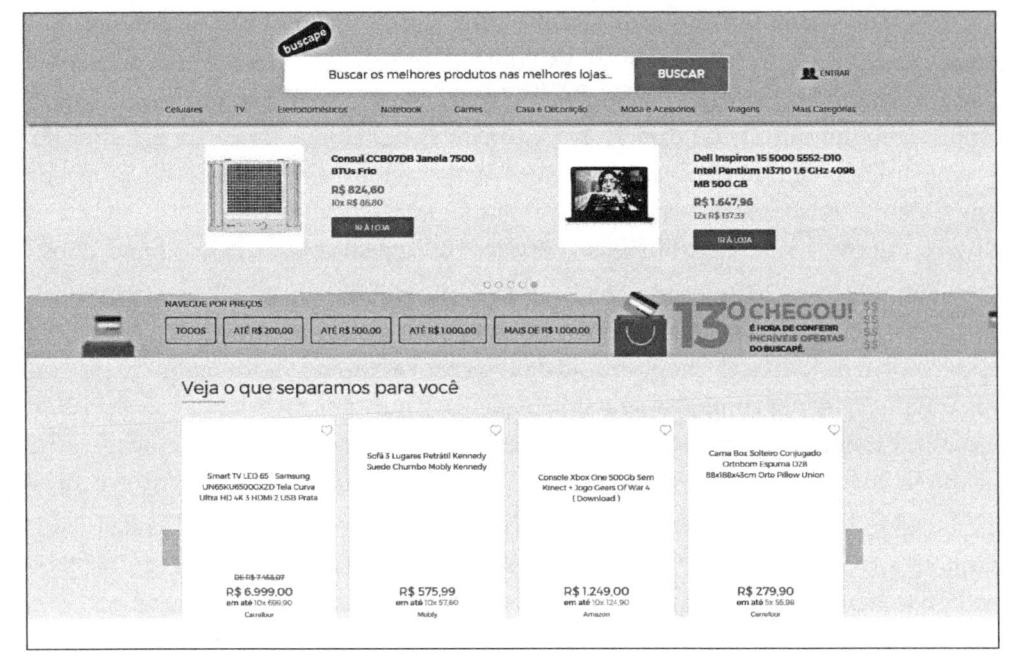

Fonte: Disponível em: <www.buscape.com.br>. Acesso em 30 nov. 2017.

Figura 2.8 *Site* do Buscapé.

Em janeiro de 2014, o BuscaPé Company anunciou a incorporação de 15 *sites* estrangeiros de comparação de preços pertencentes ao Grupo Naspers: BuscaPé (América Latina), Bondfaro (Brasil), Ceneo (Polônia), Heureka (República Tcheca e Eslováquia), Vcene (Ucrânia), Ucuzu (Turquia), Arukereso (Hungria), Compari (Romênia), Pazaruvaj (Bulgária), Shoppydoo, Trovaprezzi, Misshobby e Drezzi (Itália), Shoppydoo (Espanha) e Pricecheck (África do Sul e Nigéria). Com isso, Romero Rodrigues assumiu o posto de CEO Global de Comparação de Preço, e Rodrigo Borer, o de CEO para América Latina.

Flores Online – Criada em 1998, em menos de 10 anos a empresa tornou-se líder de vendas no segmento de **flores e presentes pela Internet**. São oferecidos mais de 400 arranjos florais para todos os tipos de ocasião e mais de 150 itens que podem ser adicionados, resultando em uma infinidade de possibilidades para presentear e um *mix* de produtos que varia de R$ 43,00 a R$ 734,00. Da sua sede em São Paulo, a empresa realiza entregas de qualquer pedido, em qualquer cidade do Brasil, em no máximo dois dias. Os produtos se caracterizam pelo *design* e estilo diferenciado e alto padrão de qualidade.

A loja Flores Online não trabalha com floriculturas conveniadas, como ocorre com a maioria das suas concorrentes. Todos os pedidos são montados e enviados do galpão próprio da empresa, em São Paulo, assegurando assim seu diferencial. Sua equipe foi treinada para atender às necessidades dos clientes, sem burocracia e sem se valer de respostas automáticas. Pioneira nesse segmento, também inovou por entregar em todo o Brasil com data marcada, confirmação de entrega via celular, envio de foto com o arranjo, carrinho de pedidos com possibilidade de atender a vários destinatários diferentes dentro de uma só fatura, possibilidade de o cliente montar sua própria cesta, soluções corporativas para empresas e muitos outros produtos e serviços que passaram a ser rapidamente copiados pela concorrência.

Os pedidos também podem ser feitos por telefone e, para as entregas na Grande São Paulo, ainda é possível optar por receber uma mensagem SMS, sem custo adicional, avisando em tempo real o horário da entrega e o nome da pessoa que recebeu o presente. Outro serviço inovador, oferecido pelo *site* Flores Online, é a possibilidade de **envio de uma foto junto com o presente**. Para isso, o cliente deve enviar uma foto digital que será impressa em uma impressora profissional e entregue junto com o pedido. Dezesseis anos após sua fundação, a empresa respondia por 100 empregos diretos e faturamento anual de R$ 20 milhões.

No âmbito do marketing, a empresa desenvolveu três projetos que se destacaram em 2012: o primeiro foi uma estratégia de Search Engine Optimization (SEO) que aumentou as visitas e compras com origem nos *sites* de busca; o segundo foi o investimento em uma nova estratégia de *e-mail* marketing que aumentou em dois dígitos percentuais a receita desse canal; e por último, lançou o Facebook Ads (anúncios no Facebook) visando aumentar a abrangência da página da empresa, passando a contar com mais de 300 mil fãs.

Ainda em 2012 a empresa vendeu 32,5% do negócio para a norte-americana 1-800-flowers.com, e 30,5% para o fundo brasileiro de *private equity* BR Opportunities, e a família Casarini, fundadora da companhia, manteve 37% da operação.

Em 2013, a Flores Online passou a focar mais fortemente no segmento corporativo e na venda de presentes sem flores, uma estratégia para crescer no *e-commerce* de presentes e não apenas no de arranjos florais. Para isso iniciou parcerias exclusivas com L'Occitane, Moleskine, Veuve Clicquot, Sparkkli Home Spa, Godiva, Cosac Naify, além de marcas consagradas e sofisticadas como Chandon, Lindt, entre outras.

Nesse setor, outro *player* que ganhou muito destaque nos últimos tempos foi o Giuliana Flores.

Netshoes – Empresa voltada à comercialização de **artigos esportivos**, foi fundada em 2000 por Marcio Kumruian, descendente de armênios, e por um primo, tendo surgido inicialmente no mundo físico, vendendo sapatos femininos para depois se especializar no segmento de tênis, chegando a ter oito lojas na capital de São Paulo.

Foi em 2002 que a empresa fez sua primeira iniciativa *on-line* através de um quiosque dentro das lojas físicas. A partir de 2007, passou a operar apenas no ambiente *on-line*, fechando as lojas físicas, tornando-se uma das maiores anunciantes da *web*. Trata-se, na verdade, de um varejo de nicho, com foco em artigos esportivos.

Seu principal pilar são os serviços, utilizando a tecnologia como *drive* principal do negócio para gerar uma experiência superior ao cliente. Um exemplo disso foi o atendimento 24 horas, 7 dias por semana, via *chat*, *e-mail* e telefone, disponibilizado primeiro pela empresa, algo que posteriormente passou a ser oferecido pelas demais do mercado. Outro exemplo são os consultores esportivos, grupo formado por atletas ou professores de educação física, disponíveis para atender e fazer uma venda mais consultiva.

Uma das principais estratégias de relacionamento utilizadas pela Netshoes foi a realização de pesquisas com clientes após três semanas da aquisição de algum item para **identificar o índice de satisfação**. Com isso, já são milhares de avaliações que se tornaram recomendações de clientes para outros clientes. Sabendo-se que mais de 80% das pessoas pesquisam na *web* antes de adquirir um produto, torna-se imprescindível estimular essa interação, visto que nesse caso 40% das compras são influenciadas por indicações de outros usuários. A empresa ampliou essa iniciativa ao capturar o conhecimento e a interatividade das redes sociais e, com isso, inserir a palavra do consumidor para dentro do *site* através dos *reviews*.

Ainda é possível citar como diferencial da empresa o sistema de personalização de produtos como luvas, camisas, chuteiras, camisetas e também a tecnologia 3D em vários produtos do *site*, de forma que o consumidor pode verificar o tamanho e até mesmo identificar o tênis mais adequado para o seu perfil através da comparação entre dois modelos, ou mesmo com um tênis que ele já possua. Além disso, o consumidor pode contar com o serviço de entrega expressa, que ocorre no mesmo dia da compra.

A Netshoes também faz uso de *e-mail* marketing, com ações segmentadas por perfil. Um exemplo desse uso é a verificação do gênero dos consumidores: a qual grupo de torcida pertencem, há quanto tempo esses clientes interagiram com a empresa, entre outros parâmetros. Essas averiguações contribuem para melhorar a *performance* técnica e evitam que as mensagens sejam consideradas *spams*. Esse cuidado com o uso dos dados evita riscos como o de enviar uma promoção de camisetas de um time para torcedores de outro, por exemplo. Dentre as estratégias de marketing digital utilizadas há bastante tempo, destaca-se o SEO e os *links* patrocinados. Essa estratégia é recomendável, pois ao mesmo tempo que há maior exposição na busca orgânica, empregam-se os *links* patrocinados para as promoções com prazos limitados.

No caso de mídia *display* (*banners* em *sites*), ressalta-se o uso de *remarketing*, ou *retarget marketing*, em que os anúncios da mídia personalizada são feitos com base na segmentação e nas pesquisas realizadas recentemente pelo usuário no *site*.

A Netshoes monitora continuamente sua marca nas redes sociais. Segundo a empresa, o uso do Twitter não influenciou no sucesso de vendas, mas foi um caminho para ampliar o relacionamento com os clientes.

Além disso, a empresa foi uma das pioneiras em ter uma plataforma *mobile*, adaptando seu *site* para *tablets* e *smartphones*, o que lhe proporcionou um *share* de 5% das vendas por esse canal.

Iniciativas inovadoras como o uso da geolocalização para ações promocionais, ao selecionar alguns produtos e oferecer descontos diferenciados para os clientes que estão no raio de um quilômetro fazem parte da cultura da empresa, o que foi evidenciado pelo lançamento do Netshoes Click – um aplicativo que identifica modelos de tênis a partir de fotos captadas por uma câmera de *smartphone* ou *tablet*. Para utilizar o app, basta apontar a câmera do dispositivo móvel com acesso à *web* para qualquer modelo de tênis. Em seguida, o produto exato ou similar é exibido no aparelho, com a possibilidade de compra. O Netshoes Click também oferece a opção de geolocalização da foto.

Desde sua criação, a empresa dobrou de tamanho a cada 12 meses em média. No entanto, em 2013, apesar de ter faturado acima de R$ 1 bilhão, amargou um prejuízo de R$ 71,8 milhões. Esse foi um dos fatores que levou a empresa a buscar novos investidores e, segundo uma reportagem publicada pela revista *Exame*, em 2014 contratou o banco Morgan Stanley para auxiliá-la a selecionar potenciais candidatos.

Magazine Luiza – É uma empresa brasileira com sede em Franca, São Paulo, fundada por Luiza Trajano Donato. Seu atual presidente é Frederico Trajano. É a **segunda maior empresa varejista do País**, segundo *ranking* do Ibevar em 2013. Possui aproximadamente 790 lojas localizadas em todas as regiões do País. Contando com mais de 20 mil funcionários, é a terceira maior rede de lojas de departamentos do Brasil, com uma base de aproximadamente 45 milhões de clientes.

A companhia é listada, desde maio de 2011, na Bolsa de Valores de São Paulo. Ao longo de sua trajetória, realizou 13 aquisições, consolidando sua presença nacional. Sua política de gestão de pessoas foi reconhecida com diversos prêmios. Há 19 anos, a rede está entre as melhores empresas para trabalhar no *ranking* do Great Place to Work. Sua operação de *e-commerce* ganhou 12 vezes o troféu Diamante no Prêmio Excelência em Qualidade Comércio Eletrônico – B2C.

A empresa é a única em seu setor a contar com um centro de desenvolvimento de inovações, o Luizalabs, cujo objetivo é levar o espírito do Vale do Silício para as operações e contribuir para a estratégia de transformar o Magazine Luiza em uma empresa digital, com pontos físicos e calor humano.

Inovadora e pioneira em sua gestão de *e-commerce*, já em 1992 possuía as chamadas lojas virtuais, nas quais os produtos eram expostos via computadores, reduzindo assim a necessidade de mostruários. Em 2000 lançou seu comércio eletrônico, e até hoje é uma das maiores referências do varejo eletrônico nacional.

Há algum tempo lançou a operação "Magazine Você", um modelo superinovador de *social commerce*, no qual pessoas comuns podem criar sua própria loja do Magazine Luiza e vender para sua base de amigos, sendo comissionados por isso. Esse *case* foi citado como um modelo na NRF (National Retail Federation) em 2012. Recentemente, o Magazine Luiza lançou também a plataforma "Magalu", um clube de ofertas para vendas via Internet.

Obviamente não há como esgotar aqui a lista de casos nacionais. Há inúmeros outros exemplos que valem a pena conhecer, como da Livraria Saraiva, Livraria Cultura, Máquina de Vendas (originada pela união das redes de eletroeletrônicos Insinuante e Ricardo Eletro), da PetLove e, no setor de vestuário, a Lojas Marisa, Renner, Malwee, C&A, entre vários outros.

2.10 Casos de PMEs (Pequenas e Médias Empresas)

As pequenas empresas também estão apostando no ambiente virtual e começando a obter bons resultados com essas iniciativas. Vamos analisar algumas delas a seguir, de acordo com cada setor.

Atacado – Alimentos

A **Casa Berti** (Comercial de Alimentos e Bebidas) é uma empresa do setor atacadista de pequeno porte que iniciou suas atividades no varejo tradicional em 1976, como um pequeno empório em um bairro da Vila Formosa, em São Paulo (www.casaberti.com.br). Nos anos 1980 tornou-se um ponto de encontro das pessoas que saíam do trabalho e que queriam se reunir no final do dia para um *happy hour*. Em 1990, em decorrência da crise na economia e da falta constante de produtos nos mercados, principalmente de cerveja, a direção da empresa decidiu ampliar o negócio, alugar um salão e começar a armazenar bebidas para atender a clientela. Dessa iniciativa surgiu a necessidade de um lugar ainda maior.

Em 2000, com o crescimento da demanda, a empresa decidiu separar a distribuição de bebidas das vendas de varejo (balcão), surgindo assim a Distribuidora de Bebidas Berti Ltda., que passou a fornecer cachaça, vinho, champanhe, espumante, rum, vodca, uísque e comestíveis, entre os quais antepastos, pães, azeites etc. Apesar de possuir mais de 38 anos de atuação no mercado, completados em 2014, a empresa decidiu desenvolver seu *site* institucional apenas em 2007, juntamente com a sua loja virtual. Para isso contratou uma agência especializada, que a auxiliou no desenvolvimento da plataforma. Os trabalhos foram focados principalmente na construção do *site* e na intenção de ter mais um canal de divulgação da loja física.

A distribuidora tornou-se conhecida pelo **marketing boca a boca**. A loja virtual ainda representa relativamente pouco no faturamento da empresa, se comparada ao volume total gerado pelas vendas na loja física, pois a empresa migrou há pouco tempo de um modelo de vitrine de mercadorias para um verdadeiro *e-commerce*. Em 2014 o *site* passou a ser mais um dos canais de divulgação da empresa, além do boca a boca, da comunidade de clientes do entorno, da busca orgânica do Google e do Facebook, cuja página foi criada em 2012. Esse caso é interessante, pois retrata a situação de grande parte das PMEs que iniciam com um modelo de vitrine para então, aos poucos, migrar para um *e-commerce* de fato, por este não exigir um grande esforço inicial.

Prestação de serviços – Consultoria tributária

A ***FiscoSoft Editora*** (www.fiscosoft.com.br) foi criada há quase vinte anos. Para manter seus clientes constantemente atualizados, a empresa criou um *site* institucional e loja virtual por meio dos quais também é possível fazer consultas sobre gerenciamento de atividades tributárias, previdenciárias, trabalhistas, aduaneiras e empresariais. A empresa foi comprada em 2012 pela Thomson Reuters, uma das principais agências mundiais de informação, contando com mais de 130 colaboradores, principalmente advogados e contadores. Seu público-alvo é caracterizado por profissionais que atuam nas áreas administrativa, de controladoria, de finanças, jurídica e de recursos humanos e que necessitam de informações para orientação sobre legislação, arrecadação tributária, impostos etc.

A FiscoSoft possui uma carteira de 20 mil clientes, desde grandes corporações até empresas de consultoria e renomados escritórios de advocacia e contabilidade. Além desses clientes, existem também aproximadamente 500 mil usuários que buscam informações no *site* da empresa, entre eles estudantes, acadêmicos, profissionais liberais e profissionais que trabalham em órgãos públicos municipais, estaduais e federais.

Como um dos sócios da empresa possui formação na área de tecnologia, os produtos e serviços foram desenvolvidos para serem disponibilizados pela Internet. A loja virtual e o *site* da empresa foram desenvolvidos pela equipe interna de TI. Não houve barreiras, tanto culturais quanto tecnológicas, para o desenvolvimento e implantação do negócio, que conta com uma plataforma interna de gerenciamento. A atualização dos dois canais (*site* e loja virtual) é constante e tem como objetivo acompanhar as mudanças do mercado e disponibilizar aos clientes informações atualizadas em um curto espaço de tempo. A empresa atua em B2B e B2C, com abrangência nacional. Para ter acesso aos produtos e serviços os clientes precisam fazer uma assinatura e pagar anuidade. São oferecidas também publicações impressas, mas em número reduzido e que podem ser adquiridas pela loja virtual ou televendas. A empresa não possui loja física.

A administração do banco de dados e das informações disponíveis na loja virtual está a cargo da equipe de suporte e TI. Não existe a necessidade de uma estrutura de logística complexa, uma vez que o cliente faz a consulta no próprio *site* e, nos casos de produtos físicos, o envio é realizado pela própria empresa, o que garante o atendimento da demanda com qualidade. A principal vantagem percebida pela empresa quanto ao *e-commerce* refere-se à agilidade na oferta dos produtos a um público habituado a fazer consultas pela Internet para obter informações que o ajudem na tomada de decisão.

Os meios de pagamento utilizados são cartão de crédito e boleto bancário/eletrônico. Não foram registrados problemas com fraudes, uma vez que para se tornar assinante o usuário precisa preencher um cadastro e os dados passam por uma avaliação. As informações são verificadas junto aos órgãos responsáveis. Os canais utilizados para divulgação são o próprio *site* institucional, *e-mail* marketing e a participação ou patrocínio em feiras e eventos voltados ao público-alvo da empresa.

O marketing boca a boca, potencializado hoje pelo meio digital, é também o grande aliado da empresa, pois o conhecimento e a satisfação passam de cliente a cliente, facilitando muito a prospecção de novos associados/usuários. A empresa também conta com uma assessoria de imprensa que colabora na divulgação dos produtos e promoção da marca, sensibilizando o público sobre os diferenciais que a empresa oferece. Outro canal é o Twitter, que vem sendo utilizado há bastante tempo para informar as novidades da empresa ao público.

Comércio varejista/autopeças

A **Gama 4x4** (www.gama4x4.com.br), fundada em 1986 e inicialmente conhecida como Tratorgama, especializou-se na **produção artesanal de peças** para os automóveis Jeep Willys/Rural e para tratores fabricados pelas CBT, Massey, Ford e Valmet. Portanto, pela sua atuação bastante específica, é mais um ótimo exemplo de **mercado de nicho**, como descrito anteriormente no boxe sobre a teoria da Cauda Longa.

Além da fabricação das autopeças, outro objetivo da empresa é contribuir para manter os veículos *off-road* rodando e, para isso, costuma reunir praticantes e aficionados por essa modalidade esportiva em *rallys* e campeonatos do segmento, além de apoiar pequenas fábricas para que elas continuem produzindo peças para veículos antigos, preservar o meio ambiente e ajudar comunidades necessitadas.

No rol de peças e acessórios produzidos incluem-se rodas, capotas, pneus, *kits* de suspensão, bancos (dianteiros e traseiros), entre outros, comercializados na loja física da empresa tanto para o varejo como para o atacado. A Gama 4x4 também possui uma loja virtual desenvolvida em meados de 2006.

Além do caráter institucional e de ser um dos canais utilizados para a divulgação de promoções e também de eventos ligados ao mundo *off-road*, o *site* colabora para aumentar o movimento da loja física, uma vez que as pessoas interessadas nesses produtos costumam realizar pesquisa em buscadores da Internet e, com isso, acabam sendo direcionadas para o *site* da empresa.

Em pouco tempo a loja virtual passou a ser um dos canais mais importantes de receitas da empresa, representando aproximadamente 30% do movimento total, tanto em volume como no faturamento. Os outros 70% originam-se da loja física e de sua operação de televendas. Atualmente, a Gama 4x4 é a maior loja virtual no Brasil de produtos para **jipes, *off-roads*, picapes e tratores.**

Os produtos disponibilizados na loja virtual ainda são em menor quantidade se comparados aos disponíveis na loja física, em função do processo de codificação e da disponibilidade de estoque. Para a efetivação das compras são aceitos cartões de débito, crédito e boleto eletrônico. No caso de cartões, é utilizada a criptografia para garantir a segurança das transações.

Fonte: Disponível em: <www.gama4x4.com.br>. Acesso em: 30 nov. 2017.
Figura 2.9 *Site* da Gama 4x4.

A abrangência é nacional e as entregas são feitas pela própria empresa na região de São Paulo e por terceiros nos demais estados. Por se tratar de peças pesadas, o frete é feito por uma transportadora parceira da empresa e o valor é pago pelo cliente, inclusive no fechamento da compra.

Além do canal de relacionamento no *site* institucional, a Gama 4x4 utiliza como divulgação o serviço de *links* patrocinados no Google, e costuma fazer divulgações em *sites* como Yahoo e YouTube.

Comércio varejista/armarinhos

A **Clickfios**, loja virtual de **armarinhos** (comercializa linhas, botões, tecidos etc.), surgiu a partir da necessidade de oferecer algo inovador aos clientes da loja física – a Artfios, instalada na cidade de São José dos Campos (interior de São Paulo) – e aos demais interessados por esses produtos. Inicialmente foi criado um *site* puramente institucional, em que eram apresentadas informações sobre a empresa e sobre alguns dos produtos oferecidos na loja física. Com o tempo, os proprietários notaram que as pessoas que acessavam o *site* só o faziam uma vez e não voltavam mais, pois não havia atualização das informações e não era oferecido ao internauta nada que pudesse despertar seu interesse e atenção.

Com base nessa constatação, o *site* da Artfios foi totalmente reformulado, sendo inseridos alguns produtos com fotos, descrição e preços praticados na loja física, o que serviu para criar certa expectativa nos clientes, levando-os a retornar ao *site* mais vezes. E foi assim que tudo começou. Após essa reformulação, a empresa passou a receber vários telefonemas e *e-mails* de clientes de todo o País que queriam realizar a compra por meio do *site*. No entanto, como os proprietários ainda não estavam preparados para vender pela Internet, a comercialização continuava sendo feita somente na loja física.

Em 2007, dispostos a inovar e a buscar novos negócios e oportunidades em todo o Brasil, os proprietários do negócio decidiram apostar no *e-commerce*. O primeiro passo nesse sentido foi estudar o assunto, o que lhes permitiu verificar que vender artigos de armarinho pela Internet era muito mais complexo do que imaginavam, pois, além da grande variedade de produtos que esse segmento possui, cada item também apresenta uma enorme gama de cores, entre outras características. Após muitas pesquisas sobre *e-commerce*, em 2008 foi criada a loja virtual, batizada de Clickfios.com, e os resultados obtidos superaram as expectativas. Em apenas dois anos de operação, a loja virtual conquistou grande carteira de clientes de todas as partes do País.

Além de ampliar a abrangência, o *e-commerce* propiciou outros negócios, como a venda de produtos para empresas, escolas, prefeituras, entre outros, dando maior visibilidade para a empresa, passando a ser também um canal de comunicação para contato com novos fornecedores. Isso significa que, apesar de pertencer ao setor varejista do tradicional ramo de armarinhos, o comércio eletrônico passou a ser uma ferramenta de suma importância, e hoje os donos acreditam que deve fazer parte da vida de qualquer empresa, seja ela grande ou pequena.

2.11 Social commerce

As redes sociais contribuíram para dinamizar o *social commerce*, que, por definição, **é o *e-commerce* envolvendo o relacionamento entre pessoas.** Ele se apoia no tripé "conteúdo – comunidade – comércio", em que o conteúdo é gerado pelo usuário, o CGM (*consumer-generated-media*). Essa denominação foi usada pela primeira vez pelo Yahoo no final de 2005, para descrever uma série de ferramentas para compras colaborativas e cotações de preços sobre produtos e serviços. Mas com o passar dos anos o conceito evoluiu para se referir também ao processo de compra, estimulado pelas referências de pessoas conhecidas e que fazem parte de redes de relacionamento, ou ainda por demais compradores que deixaram suas opiniões sobre produtos e serviços nos *sites* em que os adquiriram.

É interessante observar que quando isso se expande para o universo digital, pode ser considerado um fenômeno muito interessante, principalmente se lembrarmos de que há no mundo mais de 2,5 bilhões de pessoas que acessam regularmente as redes sociais.

Um dos exemplos de crescimento do número de usuários é o Facebook, criado em 2004, e que rapidamente ultrapassou o Google em tráfego semanal nos EUA. Hoje a rede contabiliza aproximadamente 2 bilhões de usuários ativos, mais que os habitantes do país mais populoso do mundo, a China.

Para aproveitar esse potencial de visitantes, surgiu o *Facebook-commerce*, também chamado *F-commerce*, ou comércio via Facebook. Com o uso do aplicativo Facebook Social Shop BigCommerce, por exemplo, qualquer usuário pode usar a rede social para criar uma loja virtual dentro do Facebook para vender produtos (http://pt-br.facebook.com/BigCommerce). Esse serviço foi disponibilizado no Brasil a partir de 2011, e empresas de diferentes perfis e portes utilizaram essa ferramenta. Um dos principais *cases* desse tipo foi o do Magazine Luiza, uma das maiores redes de varejo do País, com a sua plataforma de *F-commerce* denominada "Magazine Você", citada. Por esse canal, qualquer pessoa podia indicar os produtos do magazineluiza.com para seus amigos na sua rede social e ganhar uma comissão de 2,5% ou 4,5% sobre o preço do produto vendido. Uma semana após o lançamento dessa modalidade, o Magazine Luiza registrou 20 mil lojas no Facebook.

Fonte: Disponível em: <www.magazinevoce.com.br>. Acesso em: 19 jul. 2017.
Figura 2.10 *F-commerce* do Magazine Luiza.

O sucesso da ação desencadeou uma nova plataforma lançada pela empresa em 2013: o Clube de Ofertas da Lu (www.clubedalu.com.br), um clube de compras com descontos especiais apenas para os consumidores que se associassem ao projeto.

De acordo com uma pesquisa realizada em conjunto pela Hi-Mídia, empresa de mídia *on-line* especializada em segmentação e *performance*, e pela M.Sense, especialista em estudos sobre o mercado digital, 12% dos entrevistados afirmaram já ter comprado ao menos uma vez diretamente pelo Facebook. Entre os que não compraram diretamente, 35% não sabiam que existia essa possibilidade.

Outra questão levantada pela pesquisa é que os produtos customizados e exclusivos fazem mais sucesso nas vendas pelo Facebook, por exemplo, uma camisa com estampa diferenciada que motiva conversas e compartilhamentos entre os amigos na rede. Afinal, no *F-commerce*, o grau de sociabilidade dos produtos é que leva à compra.

É notório que as redes sociais (Twitter, Instagram, Facebook, Pinterest etc.) ampliaram as possibilidades de troca de informações e influências, pois as pessoas falam sobre seus interesses, e entre eles estão empresas, marcas e produtos. Elas interagem no sentido de esclarecer suas dúvidas e conhecer os questionamentos de outros usuários, e usam, para isso, a opinião de pessoas conhecidas ou não.

Tal processo cada vez mais antecede as compras, que podem ser realizadas pela *web* ou não, mas que certamente se iniciam na rede. Há diversos benefícios que os internautas descobriram, como economia de tempo, troca de experiências, redução do risco de uma compra inadequada, soluções baseadas em interesses comuns, aumento do poder de barganha, além, obviamente, de um relacionamento mais próximo com as marcas dos fabricantes.

Segundo pesquisa da Nielsen sobre quais formas de propaganda as pessoas mais confiam, 90% alegaram "recomendação de amigos"; 70% citaram "opinião de outros consumidores *on-line*; 69% disseram *site* da marca; 69%, notícias na imprensa; 63%, patrocínios da marca; e 61%, propaganda na TV.

É muito simples compreender isso. Por exemplo, se uma pessoa deseja iniciar-se na prática de corrida, muito provavelmente ela buscará dicas com amigos que já são corredores e, portanto, poderão lhe indicar os melhores produtos. Isso é muito mais importante do que apenas observar e confiar em propagandas de produtos.

A tendência é tão forte que a famosa revista americana *Wired* teve como capa: "What are you selling?" (O que você está vendendo?), tendo em vista a possibilidade de qualquer um vender qualquer coisa no Facebook, por exemplo.

Dentro desse modelo, é cada vez mais crescente nos EUA o *video haulling*, um fenômeno que consiste na atitude de consumidores se filmarem expondo os produtos de moda, como roupas, acessórios, maquiagem, entre outros, recém-adquiridos, e automaticamente postarem na *web* seus comentários sobre *design*, preço, qualidade etc. Algumas das novas estrelas que têm se formado em torno dessa postura chegam a ter mais de 100 milhões de *views* e mais de 1 milhão de seguidores; com isso pode-se imaginar o poder de influência que alguns consumidores passam a ter.

E falando em poder de influência, hoje virar um *influencer* é o desejo de muitas pessoas, pois acabou virando uma profissão, e bem remunerada. Há inúmeros casos de pessoas com milhares, ou mesmo milhões de seguidores em suas redes sociais, e essas pessoas passaram a ser utilizadas pelas empresas para fomentar a venda de seus produtos, pois basta um comentário no YouTube de um deles para estimular as vendas de um novo tipo de celular, ou um *post* no Instagram de uma influenciadora *fitness* para as pessoas comprarem o produto indicado, acabando com os estoques.

Isso porque cada vez **mais os consumidores baseiam suas decisões de compra nas opiniões de amigos e de outros usuários da Internet** postadas em *blogs*, *fotoblogs*, fóruns, comunidades e *sites* especializados.

Uma pesquisa recente revelou que mais de 90% das pessoas buscam informações sobre produtos antes de comprar; 43% recomendam produtos para outros usuários na Internet, e 74% das pessoas que interagem com as empresas por meio das novas mídias tem uma impressão positiva da marca.

No comércio eletrônico, as resenhas e opiniões dos consumidores são cada vez mais exploradas por fabricantes e lojas virtuais, como exemplifica Mauricio Salvador: "A Amazon utiliza com excelência o conteúdo gerado por seus consumidores. É possível, inclusive, ordenar os produtos baseando-se nas notas dadas pelas pessoas que já os compraram. Outra loja virtual, a Bazuca.com, do Chile, incentiva seus visitantes a opinarem sobre produtos, oferecendo créditos em compras. De *notebooks* a vinhos."

Um exemplo de *social commerce* associado também ao conceito de cocriação é o do *site* Camiseteria, pois envolve comunidade, conteúdo, além de entretenimento e, naturalmente, venda de produtos, já que os clientes não apenas decidem o que vão comprar, mas também o que será produzido. São os clientes que postam sugestões criativas de estampas para as camisetas no *site* da empresa, e todos os usuários interessados votam nessas estampas; as mais votadas serão produzidas e vendidas. Além disso, há clientes apaixonados pela marca que postam suas fotos vestindo as camisetas. Ou seja, é um negócio totalmente baseado nas **relações sociais**, fortalecidas pelo mundo digital.

Muitas empresas ainda estão descobrindo o melhor caminho para falar com seus consumidores, aumentar seu conhecimento sobre eles e o que fazer para criar um vínculo que lhes permita uma comunicação direta, além de monitorar os resultados dos impactos de suas ações.

O que essas companhias estão entendendo é que as redes sociais se tornaram uma plataforma de interação para antecipar e até mesmo acompanhar tendências sobre interesses de compras. Porém, isso ainda é utilizado de forma incipiente, por ser um trabalho desgastante e muito diferente da mídia tradicional, ou seja, não requer apenas propaganda e divulgação, mas sim relacionamento. E, como sabemos, qualquer relacionamento requer trabalho e dedicação porque exige conhecimento sobre quem é o outro com quem estamos nos relacionando.

O *social commerce* sem dúvida veio para ficar. Basta ver hoje o grande uso do Instagram, por exemplo, para divulgação de diversos produtos, de roupas a produtos alimentícios, que incentivam o consumo de inúmeras pessoas a todo tempo.

2.12   *Mobile commerce* e *mobile payment*

Por definição, o *mobile commerce*, ou *m-commerce*, é a utilização de dispositivos móveis como meio de comercialização de produtos e serviços, ou seja, é o comércio eletrônico mais próximo ainda das pessoas. E o *mobile payment* nada mais é do que o uso desses equipamentos (como celular, *smartphone*, iPod, *tablets*, *notebooks* com *wireless* etc.) como um veículo para pagamento e acesso a serviços financeiros.

A **convergência digital,** que pressupõe a integração de várias mídias em um único ambiente, possibilitando uma comunicação multicanal, já é uma realidade. Mas, ao contrário do que se supunha no passado recente, o veículo eleito para se tornar a base convergente comum de todos os canais de comunicação não é a televisão e nem o computador, mas sim o celular. O crescimento explosivo desse dispositivo móvel, que a cada dia ganha mais inteligência e novas funcionalidades, vem conquistando um número maior de usuários de forma constante e contínua.

Segundo a agência de telecomunicações da ONU, a quantidade de assinaturas de linhas móveis ativas no mundo no início de 2014 chegou próximo a 7,1 bilhões. Apenas no Brasil foram contabilizadas em 2017 cerca de 243 milhões de linhas de celulares, segundo balanço divulgado pela Agência Nacional de Telecomunicações (Anatel).

A grande base de usuários, aliada à praticidade do celular, abre grandes perspectivas para o *mobile commerce* (*m-commerce*) e também para o *mobile* marketing, ou seja, a utilização desse canal para ações comerciais e veiculação de campanhas publicitárias, respectivamente.

Uma das primeiras iniciativas de uso do celular como canal comercial ocorreu na Finlândia, em 1997, para compra e pagamento de refrigerantes em máquinas automáticas (*dispensers*) da Coca-Cola, e no ano seguinte, para *ringtones* pagos. Em 2000, esse meio foi usado para pagamento de estacionamento na Noruega, para reserva e compra de passagens de trem na Áustria e para reserva e pagamento de passagens aéreas no Japão.

Recentemente, os varejistas norte-americanos e europeus perceberam que os aparelhos móveis, principalmente os *smartphones* 3G, começam a ganhar a preferência da nova geração de consumidores por serem mais práticos e econômicos, se comparados aos computadores e suas variáveis móveis (*notebooks*, *netbooks*, iPads etc.). E, em particular, empresas de grande porte, que já possuem loja virtual e presença consolidada na Internet, como Amazon, eBay e Gilt, apostam que o comércio via celular será o próximo passo estratégico. É o que indicou um estudo realizado pela Forrester Research e divulgada pelo Mashable, mostrando o crescimento desse dispositivo de vendas nos EUA, que até o final de 2017 deverá totalizar um faturamento de US$ 31 bilhões.

No Brasil, o uso do celular para compras e pagamentos cresce a cada dia. Segundo a Ebit, o *m-commerce* representou em 2016 cerca de 21,5% do total do varejo *on-line* do País, contra 12% no ano anterior; e no primeiro semestre de 2017 já saltou para 31%, indicando que é um caminho sem volta. Uma das soluções de pagamento por celular disponíveis comercialmente no País é oferecida pela operadora Oi – chamada Oi Paggo –, aceita em mais de um milhão de estabelecimentos comerciais que vendem com a máquina da Cielo, tais como restaurantes, padarias, vestuários, *delivery* e cinemas. Para realizar a compra é necessário informar o número Oi ao lojista Cielo e receber uma mensagem no celular com os detalhes da compra; para confirmar é necessário digitar a senha do cartão no celular.

Outra ferramenta semelhante é oferecida pelo PagSeguro, empresa do UOL especializada em soluções para pagamentos *on-line*, que permite fazer pagamentos com cartão de crédito por meio de celulares e *tablets*. As transações são realizadas por meio de um leitor de cartões acoplado à saída para fone de ouvido dos aparelhos. O dispositivo funciona em aparelhos com sistemas Android e iOS. Há a opção de venda digitada, bastando baixar o aplicativo do PagSeguro. A ferramenta aceita as principais bandeiras de cartão, como Visa, Mastercard, Hipercard, Amex, Diners, Elo, PlenoCard, Brasil Card e Cabal. A autenticação no aplicativo é feita por meio de um código único gerado para cada leitor.

Há uma expectativa, de acordo com a Ciab-Febraban, que mais de 3 milhões de pessoas façam transações bancárias por meios totalmente digitais atualmente. Somente no caso do Santander e Bradesco, em torno de 40% das transações já ocorrem por meio de seus aplicativos.

Segundo o relatório da We Are Social 2017, 4,9 bilhões de pessoas utilizam a Internet via dispositivo *mobile*. Veja na Figura 2.11 as principais categorias acessadas via celular segundo dados da Avazu Inc.

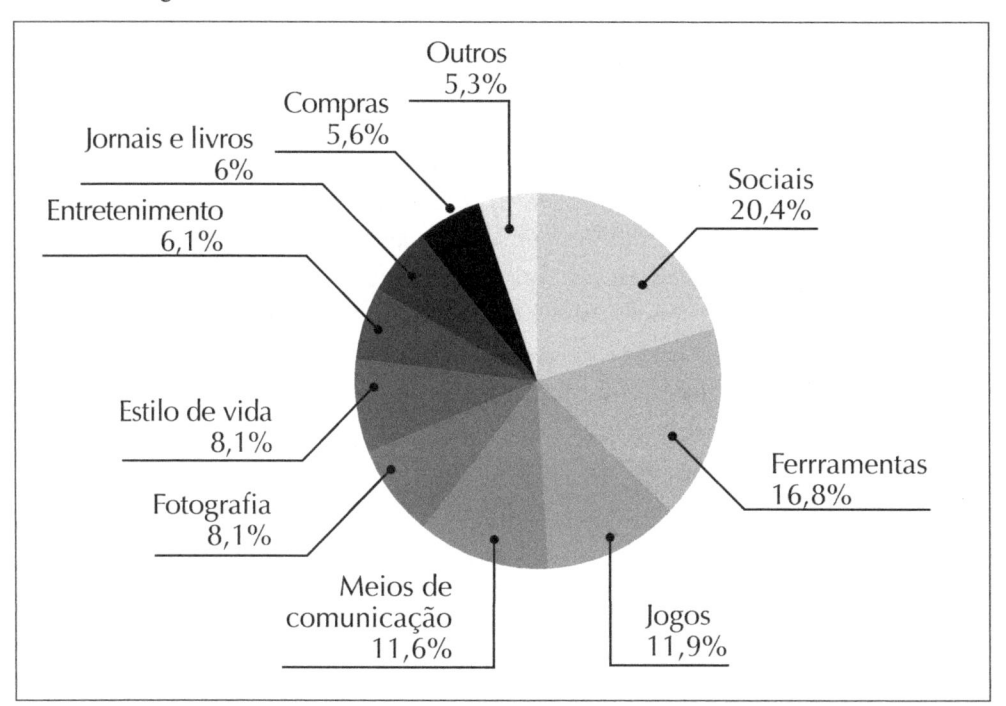

Fonte: *Brazil Mobile Internet and App Usage Statistics* – Avazu Inc 2016 (adaptado pela autora).
Figura 2.11 Categorias mais acessadas no Brasil via *mobile*.

Concluindo, pode-se observar que o *e-commerce* é uma das atividades que mais têm se desenvolvido quando falamos das inovações trazidas pela Internet, tendo ampliado também seus diversos tipos de desdobramentos possíveis, como citado: o *m-commerce*, o *social commerce*, entre outros.

Enfim, há muito tempo deixou de ser visto como uma aposta ou mesmo modismo para ser encarado com total interesse e seriedade pelos diferentes grupos econômicos, mostrando-se uma excelente alternativa de novo canal e novas receitas para muitas empresas de diferentes portes e setores, atraindo a cada dia novos investidores dentro e fora do País.

3

ESTRATÉGIAS DE MARKETING DIGITAL

OBJETIVOS

- ✓ Entender a importância do planejamento das estratégias de marketing digital.
- ✓ Aprender com casos reais sobre as estratégias e diferenciais de diversas empresas nacionais e internacionais.
- ✓ Ver o detalhamento das principais estratégias e suas aplicações.

O crescimento do marketing nas plataformas digitais já não é mais uma tendência, pois já passou a fazer parte da estratégia da grande maioria das empresas. As motivações para ingressar no universo virtual são inúmeras. Em primeiro lugar, pela constatação de que mais da metade da população brasileira (cerca de 139 milhões atualmente) está presente na *web* e, em comparação com o restante do mundo, representa uma das nações de internautas que mais tempo se dedica a navegar na rede.

Além disso, há mais de 243 milhões de linhas ativas na telefonia móvel usadas por todas as classes sociais, segundo anunciou a Anatel (Agência Nacional de Telecomunicações) em 2017, e a média nacional equivale a aproximadamente 1,1 aparelho por habitante, e grande parte deles com acesso à *web*, permitindo conexão em qualquer hora e lugar, trazendo a verdadeira inclusão digital. São pessoas se relacionando, produzindo e disseminando conteúdo, usando diversos entretenimentos *on-line* ou buscando informações e promoções pela Internet.

É óbvio que a *web* não resolverá todos os problemas de comunicação e marketing de uma empresa, nem veio para suplantar outras formas de mídia, como alguns chegaram a preconizar. Por isso, a palavra-chave não é revolução, e sim evolução. A cada nova mídia renovam-se o acesso às informações, os modelos de negócio, o conteúdo, os formatos. No entanto, o que a Internet trouxe de mais inovador foi o fato de ter mudado profundamente o comportamento das pessoas, tirando-as de um estado de passividade e tornando-as mais críticas, exigentes e ativas, ou seja, protagonistas nesse novo cenário junto às marcas. E obviamente isso também passou a interferir nas estratégias de marketing a ser adotadas pelas empresas. Hoje é impensável uma estratégia que não leve em conta essa radical mudança de atitude dos consumidores, que passaram a ter muito mais poder e influência, devido, principalmente, à sua participação nas mídias sociais.

As **estratégias no mundo digital** ainda estão em plena evolução, pois há muito a ser testado. Podemos dizer que estamos no início de todo o processo. Pela primeira vez, em tantos anos de existência do marketing, há mudanças realmente profundas que alteram o conhecimento que as empresas tinham sobre seus consumidores e sobre qual a melhor forma de alcançá-los. Tudo isso exige uma postura de atualização permanente. Por outro lado, também permite muitas inovações.

Não basta mais conhecer apenas os conceitos já estabelecidos do marketing, como os tradicionais 4Ps (Preço, Praça, Produto e Promoção); também é necessário saber construir uma presença digital para as companhias de forma adequada, bem como novas estratégias de marketing para uma era cada vez mais digital.

Estratégias essas que poderão incluir ações como *mobile* marketing, realidade aumentada, *e-commerce*, *m-commerce*, redes sociais (Facebook, Twitter, LinkedIn, Pinterest, Instagram, Google+, YouTube etc.), marketing nos buscadores, *buzz*, marketing viral, *advergaming*, aplicativos, além de novas formas de compra de mídia, entre outras inovações que serão abordadas com maiores detalhes nos tópicos seguintes.

E é na área de marketing e comunicação que a empresa buscará apoio para entender o que está ocorrendo e manter-se atualizada. É de lá que se espera uma postura de sintonia com o mercado e de inovação. Portanto, aumentou, e muito, a responsabilidade dos profissionais que atuam nesse campo. Demanda-se que esse profissional seja cada vez mais conectado e sintonizado com essas mudanças, além de buscar entender de números, pois o marketing digital é baseado na análise constante de resultados.

Observa-se, por exemplo, o crescimento das **redes sociais segmentadas,** em que as pessoas participam de comunidades com interesses específicos, publicando vídeos, influenciando marcas, colaborando no lançamento de produtos e dialogando diretamente com as empresas, ou pelo menos com aquelas que estão dispostas a isso.

O problema reside no fato de haver companhias que acreditam ainda ser possível postergar a decisão sobre sua participação nessa "conversação". Porém, elas estão se dando conta de que seus consumidores estão nas redes falando sobre elas, ou, pior ainda, podem estar atuando contra suas marcas e influenciando negativamente outros consumidores.

Uma pesquisa realizada pela empresa WebDAM Solutions sobre as tendências globais do marketing *on-line* revelou que 78% dos diretores de marketing digital entrevistados apostam na criação de conteúdo personalizado. Segundo pesquisa do IPG Mediabrands, até o final de 2017 o digital deverá se tornar a primeira categoria de publicidade mundialmente, alcançando Market Share de 40%, enquanto a TV ficará com 36%.

Os orçamentos destinados a ações em mídias sociais aumentam ano a ano, e as estratégias de SEO (Search Engine Optimization – veja mais na seção 3.3) continuarão a ser fundamentais para qualquer negócio. Afinal, os gastos globais com marketing digital já são da ordem de aproximadamente US$ 178 bilhões, 36% da verba total de publicidade. Outro estudo, realizado pelo instituto norte-americano Forrester Research, indicou que as campanhas envolvendo mídias sociais deverão crescer a uma taxa anual de 34%, mais rápido do que qualquer outra forma de marketing na *web*.

3.1 A importância de uma visão de marketing nos planos de negócios

Grande parte das empresas ainda associa marketing apenas à divulgação de produtos e ofertas ou à promoção do seu negócio, talvez por falta de conhecimento em maior profundidade sobre o tema, ou seja, somente retratando o "P" de Promoção, relembrando a teoria dos 4Ps. Na verdade, o marketing deve participar, e ser aplicado, como parte fundamental da "elaboração" das estratégias do negócio, tendo em vista a necessidade de planejamento prévio para obter maior sucesso em quaisquer áreas, principalmente se considerarmos a cada vez maior competitividade no mercado.

O marketing, portanto, deve ir além das campanhas de propaganda, na medida em que está profundamente relacionado à análise de viabilidade mercadológica e financeira, que precisa anteceder à abertura, para prever a sustentabilidade de qualquer negócio. Inicialmente podem ser utilizadas ferramentas de pesquisa de mercado para detectar a demanda, que incluem técnicas qualitativas, quantitativas ou ambas combinadas, para identificar se o negócio é aceitável.

Cumprida essa etapa, o departamento de marketing se encarregará de elaborar toda a análise relacionada aos resultados das pesquisas, bem como outros levantamentos que devem ser feitos com relação à concorrência, sua atuação, seus produtos, área de influência etc.

Além da análise da demanda propriamente dita, deve ser feita uma avaliação do mercado de atuação da empresa e como ele está estruturado. Essa etapa de análise do mercado é necessária porque, se não for feita, corre-se o risco de oferecer aos consumidores mais um produto ou serviço de que eles não necessitam, por já serem atendidos por outras empresas atuantes no segmento em questão.

Após tais levantamentos é possível iniciar uma abordagem de quais perspectivas o negócio possui adiante oferta já existente, bem como verificar os pontos fortes e fracos e as ameaças e oportunidades do mercado, ou seja, a famosa **análise Swot** (*Strengths, Weaknesses, Opportunities, Threats*) originária dos conceitos de marketing tradicional.

O marketing deve permear todo o ciclo de planejamento e implantação do negócio para reduzir incertezas e acertar melhor o alvo ao se abrir um novo empreendimento. As estratégias incluem as áreas de *branding*, comunicação corporativa, marketing de produtos, eventos, comunicação interna, propaganda e promoção, entre outras.

Com relação às campanhas de marketing em geral, devem contemplar ações que integrem o mundo *off-line* com o *on-line*. Um dos investimentos que mais cresce no meio digital continua sendo os *sites* de buscas, com o Google, que lidera com mais de 60% dos recursos destinados a marketing *on-line* no País.

O grande desafio é planejar ações de marketing contemplando os vários meios e tecnologias existentes relacionadas a estratégias digitais.

No caso de pequenas e médias empresas, que muitas vezes não dispõem de departamentos de marketing bem estruturados, recomenda-se, para essa etapa prévia, o uso de uma consultoria especializada na elaboração de planos de negócios (*business plan*), para reduzir os riscos ao iniciar suas operações e evitar prejuízos com investimentos errados e desnecessários.

Esse estudo, caso seja voltado para a criação de uma nova empresa, um *e-commerce*, por exemplo, poderá indicar a real viabilidade de seu lançamento, ou seja, eventualmente poderá até aconselhar a não abertura do negócio.

3.2 Planejamento de marketing vem antes do digital

Quando se fala especificamente em marketing digital, deve-se entender que ocorreram mudanças importantes em relação a um passado recente, época em que os meios virtuais ainda eram pouco utilizados. Antes, as empresas, principalmente as maiores, investiam grandes volumes em divulgação para construir suas marcas usando primordialmente mídia de massa.

Quando o consumidor queria adquirir um produto, ele se lembrava de qual empresa o oferecia, e por isso as companhias que mais dispunham de grandes verbas para investir nos meios convencionais (campanhas e anúncios em televisão, rádio, jornais e revistas) eram as mais recordadas no momento da compra.

Hoje, os consumidores não precisam necessariamente "lembrar" das marcas antes de adquirir produtos ou serviços. Eles pesquisam o que precisam na *web* – cerca de 97% dos consumidores de veículos fizeram buscas antes de comprar, reduzindo a visita de pré-compra a uma loja física de cinco a seis vezes, em média, para duas idas à revenda de automóveis. É um indício de como a fartura e a diversidade de informações disponíveis na *web* alteram hábitos de consumo. Para se ter uma ideia, em 2017 foram gerados mais de 2,5 bilhões de solicitações de pesquisa por dia no Google. O mais importante é que a empresa seja encontrada no momento dessas pesquisas.

E isso muda simplesmente "tudo". Não significa, de forma alguma, que a mídia de massa acabou, ou deva ficar de fora das campanhas, ou que não seja mais necessário investir na construção das marcas; muito pelo contrário, isso continua válido, mas deve-se entender como o marketing tem evoluído e utilizar o que chamamos de *cross media*, pois hoje o consumidor não está presente apenas em um canal, mas em vários.

Inicialmente é preciso compreender que os clientes desejam cada vez mais ser ouvidos, ter envolvimento, respeito, interação, engajamento, e não apenas "comprar" produtos. As companhias devem abrir espaço para uma "conversa", um diálogo, uma relação social, e não apenas mercantil!

E esse relacionamento deve ser construído passo a passo. Leva tempo, dá trabalho, mas é o melhor caminho a ser seguido.

Os impactos do marketing digital para os negócios
– Formatos inovadores para a realização de negócios.
– Rapidez de resposta dos consumidores.
– Diversificação de canais.
– Fidelização de clientes tradicionais e atração de novos clientes.
– Aumento de prestígio para a organização.
– Prospecção e desenvolvimento do mercado.
– Notoriedade e reconhecimento da marca.
– Customização, adequando a oferta em função das preferências dos consumidores.
– Segmentação psicográfica (por hábitos e atitudes).
– Acesso permanente aos mercados internacionais e a outros segmentos ou nichos.
– Redução nos tempos de transação.
– Possibilidade de fornecer mais informações e melhor experiência ao consumidor.
– Possibilidade de mensuração.

Veremos a seguir algumas das diversas estratégias digitais de marketing disponíveis.

3.3 Marketing nos buscadores (SEM – *Search Engine Marketing*)

Como já foi dito, poucas pessoas hoje comprariam algum produto, seja um instrumento musical, um eletrodoméstico ou qualquer outro, sem antes consultar a Internet. É possível encontrar praticamente tudo na *web*. Há milhares de lojas vendendo uma grande variedade de produtos e serviços, oferecendo promoções e facilidades para a compra. É um *shopping* gigantesco, contendo tudo o que se pode imaginar – medicamentos, roupas, leilões de arte, flores, entre outras opções.

Com a Internet, é o cliente que procura o que deseja, e encontra, **ou não**, determinada empresa. Aí reside uma das principais mudanças que vem ocorrendo nos últimos tempos: uma grande inversão na forma como sempre fizemos marketing. Agora a empresa é que deve ser encontrada pelo consumidor quando ele deseja adquirir algum bem. Nessa situação, quem está buscando algo na *web* já está um passo à frente em termos de interesse efetivo na compra de um produto ou serviço.

Mas, e para localizar o que se deseja? Como fazer para ter certeza de que estamos realizando o melhor negócio? Por meio dos **buscadores ou ferramentas de busca** como Google, Yahoo e Bing ou pelos indexadores de preços ou agregadores como BuscaPé e Mercado Livre, entre outros que permitem pesquisar, de forma rápida e segura, o item desejado. Assim, pode-se aprimorar muito o acesso às melhores ofertas e empresas.

De acordo com pesquisa da Hitwise, ferramenta de inteligência em marketing digital da Serasa Experian, o Google Brasil lidera o *ranking* dos buscadores, obtendo 94% de participação nas buscas realizadas no País, seguido pelo Bing e Ask Brasil.

O volume de buscas continua crescendo de um mês para outro, o que demonstra que, ou estamos ficando mais curiosos, ou há mais pessoas utilizando os *sites* de buscas em todo o mundo. O maior público se concentra nos EUA, seguido de China e Japão. Por outro lado, os países que vêm registrando os maiores crescimentos são Rússia, França e Brasil.

Para ter uma ideia da importância dos mecanismos de busca, mais de 95% dos que compram imóveis no Brasil pesquisam antes pela Internet, motivados pela facilidade em selecionar previamente quais casas ou apartamentos desejam visitar, de acordo com faixa de preço, localização, tamanho e demais especificações. Essa busca é feita não só por clientes do Brasil, mas também do exterior, interessados em investir em imóveis no País. Em alguns casos é possível economizar quase 20% do valor da compra.

Ainda que para a efetivação das compras diretamente pelo canal *on-line* exista ainda certo temor – mais de 32% das pessoas se preocupam com a segurança nas transações, principalmente relacionadas aos dados de seus cartões de crédito –, as buscas tornaram-se algo essencial, pois é possível pesquisar tudo *on-line* e decidir através de qual canal se deseja efetuar a compra, ou seja, os consumidores podem comprar na loja eletrônica e retirar na loja física, ou pesquisar antes e comprar depois na loja física – conceito de **multicanalidade** –, enfim, escolher o que melhor lhe convier e o que achar mais seguro.

As construtoras, por exemplo, investem cada vez mais em equipes dedicadas ao marketing digital, como é o caso da empresa brasileira Tecnisa, que tem se destacado pelas suas estratégias sempre inovadoras na *web*, investindo por volta de 20% do montante dedicado à divulgação dos seus empreendimentos. Conforme dados da empresa, 94% dos clientes que fecham negócios passaram antes pela Internet.

O marketing de busca tornou-se o principal foco das empresas para captar novos clientes. Isso porque atualmente o consumidor tem maior poder de barganha, pois dispõe de mais fornecedores e de muitas fontes de informação. Com isso, está mais preparado para o processo de compras, mas também menos fiel às marcas.

Fonte: Google <www.google.com.br>. Acesso em: 17 jul. 2017.

Figura 3.1 Modelo de resultado de busca no Google para a pesquisa "Hotel em Balneário Camboriú".

Os buscadores surgiram pela necessidade de localizar qualquer informação, que se tornou quase impossível com a proliferação da quantidade de *sites* – em 1982 havia apenas 315 *sites*, hoje são bilhões.

É importante salientar, no entanto, que existem duas estratégias possíveis para desenvolver o **SEM:** a **Busca Orgânica ou natural** e a **Busca Paga** (*Paid Search*), mais conhecida como *links* **patrocinados**, como veremos na seção 3.4.

Segundo o estudo Google Search's Golden Triangle, 100% das pessoas olham as primeiras linhas de resultado da página e, depois, começam a ler apenas o início das linhas seguintes, formando um triângulo invertido que representa as áreas "quentes" de visualização (em vermelho), conforme a Figura 3.2.

Esse triângulo invertido, chamado **triângulo de ouro da busca,** é localização-chave para a visibilidade nos resultados de busca. Geralmente, a área inclui os primeiros resultados de *links* patrocinados e os primeiros resultados da busca orgânica.

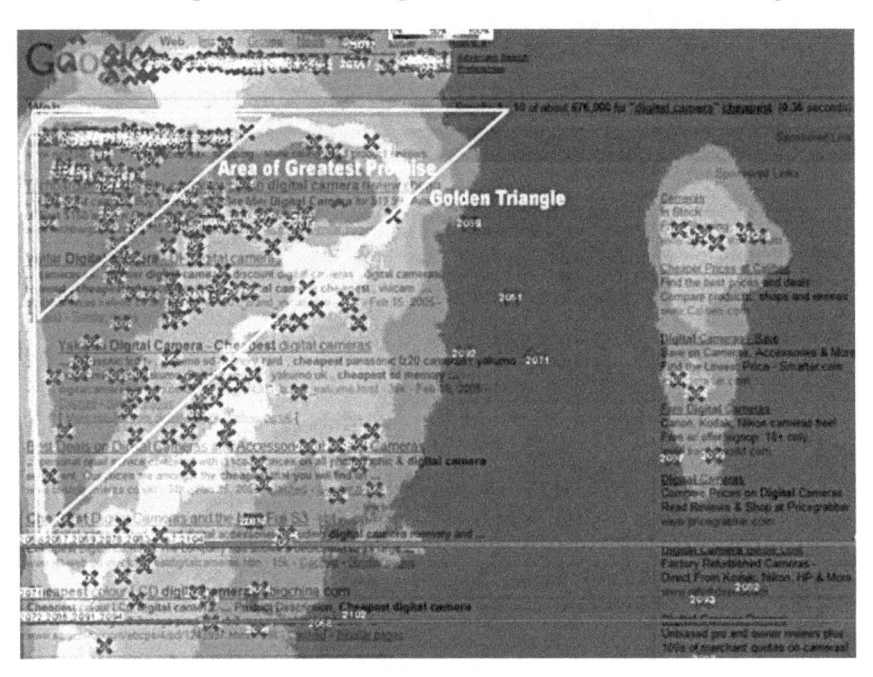

Fonte: Disponível em: <http://searchengineland.com/the-critical-first-second-the-area-of-greatest-promise-10856>. Acesso em: 17 jul. 2017.

Figura 3.2 Triângulo de ouro do Google.

Dentro do triângulo de ouro, a visibilidade cai nos *rankings* orgânicos, começando com 100% para o primeiro resultado da lista, diminuindo para 85% no final da área visível – sem rolagem da página e, então, cai drasticamente para 50% depois do ponto de rolagem na página até 20% no final da primeira página.

> **Fique por dentro**
>
> O comportamento do consumidor muda rapidamente, por isso é importante ficar sempre atento: pesquisas recentes mostram algumas mudanças na forma de leitura, influenciados pela tendência de rolagem dos *mobiles* aplicadas aos navegadores. Basicamente os leitores fazem uma varredura inicial da página inteira muito rapidamente, para analisar as várias seções adicionadas gradualmente pelo Google: locais, mapas, notícias, entre outros; e a partir daí o consumidor decide as páginas mais relevantes para navegar. Para não ficar de fora desse cenário é necessário que as empresas, especialmente as de menor porte, ampliem seus conhecimentos para que possam se posicionar da forma correta nos buscadores. Não há dúvida de que seus clientes atuais e potenciais já estão navegando na *web* para procurá-las.
>
> É muito importante estar nas primeiras posições dos resultados de busca porque a maior parte das pessoas não vai além da primeira página. Além disso, a percepção de quem está navegando é que as empresas que estão nas primeiras posições são líderes de mercado, o que não é necessariamente uma verdade, mas aqui estamos falando de "percepções" dos consumidores, o que é algo muito relevante. O único fato que podemos afirmar sobre uma empresa que está bem posicionada é que ela está sabendo aplicar corretamente as técnicas de SEO.
>
> Por outro lado, quem não está bem posicionado nos buscadores deixa a percepção de baixa reputação no seu mercado de atuação.

3.4 Como funcionam os buscadores

Será que as empresas verificam frequentemente como estão posicionadas nos resultados da busca orgânica? Há, por exemplo, reclamações aparecendo na primeira página? Posso assegurar que grande parte, principalmente dentre as PMEs, não faz esse tipo de análise, pelo que venho observando Brasil afora.

Infelizmente, como essa realidade ainda é relativamente nova para diversos empresários, eles se surpreendem quando apresentamos dados sobre os riscos que podem estar correndo com relação a isso.

Observe, porém, que tais pesquisas podem ser feitas utilizando-se como palavra-chave o nome da empresa, mas não apenas isso, pois assim, obviamente, nesse caso, ela deverá aparecer na primeira posição da primeira página (pelo menos deveria). A busca deverá incluir algumas palavras-chave utilizadas pelos seus clientes no processo de compra dos seus produtos ou serviços. É importante analisar em que posição a empresa está nesse *ranking virtual*, comparando-a com seus principais concorrentes.

Se na primeira página houver *links* de reclamações (vindos de outros *sites*, como o Reclame Aqui, por exemplo) sobre seus produtos ou serviços, a empresa deve identificar quais são as queixas e solucioná-las urgentemente, diretamente com os clientes, e depois elaborar uma série de ações para procurar eliminar essa exposição negativa das primeiras posições, pois com certeza já está prejudicando suas vendas e imagem atual. Se o cliente ou futuro cliente se deparar com essas queixas durante suas buscas, haverá grande chance de desistir da compra que realizaria naquela companhia.

As empresas que não entendem essa troca de "influências" entre as diversas redes sociais e os buscadores estão perdendo clientes e talvez sequer saibam disso.

É um engano pensar que os resultados das pesquisas ocorrem baseados apenas na quantidade de visitas ao *site*, como muita gente costuma acreditar.

A seguir, veremos mais detalhes das duas estratégias citadas no item anterior sobre o uso dos buscadores, ou seja, *links* patrocinados e otimização de *sites*.

Links *patrocinados*

Para aqueles que necessitam de resultados imediatos, o ideal é utilizar os **links patrocinados** nos buscadores, ou, como também chamamos, **busca paga** (*Paid Search*), opção para obter boa visibilidade na primeira página da busca.

São anúncios pagos, como o próprio nome diz. Se feitos de forma correta, poderão trazer bons resultados à empresa. Os *links* patrocinados aparecem, por exemplo, nas melhores colocações nas primeiras páginas da pesquisa, como na Figura 3.3.

O efeito é rápido. Basta comprar as palavras-chave num formato de leilão na ferramenta do próprio Google, chamada Google Adwords, e o anúncio aparecerá nas páginas relacionadas cada vez que as pessoas fizerem buscas relativas a esses termos.

Os *links* patrocinados também podem e devem ser utilizados como complemento ao trabalho realizado de otimização de *sites* (SEO), que veremos a seguir, bem como para promoções. Os *links* patrocinados recebem em média de 20% a 30% dos cliques na página e são pagos num formato chamado CPC (Custo por Clique), ou seja, só será pago se as pessoas clicarem no anúncio. Os anúncios que forem visualizados, mas não tiverem nenhuma interação, não serão cobrados dos anunciantes.

Como dito, para a operacionalização desse processo é necessário selecionar as palavras (ou grupo de palavras) que normalmente as pessoas utilizam para "procurar" seu produto ou serviço na Internet e depois "comprá-las" nos *sites* de busca. Isso funciona como um **leilão**, ou seja, se a palavra que você selecionou for menos "comprada" pelos seus concorrentes custará menos; porém, se você atua num mercado muito competitivo, algumas palavras podem hoje custar um valor bem alto.

O resultado é diretamente proporcional ao investimento realizado pela empresa na compra das palavras-chave, ou seja, o volume de exposições dependerá do volume de investimento realizado, por isso é um formato de leilão. Mas não é só isso: os resultados também dependerão da qualidade dos anúncios realizados e da qualidade da página de chegada, ou Landing Page, relacionada àquele anúncio.

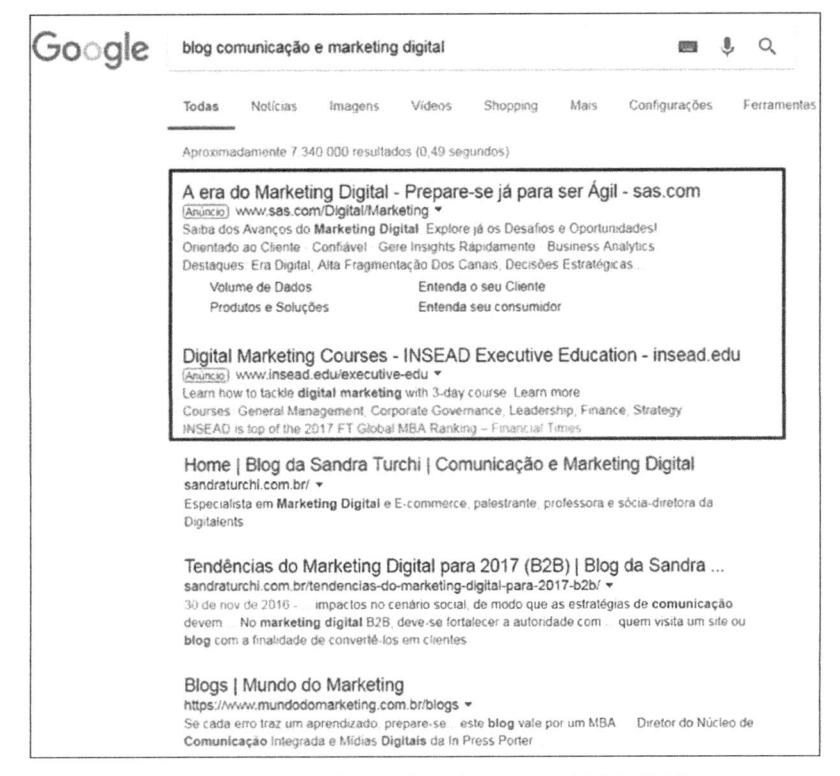

Fonte: <www.google.com.br>. Acesso em: 17 jul. 2017.

Figura 3.3 Página de resultados do Google para a pesquisa "blog comunicação e marketing digital" – destaque para os *links* patrocinados.

Alguns conceitos importantes relacionados às campanhas de *links* patrocinados:

- Bid (oferta): é o valor ofertado pela palavra-chave; funciona como um lance de leilão por ela.
- CPC (Custo por Clique): é o valor monetário que o anunciante paga pelos cliques efetuados no *link* patrocinado.
- CTR (*Click Through Rate*): é a quantidade de cliques no anúncio, dividida pela quantidade de vezes em que ele foi exibido e visualizado nas páginas de resultados (impressões). Essa taxa é expressa em porcentagem e representa a relevância do anúncio para a palavra-chave buscada pelo usuário (por exemplo, se forem feitos cinco cliques e 1.000 impressões, a CTR será de 0,5%).
- CPA (Custo por Aquisição): é o valor pago pelo anunciante apenas quando uma conversão (venda ou registro) é efetuada em seu *site*.
- ROI (*Return on Investment*): é o retorno do valor aplicado numa campanha.
- Índice de qualidade: valor (atribuído pelo Google) que, combinado ao CPC, define o posicionamento do anúncio.

> Para entender mais sobre o leilão do Google assista ao vídeo:
> <http://www.youtube.com/watch?v=Fg01uSe72lc>.

SEO – Search Engine Optimization

Como dito, é extremamente importante uma empresa estar bem posicionada nas primeiras posições dos buscadores.

Já tratamos de uma das estratégias possíveis, os *links* patrocinados, ou seja, investimento financeiro direto em mídia nos buscadores. E essa estratégia pode ser desenvolvida de forma totalmente independente das ações de SEO, descritas a seguir.

Outro lado dessa história é a chamada Busca Orgânica, que não é paga, mas não é barato estar lá, como costumo dizer. Ficou confuso? Vamos explicar melhor.

Apenas para esclarecimento, como o Google é líder no Brasil entre os buscadores, com mais de 94% do mercado, vamos concentrar nossa análise apenas nessa ferramenta.

Para elevar a posição de um *site* na busca orgânica utilizamos **SEO – Search Engine Optimization**, técnicas implementadas na página (*on page*) que permitem aprimorar um *site* para que possa ser melhor encontrado pelo Google, sem usar *links* patrocinados.

O posicionamento de cada *site* depende de uma série de fatores, e um dos principais é sua relevância em relação a determinado assunto, comparado a outros *sites*. Essa relevância é medida por algoritmos do Google, como dito, que definem a importância de determinado *site* para uma pesquisa realizada. O que isso quer dizer? Na verdade, o que o buscador faz é tentar trazer a melhor "resposta" para determinada pergunta (ou busca) realizada.

O Google conta com um sistema complexo de análise para ranquear os *sites* que irão aparecer em determinadas posições nas páginas de resultados. Trata-se, na verdade, de uma série de algoritmos que funcionam baseados em inúmeros parâmetros, através dos quais os *sites* recebem pontuações. Aqueles que obtêm melhor pontuação aparecem nas primeiras colocações das primeiras páginas dos resultados da busca.

Esses algoritmos são constantemente atualizados pelo Google, cujo foco é trazer uma experiência melhor de navegação para os usuários. O ideal, para quem está trabalhando no aprimoramento do seu *site* visando melhor posição, não é se preocupar em descobrir o que os algoritmos do Google desejam, e sim o que é melhor para seus usuários.

As últimas grandes atualizações feitas pelo Google, foram, resumidamente:

Em 2011 – Google Panda.

EM 2012 – Google Penguin.

Em 2013 – Google Hummingbird.

Em 2016 – Google Penguin 4.0.

Em 2017 – Google Fred Update.

Essas atualizações sempre visam melhorar a experiência de quem realiza suas buscas, como também tornar o ranqueamento cada vez mais fiel à realidade e justo. Por exemplo, a última atualização, de 2017, visa penalizar *sites* com pouco conteúdo, ou conteúdo de baixo valor, que foram construídos apenas com fins comerciais, para exploração de *banners* de afiliados, por exemplo.

Em última instância, todo profissional de marketing digital deve se preocupar em levar conteúdo rico e relevante, sempre; caso contrário, poderá ser penalizado a qualquer momento pela ferramenta.

Para elevar a posição de determinado *site*, temos de desenvolver ações tanto internas (na página ou *site*), também chamadas **on site**, como ações externas (fora da página ou *site*), ou *off site* (ou *off page*), conforme descrito a seguir.

Como dito, esses algoritmos estão sempre sendo alterados e atualizados pelo Google, mas em geral, seguem algumas ações, tanto *on* como *off page*, utilizadas para auxiliar nessa estratégia de melhor indexação dos *sites*:

Ações *off page*

- Obter *links* de outros *sites* que apontem para o *site* que está sendo trabalhado. E também se eles possuem relação com o tema abordado. Esse é um exemplo de ação *off site*, também conhecido como estratégia de *Link Baits*.
- Atividades nas mídias sociais.
- Criação e distribuição frequente de conteúdo relevante para outros *sites* e *blogs* de parceiros, entre outras.

Ações *on page*

- Relevância do *site* para o tema pesquisado, ou seja, se o conteúdo é importante e pertinente.
- Vida útil do *site*, ou seja, há quanto tempo determinado domínio (nome do *site* e endereço na Internet) está no ar sendo alimentado com conteúdo relevante. Pois se o *site* é muito novo, pode não ter havido tempo suficiente para ser indexado pelo Google.

- Seleção de palavras-chave trabalhadas (tanto nos textos como nas *tags*), exemplos: no caso de uma imobiliária as palavras-chave poderiam ser "casas à venda, apartamentos para alugar, apartamentos com três dormitórios, terrenos" etc.
- Atualização frequente do conteúdo do *site* relacionado às palavras-chave, bem como conteúdo exclusivo e inédito.
- Usar *links* internos para outros conteúdos.
- Ter uma excelente usabilidade e agilidade no *site*.
- Monitoramento frequente dos resultados, utilizando ferramentas de monitoramento e métricas, para redirecionar as ações, se necessário.

Cuidando desses e de outros parâmetros e executando ações relevantes no mundo *off-line* de forma sistemática, a empresa figurará nas primeiras páginas dos buscadores, ou seja, na chamada "busca natural ou orgânica".

É importante ressaltar que esse trabalho demanda esforço e estratégia, e que o resultado não é algo imediato, pode levar alguns meses para aparecer. Costuma-se dizer que SEO é cultura, não mídia.

Um dos erros mais comuns é deixar para pensar em SEO depois que o *site* está pronto. É necessário envolver TI ao longo do desenvolvimento do *site*.

Além disso, é preciso ressaltar que os resultados são **dinâmicos e relativos**, ou seja, mesmo que você alcance as melhores posições, o trabalho não acabou: devem-se manter as ações para que o *site* permaneça bem posicionado, pois seu *status* dependerá de alterações feitas no algoritmo e das estratégias adotadas pelos concorrentes.

Fonte: <www.sandraturchi.com.br>. Acesso em: 11 out. 2017.

Figura 3.4 *Blog* de Sandra Turchi.

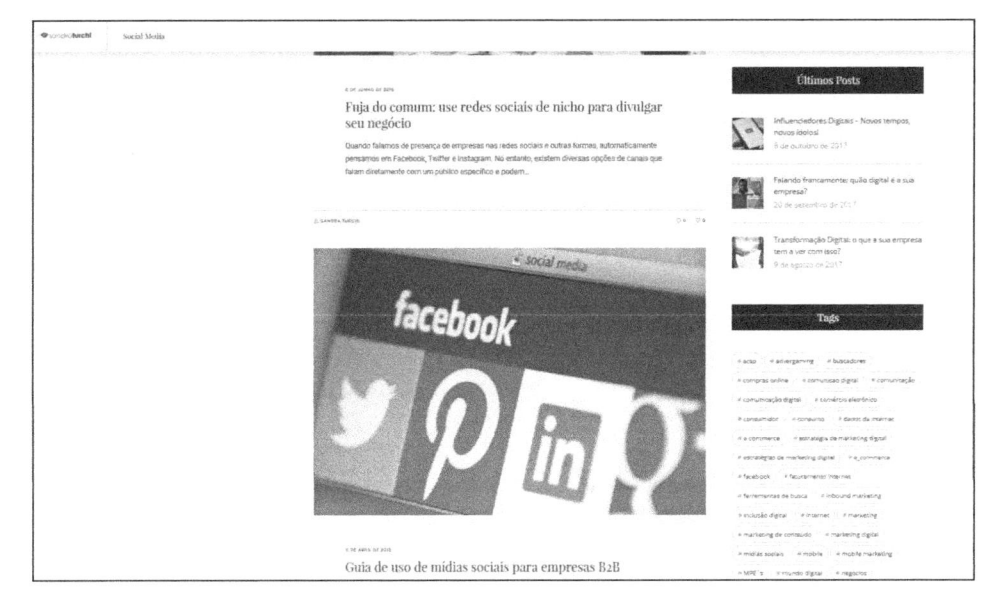

Fonte: <www.sandraturchi.com.br>. Acesso em: 11 out. 2017.
Figura 3.5 *Blog* de Sandra Turchi: exemplos de conteúdo.

Cito como exemplo o meu próprio *blog*, no qual procuro manter o foco na criação de conteúdo ligado a estratégias de marketing digital e *e-commerce* (veja a Figura 3.4).

Pelos textos postados fica claro quais assuntos são o foco do *blog*, o que faz que o buscador identifique os termos quando já pesquisados (veja a seguir). Na Figura 3.5, há exemplos de artigos. Isso demonstra a estratégia de conteúdo voltada para SEO.

Na Figura 3.6, é possível comprovar o resultado alcançado, pois, ao buscar as palavras que são o foco do *blog* (exemplo primeiro artigo da página *supra*), pode-se verificar que ele aparece na primeira posição da primeira página da busca orgânica no Google, o que é a melhor situação possível.

Existe também o lado negro do SEO, conhecido como **Black Hat SEO** (ou chapéu negro do SEO). Dá-se esse nome pois são utilizadas técnicas que tentam "enganar" os algoritmos das ferramentas de busca para melhorar o posicionamento da página ou *site*; como exemplo pode ser citado o uso de texto invisível ou que exibe conteúdo diferente para as pessoas e para os *sites* de busca.

É uma prática não recomendável, pois, uma vez descoberta pelo buscador, a empresa responsável poderá ser penalizada e ter seu *site* excluído ou rebaixado nos resultados de busca. Portanto, é preciso ter muito cuidado com consultores ou agências que oferecem resultados magníficos nas buscas orgânicas em pouquíssimo tempo.

Um trabalho bem-feito e correto leva algum tempo para surtir o efeito desejado, como dito, mas é isso que demonstra grande relevância no momento das buscas.

Fonte: Disponível em: <www.google.com.br>. Acesso em: 11 out. 2017.
Figura 3.6 Primeira página do Google, pesquisa: "redes sociais de nicho".

3.5 *E-mail* marketing

Um dos instrumentos mais antigos no mundo digital, mas ainda importante e muito utilizado em campanhas de comunicação, é o *e-mail* **marketing**. Segundo o Email Marketing Study, realizado pela Experian Marketing Services junto a empresas de todo mundo, 99% dos entrevistados ainda utilizam esse caminho para divulgar seus produtos e serviços aos consumidores. Apesar do uso pela quase totalidade das empresas consultadas, a maioria não tem adotado o recurso adequadamente: 60% não oferecem ao cliente opção de tipo de mensagem, conteúdo que querem receber, enquanto 35% deixam o público determinar a frequência. O dado mais alarmante é que 70% sequer utilizam mensagens personalizadas.

> Uma pesquisa recente da Mail Chimp (uma das principais ferramentas de *e-mail* marketing do mundo) mostrou que as campanhas de *e-mail* segmentadas têm taxa de abertura 14,32% maior do que as campanhas não segmentadas.

Para ter uma ideia, são enviados mais de 200 milhões de *e-mails* por minuto. Segundo a fabricante do Windows, são bloqueados cerca de 10 milhões de mensagens de *spam* (*e-mails* indesejados) por minuto nas contas de usuário do Outlook.com, mais de 14 bilhões de *e-mails* por dia.

Dada sua relevância, o envio de *e-mails* deve ser feito de forma adequada por ferramentas especializadas, notadamente para comunicação com clientes tradicionais e potenciais, e ainda com fornecedores e demais parceiros de negócios. Sua principal característica é a agilidade, tanto para envio quanto para resposta (confirmação de recebimento) e também pela facilidade de medir o retorno, o que pode ser feito através de estatísticas que irão indicar quantas pessoas receberam a mensagem, quantas visitaram o *site* e fizeram algum tipo de interação (pesquisa, compra, envio de dúvidas etc.) e inclusive quantas solicitaram não receber mais esse tipo de comunicação, ou seja, fizeram um *opt-out*.

É preciso, no entanto, tomar alguns cuidados e adotar critérios para que o *e-mail* marketing contribua para atingir os objetivos pretendidos pelo seu emissor. A primeira providência é enviá-lo primordialmente para destinatários que autorizam o recebimento de mensagens de cunho publicitário e mercadológico por meio do correio eletrônico. Sem essa permissão, a mensagem é considerada *spam* e, ao invés de atrair os consumidores, a empresa pode passar a ser malvista por eles e ainda corre o risco de ser barrada nos filtros *antispam* dos principais provedores de Internet.

O *e-mail* marketing que traz melhores resultados é o que segue os princípios do marketing de permissão, assim classificado por Seth Godin em seu livro *Permission Marketing: Turning Strangers into Friends, and Friends into Customers* (Simon & Schuster, 1999, EUA), também chamado *opt-in*, processo em que as pessoas aceitam receber as mensagens em suas caixas de *e-mail* e, portanto, estão mais receptivas ao que a empresa deseja comunicar – que pode ser o lançamento de um novo produto ou serviço, uma promoção especial, a inauguração de uma nova loja física e/ou virtual, entre outras. Em geral, a mensagem se apresenta como uma espécie de formulário que pede o endereço do *e-mail*, senha e opções para receber mensagens via Internet ou SMS. Também deve ser oferecida a opção *opt-out*, em que a pessoa comunica que não deseja mais receber aquele tipo de mensagem.

O *e-mail* marketing pode ser usado para envio de boletins informativos periódicos das empresas (*newsletters*), sendo uma maneira criativa e não invasiva de serem lembradas por seus clientes e mantê-los atualizados sobre novidades e inovações. Deve-se ter em mente que a ideia é estabelecer uma forma de relacionamento com clientes, *prospects*, fornecedores, público interno das empresas, enfim, diversos *stakeholders*. Assim o *e-mail* marketing pode ser empregado, ainda, para pesquisas (convidando os clientes a participar); para oferecer descontos ou preços especiais se as compras forem feitas na loja *on-line*, por exemplo; para campanhas específicas que contam com a participação de empresas parceiras, entre outras.

Autorregulamentação

Mesmo sendo um meio eficiente de comunicação com o cliente, muitas empresas ainda utilizam o *e-mail* marketing de forma inadequada e até mesmo abusiva. Apesar das ocorrências terem diminuído nos últimos tempos, aproximadamente dois terços de todo tráfego de *e-mails* que circula na rede ainda é *spam*.

Não é incomum as pessoas terem suas caixas de correio eletrônico invadidas por grande quantidade de mensagens indesejadas, vindas de emissores que elas desconhecem, oferecendo produtos e serviços que não lhes interessam e que, em muitos casos, embutem práticas virtuais criminosas como o *fishing* (considerado um crime digital) para tentar capturar dados e informações dos destinatários, principalmente informações bancárias.

Para coibir essas iniciativas e resgatar a credibilidade do *e-mail* marketing, a Abemd e mais 13 entidades, entre as quais se incluem a Abradi (Associação Brasileira das Agências Digitais), Abranet (Associação Brasileira de Provedores de Acesso), Fecomércio, entre outras, criaram o Capem – Código de Autorregulamentação para a Prática de *E-mail* Marketing (veja a Figura 3.8).

Esse processo tem como objetivo colocar à disposição das empresas uma espécie de guia prático de regras e condutas para o bom uso do *e-mail* como ferramenta de marketing e, ao mesmo tempo, impedir o avanço de alguns projetos de lei em tramitação no Congresso Nacional e que podem culminar na criação de uma legislação determinada pelo governo. A ideia é estimular a autorregulação do mercado, por meio do envolvimento da comunidade de marketing e do universo digital. O código entrou em vigor há aproximadamente sete anos, e as empresas que não seguirem as determinações sugeridas pelo Capem poderão ser advertidas e até penalizadas.

Os principais itens que constam no Código estabelecem que:

1. Todas as bases devem ser *opt-in* ou *soft opt-in*, ou seja, os destinatários devem ter solicitado o recebimento das mensagens enviadas (*opt-in*), ou o remetente deve ter uma relação comercial ou social prévia e comprovável com o destinatário (*soft opt-in*).
2. O remetente deve ser identificado e apresentar endereço de *e-mail* válido.
3. *Opt-out* é o mesmo que descadastro. O remetente deverá disponibilizar ao destinatário sua política de *opt-out* e informar o prazo de remoção do seu endereço eletrônico da base de destinatários, que não poderá ser superior a 2 (dois) dias úteis, quando solicitado diretamente pelo *link* de descadastramento, e 5 (cinco) dias úteis quando solicitado por outros meios, prazos estes contados a partir da data da solicitação comprovada.

4. As mensagens de *e-mail* marketing devem conter, obrigatoriamente, um *link* para *opt-out* automático e uma segunda alternativa que não seja um *link* (exemplo: um número de telefone, *fax*, endereço informado de *e-mail* ou *site* sem *link*, SMS, carta ou qualquer outro meio amplamente disseminado).

5. Quando houver contrato entre o remetente e o destinatário, as mensagens enviadas exclusivamente com finalidade de assegurar a execução contratual e pós-contratual referentes àquele contrato (exemplos: boleto bancário, avisos e extratos) estão dispensadas de conter o recurso de *opt-out*.

6. O remetente somente poderá enviar mensagens de *e-mail* marketing por endereço eletrônico vinculado ao seu nome de domínio próprio, por exemplo, remetente@exemplo.com.br. É vedada a utilização de domínio de terceiros não pertencentes ao mesmo grupo econômico do remetente ou de parceiros.

7. O envio de anexos, muitas vezes utilizado por instituições financeiras, pode ser realizado desde que exista uma autorização prévia e comprovável do destinatário. Certificação e assinatura digitais são permitidas e não ficam sujeitas à regra dos anexos.

8. É imprescindível divulgar no *site* da empresa a "Política de Privacidade e de uso de Dados" adotada com clientes e usuários. Isso é importante para que os destinatários da mensagem saibam como e em que situações a empresa utilizará suas informações pessoais ou corporativas.

9. O envio de mensagens só pode ser feito para bases *opt-in* ou *soft opt-in*. Porém, é permitido que uma empresa realize uma ação para algum parceiro comercial enviando *e-mail* para sua própria base de destinatário, desde que observadas as condições seguintes: a base deve ter *opt-in* expresso e que autorize o envio de *e-mails* de conteúdo de terceiros; o *e-mail* de remetente deverá ser aquele por meio do qual a pessoa física ou jurídica que detém o relacionamento com a base de destinatários pode ser contatada pelo destinatário; além dos recursos de *opt-out*-padrão, a mensagem deverá conter mais duas opções de descadastro: uma para descadastro de mensagens daquele parceiro comercial do remetente, e outra para mensagens de todo e qualquer parceiro comercial do remetente; o endereço de remetente deve ser válido e utilizar nome de domínio próprio do responsável pela base de destinatários.

10. Entre as várias disposições técnicas previstas no código, destaca-se a configuração de SPF (Sender Policy Framework). Trata-se de uma configuração no servidor de domínio que informa quais IPs (*Internet protocol* – ou endereços) estão aptos a enviar *e-mail* em nome desse domínio. Mais detalhes sobre o código podem ser obtidos através do *site* <www.capem.org.br>.

Dicas para o bom uso do e-mail marketing

Observando as melhores práticas de empresas que utilizam adequadamente o *e-mail* marketing e obtêm benefícios, listamos algumas dicas:

- Crie uma área no seu *site* para estimular os visitantes a cadastrar seus dados e endereços de *e-mail*.
- Construa um *mailing* contendo os dados dos seus clientes, visitantes do *site* e parceiros de negócios.
- Crie contas de *e-mail* nos principais provedores gratuitos, como Gmail, Yahoo, Hotmail e IG, entre outros, e pagos, como Terra, UOL, Globo, para fazer testes, ou seja, envie a campanha que pretende veicular apenas para esses endereços e verifique se todas as imagens e *links* foram anexados adequadamente.
- Invista em um bom *software* para envio automático de *e-mail*. É uma providência importante e de grande utilidade, especialmente visando o crescimento da base de dados. Com esse recurso é possível enviar milhares de *e-mails* com rapidez e eficiência, além de fazer a manutenção das informações sem dificuldade, incluindo as atualizações e exclusões automáticas de assinantes da lista.
- Envie apenas informações que sejam úteis para o destinatário e que de alguma forma possam gerar retorno para a empresa, mesmo que seja apenas a fixação da marca.
- Faça avaliações periódicas das ações de *e-mail* marketing e retornos obtidos.
- Esteja aberto à comunicação com seus clientes e parceiros de negócios (para reclamações, elogios, sugestões e pedidos de informações adicionais).
- Use a criatividade e o bom senso para criação de mensagens atraentes e persuasivas, e que estejam integradas a outras ações de comunicação da empresa de forma a potencializar os resultados.
- Integre o *e-mail* marketing a outros canais digitais (como as redes sociais, por exemplo).

O *e-mail* marketing também pode ser usado como uma **ferramenta de comunicação eficiente com fornecedores e parceiros de negócios** – o chamado B2B (*Business to Business*). Para isso a empresa deve utilizar um modelo de *e-mail* bem desenhado, que traga sua marca ou logotipo evidenciado, fortalecendo sua identidade junto ao destinatário. Também é interessante classificar esses parceiros em grupos de afinidades, de acordo com as segmentações definidas pela empresa para que recebam apenas informações de fato pertinentes.

> **Curiosidades**
>
> Uma pesquisa realizada pela Litmus, empresa de tecnologia especializada em *e-mail analytics*, e que se baseou no rastreamento de mais de 4 milhões de *e-mails*, mostrou que 51,1% das pessoas que recebem uma mensagem de *e-mail* marketing levam em média dois segundos para lê-la antes de apagá-la; 77% das pessoas leem a mensagem completamente; 0,12% dos destinatários, em média, as imprime; e 0,63% das mensagens de *e-mail* marketing enviadas é encaminhada para outras pessoas, sendo que em campanhas de marketing viral (saiba mais a seguir) esse percentual pode chegar a até 9% da base.

3.6 Marketing viral

O marketing viral pode ser definido, na verdade, como a consequência de estratégias que levam as pessoas a retransmitir mensagens para amigos, conhecidos e demais integrantes das suas redes de contato, principalmente com o uso de redes sociais ou *e-mail*.

A classificação como **viral** está relacionada a esse poder de repassar as mensagens com rapidez para um grande número de pessoas, ou seja, é similar a uma epidemia.

Há ainda quem o confunda com *spam* ou como forma de manipulação do público, com o intuito de levá-lo a divulgar mensagens, como se fosse uma propaganda, mas sem receber a remuneração para esse trabalho. Nem vírus nem *spam* e muito menos técnica de manipulação, o marketing viral é, na verdade, uma estratégia empregada para tornar algum assunto ou mensagem tão interessante, engraçada ou instigante a ponto de levar as pessoas a, naturalmente, querer compartilhar aquilo com seu grupo de relacionamento.

Oferecer prêmios ou vantagens para quem retransmitir uma mensagem não é marketing viral. As pessoas apenas irão repassar aquele conteúdo, como se fosse o tradicional "boca a boca", quando sentirem algum tipo de satisfação com aquilo ou por se sentirem prestigiadas ao terem descoberto algo antes que os colegas de sua rede.

Muitas mensagens podem conquistar uma série de interessados em repassá-las adiante, mas cabe a seus emissores – que podem ser publicitários ou profissionais de marketing – saber identificar quais elementos despertam, em determinados grupos de pessoas, o desejo de querer reenviá-las para seus amigos, e utilizar esses fatores com inteligência e critério. Eu chamo isso de ingredientes "viralizantes"!

Como exemplo, o vídeo do Chocolate Cadbury, em que um gorila toca bateria ao som de uma música do cantor Phil Collins, com expressão de puro prazer, mencionando o produto apenas no final, é um exemplo de mensagem bem-humorada que os internautas gostaram de repassar aos seus amigos e contatos. Essa peça, aliás, ganhou prêmio no Festival de Cannes, na França, há alguns anos, na modalidade Digital, justamente pela sua característica totalmente inovadora. Assista em: <https://www.youtube.com/watch?v=TnzFRV1LwIo>.

Figura 3.7 Ilustração sobre marketing viral.

Um fator que fez as pessoas terem interesse em retransmitir à sua base foi perceber que era possível alterar a música original do filme, adaptando-a a diferentes gostos, transformando isso numa grande brincadeira. Sempre que se consegue criar algo assim, inusitado, com a possibilidade de interação do usuário, há grande chance de se produzir um viral de sucesso.

Outro comercial dos chocolates Cadbury que também fez enorme sucesso na viralização pela *web* mostrava duas crianças, um menino e uma menina, que brincavam com as sobrancelhas no ritmo de uma música do seu relógio, divertidíssimo: Crazy Eyebrowns – assista em: <https://www.youtube.com/watch?v=5aDCrYUKIMo>.

Esse filme fez tanto sucesso que acabou tendo diversas versões que extrapolaram a Internet, passando a ter sátiras em programas de TV, um deles com a cantora inglesa Lilly Allen (assista em: <https://www.youtube.com/watch?v=nShcDgpLVrY>), lembrando que, muitas vezes, os filmes modificados têm igual ou maior sucesso que os originais. O importante é a marca ser visualizada, da mesma forma, por muito mais pessoas.

Fonte: Disponível em: <https://www.youtube.com/watch?v=UM7EMzVaNCk>. Acesso em: 17 jul. 2017.
Figura 3.8 Exemplo de marketing viral: imagem da campanha do Canal TNT.

Outro exemplo citado na Figura 3.8 é da campanha do canal de TV TNT, em que um filme é realizado numa praça de uma cidade tranquila, com a interação de diversos transeuntes, num modelo de *flash mob*, estratégia que também ajuda a viralizar.

A marca de cosméticos Dove repetiu a dose e ganhou o prêmio máximo do festival de publicidade de Cannes, o inédito Grand Prix de Titanium, com a campanha "Dove Real Beauty Sketches". A campanha emocional sobre a autocrítica feminina demorou apenas uma semana para alcançar a marca de 20 milhões visualizações, superando em pouco tempo 164 milhões de acessos. O minidocumentário foi criado pela Ogilvy Brasil e a produção foi assinada pela Paranoid.

Um grande destaque em toda imprensa devido à sua repercussão nas redes sociais foi o "Desafio do Balde" (Ice Bucket Challenge). Uma campanha da ALS Association, organização americana dedicada à pesquisa, conscientização e assistência a vítimas de esclerose lateral amiotrófica (ELA), com o objetivo de arrecadar doações, além de disseminar o conhecimento sobre a doença.

A regra do #icebucketchallenge era simples: quem fosse desafiado deveria jogar um balde de água e gelo sobre a própria cabeça e ainda indicar três amigos que deveriam fazer o mesmo em até 24 horas ou doar US$ 100 para a ALS Association. Apesar de o desafio sugerir uma coisa ou outra, alguns participantes fizeram os dois, tomar o banho de água gelada e doar à ONG.

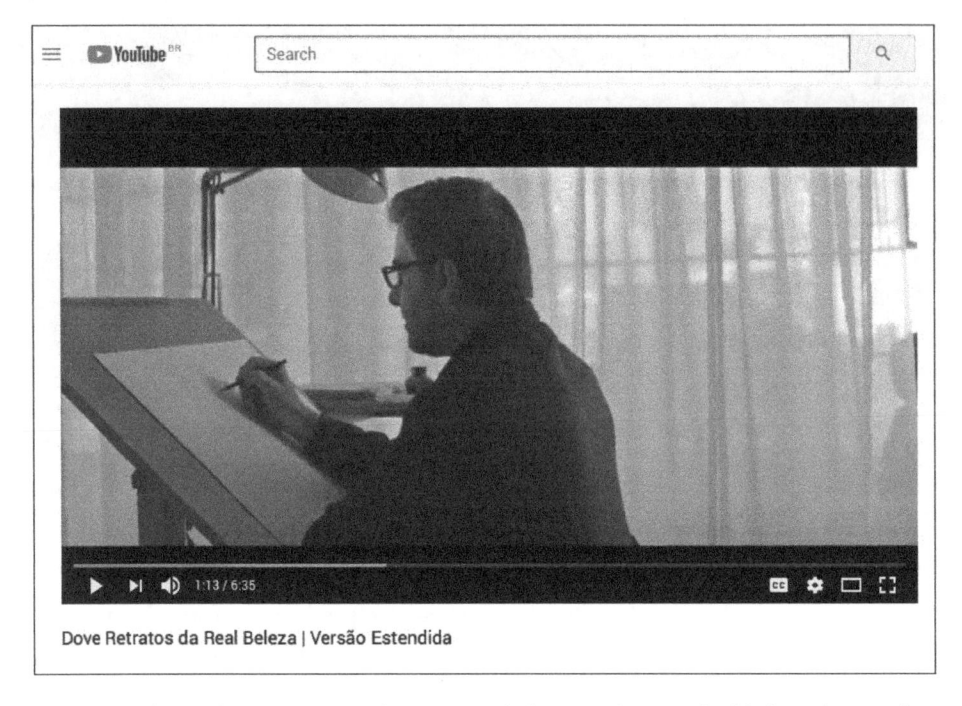

Fonte: Disponível em: <http://www.youtube.com/watch?feature=player_embedded&v=Il0nz0LHbcM>. Acesso em: 17 jul. 2017.

Figura 3.9 Exemplo de marketing viral: imagem da campanha de produtos Dove pela real beleza.

Por ter sido uma campanha fácil de reproduzir e atrelada a uma causa nobre, conquistou o apoio e engajamento de diversas personalidades com grande influência nas redes sociais, um dos ingredientes que aumentaram a "viralização" da ação. Algumas marcas também pegaram carona no tema, como a "Lu", *persona* da rede de eletrodomésticos Magazine Luiza, e o Pinguim, *persona* da rede Ponto Frio. Mas a marca que chamou mais atenção foi a Samsung, que desafiou sua concorrente, a Apple, e ainda posicionou seu produto, por ele ser à prova d'água.

O estímulo para a progressão geométrica, como uma corrente, potencializou a ação, visto que fazia parte do desafio convidar outros três participantes para também publicar vídeos nas redes sociais tomando um banho de água gelada. Porém, não podemos esquecer que o ingrediente principal para o sucesso desse tipo de ação era o fato de contar com uma história interessante, ousada, divertida e diferente, combinada com uma causa que contribui para as pessoas compartilharem suas emoções, principalmente as que convivem com a doença na família. Além disso, a campanha, em seu início, também foi **impulsionada com um investimento financeiro**, o que não retira o seu mérito viral, pois esse é um ponto importante a ressaltar: não é porque o conteúdo teve algum investimento inicial que ele não pode ser considerado marketing viral.

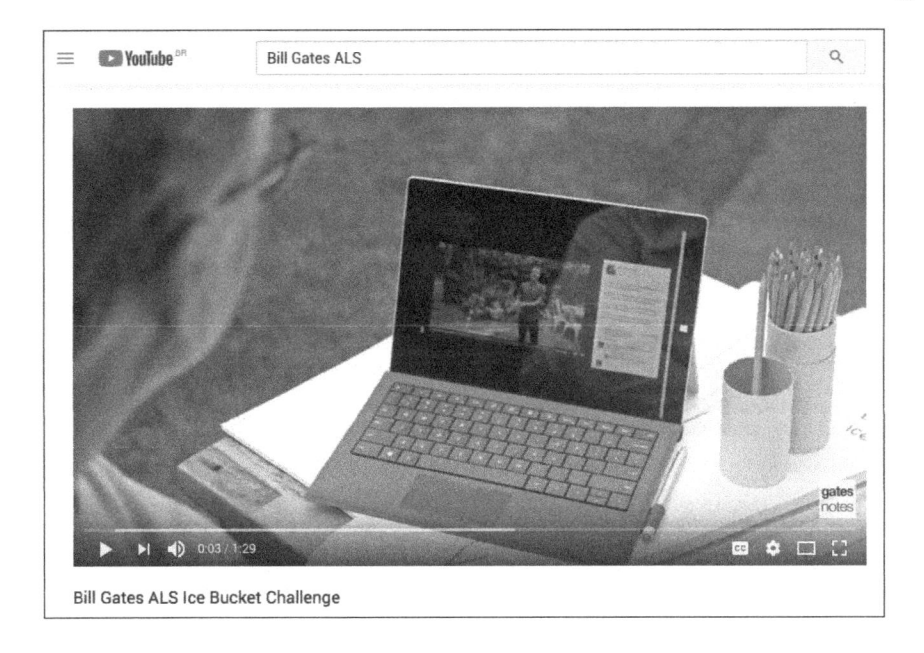

Fonte: Disponível em: <https://www.youtube.com/watch?v=XS6ysDFTbLU>. Acesso em: 17 jul. 2017.

Figura 3.10 Exemplo de marketing viral: desafio do balde.

O desafio do balde foi uma campanha lúdica que reuniu ingredientes capazes de mobilizar toda a sociedade em defesa de uma causa social. Porém, ocorreram erros comuns, característicos do marketing viral, que é o resultado imprevisível. Neste caso, muitos dos envolvidos se esqueceram de fazer doações, ou citar a própria doença. De acordo com a BBC, mais de 2,4 milhões de vídeos foram enviados para o Facebook, com US$ 98,2 milhões em doações feitas para a Associação ALS (US) e R$ 2,7 milhões para a Associação MND (UK).

Outro caso de enorme repercussão foi o vídeo "First Kiss" (veja a Figura 3.11), uma ação de marketing da marca de roupas norte-americana Wren Studio com o objetivo de divulgar a sua coleção de outono tornando-se um exemplo de viral ao propor que 20 pessoas desconhecidas se beijassem pela primeira vez em frente às câmeras.

O filme, dirigido por Tatia Pilieva, mostrava o primeiro encontro de 10 homens e 10 mulheres e a química que pode vir a existir após romperem o embaraço pouco antes do beijo, passando desde o incômodo e a timidez do início até a risadinha boba depois do primeiro beijo que todo mundo já deu. O sucesso da ação está em resgatar em belas imagens uma experiência boa que todos vivemos, já que a trilha sonora romântica, não melosa, capturou a humanização e valorização de memórias e experiências boas, criando um vínculo emocional entre marca e cliente através da identificação, que é um excelente ingrediente.

Em apenas dois dias da sua divulgação no canal da diretora no YouTube já se registravam mais de 50 milhões de visualizações e centenas de compartilhamentos nas redes sociais, e após aproximadamente um ano e meio contava com mais de 107 milhões de *views*. Apesar de o vídeo ter viralizado como uma peça independente, a marca aparecia logo no início do filme, com a frase "Wren presents... First Kiss", e todos os participantes vestiam as roupas da marca. Há diversas críticas sobre esse caso, principalmente pela empresa ter explorado pouco a ampla divulgação alcançada, associando muito levemente a imagem da sua marca, que é pouco conhecida.

Esse é mais um exemplo, assim como o Desafio do Balde, em que uma marca ou uma causa aproveitam a oportunidade de construir uma história juntamente com seus clientes e outros participantes, fazendo que sua lembrança seja mais humana e positiva.

A marca de iogurtes Sonog lançou uma paródia do vídeo com "desconhecidos experimentando o iogurte pela primeira vez", pegando carona no sucesso do filme "First Kiss". A criação da agência Crowd não apenas "usou o meme do momento" como conseguiu gerar uma conexão humorada e engraçada para os telespectadores impactados por aquela campanha. Basicamente usaram a mesma receita, ou seja, construir uma história sobre algo que faça parte de uma lembrança positiva de seus consumidores.

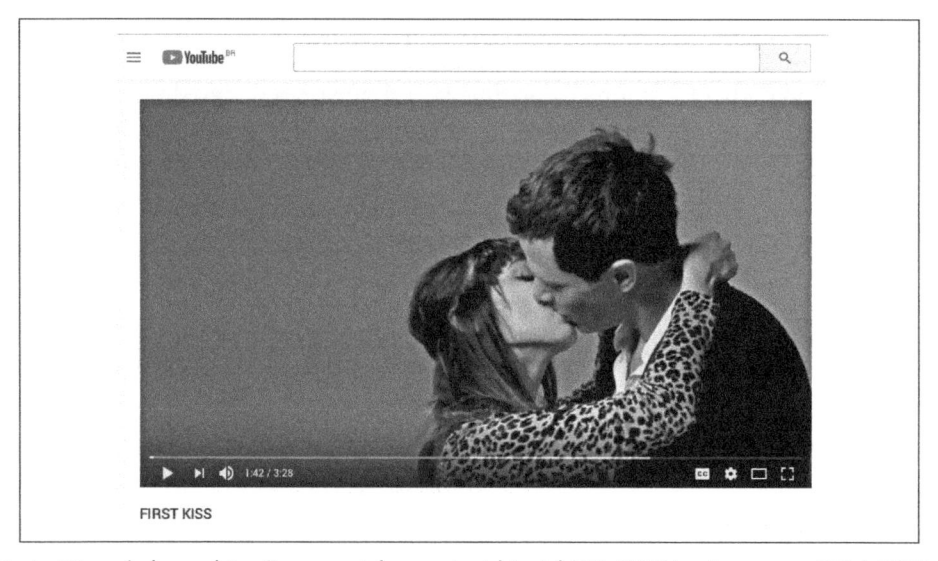

Fonte: Disponível em: <https://www.youtube.com/watch?v=IpbDHxCV29A>. Acesso em: 17 jul. 2017.

Figura 3.11 Exemplo de marketing viral: "First Kiss".

Há também vários exemplos de campanhas de marketing que misturam ações no mundo real com a Internet, chamadas de *Alternate Reality Game* (ARG) – um tipo de jogo eletrônico que combina as situações de *game* com a realidade, recorrendo às mídias do mundo real, de modo a fornecer aos jogadores uma experiência interativa. Os ARGs são caracterizados por envolver os jogadores nas histórias, encorajando-os a explorar a narrativa, a resolver os desafios e a interagir com os personagens do jogo. Esse tipo de jogo desenvolve-se a partir de *sites*, *e-mails*, telefonemas, entre outros meios de comunicação comuns.

Essa técnica foi usada com muito sucesso para divulgar o filme *Batman: o cavaleiro das trevas*, há aproximadamente dez anos. O primeiro passo foi o lançamento do *site* "I believe in Harvey Dent" (nome do personagem Duas Caras) e posteriormente outro *site* "I believe in Harvey Dent too", que dava aos fãs a oportunidade de ver a primeira imagem oficial do Coringa (Joker). Meses depois, outro *site*, "WhySoSerious.com", orientava os fãs a procurar por pistas que haviam sido espalhadas nas grandes cidades dos EUA, e mais tarde também no Brasil, nos Shoppings Eldorado e Interlagos (em São Paulo). Uma mensagem, emitida pelo Coringa, chegou a mobilizar os fãs a juntar 300 amigos para buscar as pistas e decifrar as charadas.

Quando o filme estava prestes a ser lançado no Brasil, um *site* divulgou um número de telefone por meio do qual os jogadores deveriam informar seus dados. Os primeiros a se inscrever tiveram direito a assistir à pré-estreia do filme, no Shopping Marketplace, em São Paulo, um dia antes do lançamento oficial.

Outro exemplo de ARG foi uma campanha criada pelo canal Fox, de TV por assinatura, para promover no Brasil a estreia da terceira temporada do seriado Prison Break. Para isso, um ator parecido com o personagem principal da série ficou enjaulado durante três dias em uma das mais movimentadas avenidas de São Paulo (a Av. Engenheiro Luís Carlos Berrini). Para libertá-lo era necessário que as pessoas descobrissem uma senha e a aplicassem no *site* da ação, e várias outras pistas foram espalhadas em *blogs* e em redes sociais. Um rapaz de 22 anos conseguiu decifrar a charada e ganhou, como prêmio, uma TV LCD de 40 polegadas e um *home theater*.

Outra ação similar foi realizada pela própria Fox para o lançamento da nova temporada da série 24 horas, quando foi criado um jogo de ARG com o objetivo de engajar seus fãs e causar impacto na cidade. Para isso os participantes deveriam cumprir tarefas e colher pistas pela cidade de SP. As tarefas e pistas eram enviadas por SMS, e após cada etapa realizada os participantes deveriam registrar seu progresso no *hotsite* da ação. O jogo todo deveria ser completado em até 24 horas, remetendo diretamente ao seriado e dando mais emoção à competição.

Mas com o viral também pode acontecer um efeito negativo e contrário ao objetivo inicialmente fixado. Vale lembrar que há muitas pessoas criativas que navegam na Internet e que, se de alguma forma se sentirem manipuladas ou enganadas, ou profundamente insatisfeitas com algum produto, empresa ou atendimento, podem transformar uma mensagem ou comercial veiculado em outras mídias (como televisão, rádio, jornais, revistas e até na própria Internet) em marketing viral negativo, alterando seu teor ou mesmo acrescentando comentários pejorativos. Por isso eu sempre digo: Viral é para o Bem e para o Mal...

Um dos exemplos desse tipo de reação se deu no vídeo "Tô sem sinal da Tim". Trata-se de uma paródia estrelada pela equipe do grupo "Galo Frito" usando uma versão da música da cantora americana Rihanna. Com um humor negro e diversos palavrões, mostrou toda sua insatisfação com o serviço 3G da operadora, impactando mais de 30 milhões de pessoas em dois anos. Essas insatisfações vão parar, em geral, nas primeiras páginas dos buscadores, o que é extremamente preocupante para as marcas. Assista em: <https://www.youtube.com/watch?feature=player_embedded&v=iWLE8pVLgNE>.

É importante salientar que a grande relevância desse tipo de ação é que as pessoas não consideram *spam* aquilo que recebem de amigos ou de pessoas que conhecem, e também não é visto como propaganda ou oportunismo, mas sim como algo que lhes possa interessar.

São **ações espontâneas** e, por isso, tendem a ser mais aceitas e trazer melhores resultados. O elemento que aciona o "gatilho" viral pode ser tudo o que estimula sentimentos – nobres ou até perversos – nas pessoas, ou ainda o humor. É preciso entender também o tipo de público que se pretende atingir para enviar a mensagem que mais atende às suas características e perfis, porque obviamente não são todos os assuntos que agradam a todas as pessoas.

Uma dica é fugir dos padrões aplicados à mídia convencional e, principalmente, não contrariar nem combater o público, que deverá ser o multiplicador da mensagem.

Entre algumas técnicas ou ingredientes que levaram à viralização de campanhas pode-se citar o uso, por exemplo, de bebês falando em línguas impróprias, animais fazendo papel de humanos e vice-versa, aliar acidentes ao humor ou dublar filmes clássicos trocando as falas originais.

Podemos citar como exemplo o comercial *The Force* da Volkswagen, para lançamento do modelo de automóvel Passat há aproximadamente cinco anos, um dos anúncios de maior sucesso na Internet que rapidamente alcançou mais de 100 milhões de visualizações no YouTube, no qual um garotinho vestido com trajes do filme Star Wars chama a atenção ao tentar demonstrar seus superpoderes. Esse filme contou com um apoio extra no início para sua viralização, pois foi lançado no grande evento esportivo Super Bowl americano. Ele tem vários ingredientes que também colaboraram com sua viralização, além da identificação de quase todo mundo com o tema Star Wars: uma trilha muito bem pontuada, produção primorosa, criança, cachorro e obviamente, uma ótima ideia. Veja a Figura 3.12.

Como o marketing viral é imprevisível, pode acontecer de uma ação promocional não gerar o retorno esperado, mas em contrapartida trazer um grande efeito de longo prazo em termos institucionais e de consolidação da marca. Outro ingrediente que contribui muito com a viralização é a participação do público, com expressões de surpresa, por interagir com alguma ação de forma inesperada, como veremos a seguir no conceito de *flash mob*.

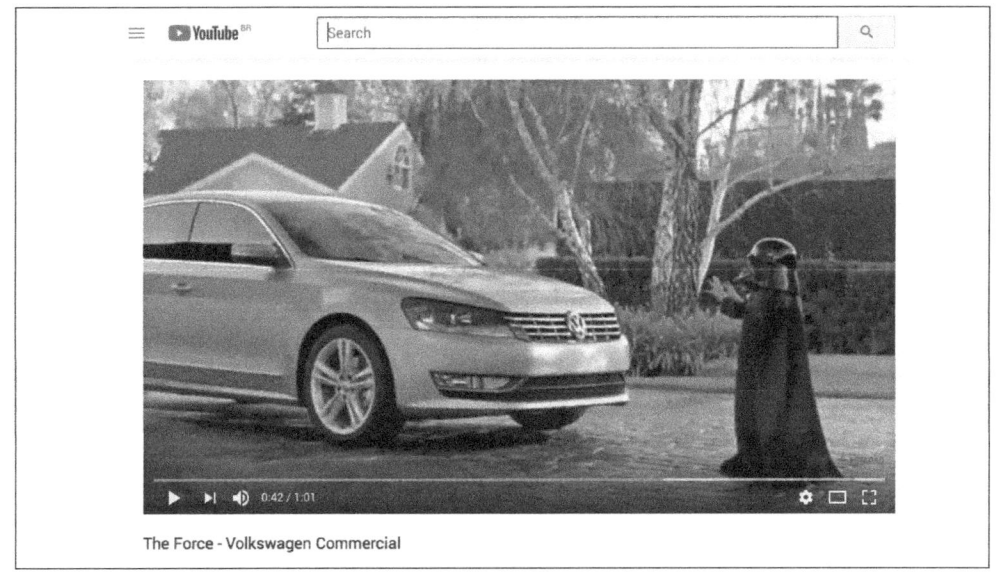

Fonte: <https://www.youtube.com/watch?v=YdZMypElBpo>. Acesso em: 17 jul. 2017.

Figura 3.12 Exemplo de marketing viral: The Force – Comercial da Volkswagen.

3.7 *Flash mob*

Uma modalidade que, além do seu impacto e resultados gerados pela ação em si, também pode se transformar em marketing viral é o ***flash mob***, abreviação dos termos em inglês *flash mobilization*, que significa mobilização rápida.

É uma atividade em geral patrocinada por uma marca, que se utiliza das pessoas concentradas em um local público para realizar determinada ação inusitada, previamente combinada ou não, que conta com a participação de atores infiltrados. São reuniões organizadas através da Internet, como pelas redes sociais, ou então de surpresa, para se utilizar desse efeito causado no público.

O primeiro *flash mob* foi criado em 2003 pelo jornalista nova-iorquino Bill Wasik, editor da revista *Wired*, com o objetivo inicial de ser antimanifestação e antipolítico. Segundo ele, a ideia era que as próprias pessoas se tornassem o *show* e que, apenas respondendo a um *e-mail* aleatório, criassem algo divertido e espontâneo.

No Brasil, um dos primeiros exemplos de *flash mob* aconteceu em São Paulo e logo se espalhou pelo resto do País: foi o evento "*No Pants*" (sem calças), realizado há aproximadamente oito anos, com o objetivo de combater a hegemonia dessas peças do vestuário na composição do visual. Várias pessoas aderiram ao "chamado" e circularam pelo metrô e por várias avenidas principais da cidade sem calças (vestidas apenas com a parte de cima e com roupas íntimas na parte de baixo).

Outro exemplo de *flash mob* que é um clássico aconteceu há aproximadamente oito anos, quando o grupo musical norte-americano Black Eyed Peas reuniu cerca de 21 mil fãs na Avenida Michigan, em Chicago, nos EUA, para comemorar o início da 24ª temporada do programa televisivo de Oprah Winfrey. O grupo preparou uma surpresa para ela ao tocar o grande *hit* "I Gotta Feeling" com uma coreografia inacreditável envolvendo toda essa multidão. A ação começou com uma garota dançando sozinha na frente do palco, e logo depois toda a multidão passou a fazer a mesma coreografia. Oprah (que não sabia de nada) ficou chocada com o que estava vendo, enquanto gravava tudo em seu celular.

A apresentadora então gritou: "Isso é tão legal!! É a coisa mais legal que eu já vi... Chicago, eu amo vocês!" Durante a entrevista, após a apresentação, Will.i.am, o líder do grupo, contou que chamou 800 fãs para ajudar na coreografia, que acabou sendo repassada para mais de 20 mil pessoas que estavam presentes naquele momento. A apresentação foi tão bem recebida nos EUA que, após a exibição do programa, a música "I Gotta Feeling" alcançou a quarta posição no iTunes, garantindo mais uma semana no topo da Billboard Hot 100.

Outro exemplo marcante e famoso foi uma ação coordenada pela T-Mobile (companhia de telecomunicações) e realizada pela agência Saatchi Saatchi, em que um grupo de pessoas começou a dançar vários ritmos musicais na estação de Metrô de Liverpool (Inglaterra), às 11 horas da manhã – envolvendo jovens, adultos e idosos, com diversas pessoas filmando pelos celulares e enviando a mensagem para suas redes de relacionamento (Figura 3.14).

Fonte: Disponível em: <http://www.youtube.com/watch?v=CttB6FmMgT4>. Acesso em: 17 jul. 2017.

Figura 3.13 Imagem do *flash mob* para a apresentadora Oprah.

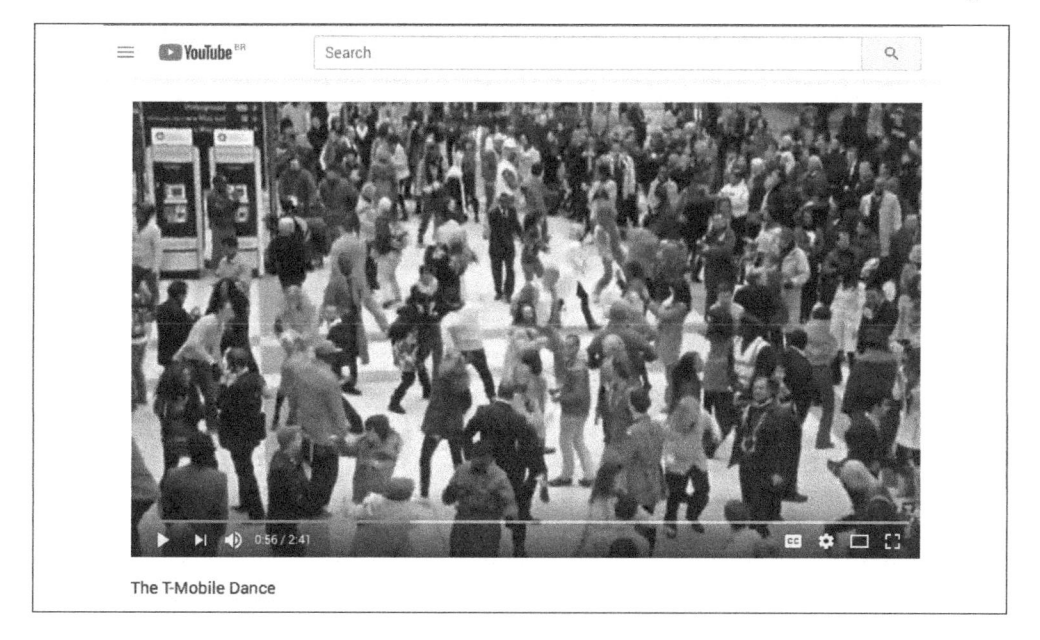

Fonte: Disponível em: <http://www.youtube.com/watch?v=VQ3d3KigPQM>. Acesso em: 17 jul. 2017.

Figura 3.14 Imagem do vídeo da campanha de *flash mob* da T-Mobile.

É esse o efeito que uma ação desse tipo visa, pois, além da multiplicação, ela tem que ver com o tipo de produto/serviço da companhia, nesse caso, telecomunicações. Então, faz todo sentido, pois, como se pode observar no vídeo, a partir de determinado momento praticamente todas as pessoas que estão assistindo passam a fotografar as ações e enviá-las por seus celulares. E o *slogan* da companhia é justamente "Life is for sharing".

E, como exposto na seção sobre marketing viral, no caso do *flash mob*, **se não for devidamente coordenado, também poderá trazer um resultado oposto ao esperado,** ou seja, pode não se tornar algo positivo, como foi observado na campanha de uma marca de chocolates ocorrida na avenida Paulista, em São Paulo, que frustrou os fãs que se deslocaram até lá à espera de uma prometida chuva de chocolates que acabou não acontecendo.

A partir de determinado momento, os jovens presentes, irritados com os problemas do evento, passaram a gritar a marca de um chocolate concorrente – assista a um dos filmes feitos por pessoas presentes em: <http://www.youtube.com/watch?v=fdOqN4Unegk&feature=related>.

Os *flash mobs* vêm evoluindo e mudando bastante ao longo do tempo, sendo feitos hoje em locais com menor fluxo de pessoas, para que se possa ter um controle maior de qualquer efeito inesperado, como o ocorrido nessa ação citada em São Paulo, mas ao mesmo tempo manter os efeitos positivos, principalmente a reação de surpresa das pessoas, ingrediente que contribui para a viralização de conteúdos.

Nessa linha há vários casos, como o vídeo do canal de TV fechada TNT, realizado numa cidade da Bélgica, já citado, como se fosse um filme de ação superinusitado. Há o vídeo das pastilhas Tic Tac feito na pequena cidade francesa de Rouen, e outro da água Contrex, que encontrou uma forma incrível de fazer as pessoas perder calorias, entre muitos outros.

Ainda nessa evolução temos observado a evolução das *pranks*, ou pegadinhas em português, em que se envolvem ainda menos indivíduos nas ações, mas o foco é o mesmo: capturar a reação de surpresa das pessoas.

Como exemplo há o lançamento do filme *Carrie, a Estranha* e vários filmes da marca de produtos eletrônicos coreana LG, por exemplo a simulação de uma entrevista de emprego durante a qual ocorre um falso ataque à Terra. Assista em: <https://www.youtube.com/watch?v=ynvKWYvyCqw>.

3.8 *Mobile site* e *mobile* marketing

Mobile marketing, como o próprio nome diz, são **ações que utilizam o celular como veículo ou mídia para divulgação** de produtos ou serviços, atividades de relacionamento com clientes ou *prospects*, enfim, é a canalização de estratégias e campanhas de marketing e comunicação para a palma da mão. É, sem dúvida, o melhor caminho para se operacionalizar o marketing de forma superpersonalizada.

Mobile sites são **sites adaptados para uma abertura adequada via celular**. A empresa pode criar um *site* específico para isso, ou então o que chamamos de *site* responsivo, que se adapta a cada tipo de tela automaticamente. O que é importante ressaltar, independentemente do modelo que venha a ser adotado, é que a empresa se preocupe e invista nisso, pois a experiência de abertura de um *site* no celular que não foi pensado para essa plataforma pode ser péssima, e a empresa pode perder o cliente nesse primeiro contato.

Com a explosão na quantidade de linhas no País, mais de 270 milhões, como dissemos, e com a navegação já sendo maior por celular do que por PC desde 2013, é estranho perceber que tão poucas empresas têm hoje um *site mobile*.

As perspectivas são bastante animadoras quanto ao *mobile* marketing. A segunda edição do relatório State of Marketing, lançada há dois anos, descobriu que os profissionais de todo o mundo planejam aumentar os investimentos em publicidade e marketing nas mídias sociais, mensagens *mobile* com base em geolocalização e aplicativos para *mobile* e *e-mail* marketing, em um esforço para criar jornadas relevantes para o consumidor.

De acordo com o relatório Digital Marketing Report Q2 2017, numa análise de marketing digital trimestral produzida pela agência de *search* marketing, Merkle RKG, os dispositivos móveis são responsáveis por 56% do tráfego de pesquisa orgânica no Google, 49% no Yahoo e 18% do Bing. Além disso, a maioria (66%) das visitas a *sites* de social media se dá a partir de dispositivos móveis.

Anúncios por geolocalização em dispositivos móveis têm sido um desafio por anos, pois seu crescimento é prejudicado pela falta de acesso aos dados exatos de localização e nas dúvidas sobre qual inventário (espaço publicitário) deve ser utilizado nesses casos. A expansão do uso de *smartwatches* (relógios inteligentes), especialmente os da Apple, combinada com a ampla distribuição do Apple Pay, vai possibilitar escala para a publicidade baseada em localização, o que deve finalmente decolar.

Profissionais de marketing já estão usando "gatilhos de localização orientada a objetivos com base em tecnologias como GPS, NFC e na Internet das Coisas" para aumentar a relevância do anúncio em tempo real, de acordo com um estudo realizado por Rebecca Leib, do Altimeter Group. Os gastos com anúncios segmentados por localização saltarão de US$ 4,9 bilhões em 2014 para mais de US$ 15 bilhões em 2018, conforme projeção da empresa de pesquisas em mídia BIA/Kelsey.

No Brasil, a participação ainda é bem pequena no bolo publicitário. Enquanto nos EUA as propagandas nos aparelhos móveis representam 10% do mercado, no Brasil o *mobile* marketing equivale a somente 1% do mercado total. Isso porque tanto as agências como os profissionais da área acabaram optando por ações mais tradicionais e amplamente testadas. Mas as tendências apontam para mudanças rápidas nesse cenário, como será demonstrado.

Outros motivos inibidores são o receio das operadoras de telefonia celular de congestionar seus *call centers*, o alto valor cobrado para certas ações e a grande quantidade de linhas pré-pagas (mais de 75% de toda a base de celulares no Brasil), fatores que dificultam a propagação de campanhas por esse canal.

Segundo o Ibope E-commerce, o comércio de *smartphones* tem superado em quase 50% as vendas de celulares convencionais. É mais uma prova de que a categoria *mobile* deve ser considerada na estratégia de marketing devido à sua crescente importância. Além disso, segundo o IDC Brasil, mesmo os recentes escândalos de corrupção e a desaceleração econômica não foram suficientes para frear o crescimento do mercado de *smartphones* no País nos últimos meses. De acordo com o estudo houve um crescimento de 49% nas vendas de um ano para outro.

Esse cenário demonstra que a adoção do dispositivo móvel aliado ao acesso à Internet por um público significativo não pode mais ser ignorada pelos anunciantes, publicitários e profissionais de mídia.

> **Evolução da tecnologia celular**
>
> Criado em 1947 pelo laboratório *Bell*, nos EUA, o telefone celular passou por várias fases e sua evolução ocorreu de forma rápida e contínua.
>
> **Primeira geração (1G)** – Todos os sistemas e aparelhos eram analógicos e só podiam ser utilizados para comunicação por voz. No início sofriam muita interferência e apresentavam baixa segurança, uma vez que as ligações podiam ser captadas até mesmo por simples sintonizadores de rádio, o que abria brechas para roubo de sinal e para que as ligações fossem creditadas em contas de terceiros. No Brasil o lançamento da primeira linha de celulares ocorreu em 1990, e em 1992 era disponibilizado o Microtac Lite, um aparelho da Motorola que pesava 220 gramas – o mais leve do mercado. No ano seguinte a telefonia móvel chegou a São Paulo, e em 1997 um leilão na banda B abriu o setor à iniciativa privada.
>
> **Segunda Geração (2G)** – A segunda geração de telefones celulares começou por volta de 1997, com a introdução dos protocolos de telefonia digital, que, além de permitir mais conexões simultâneas com a mesma largura de banda, também possibilitavam integrar outros serviços no mesmo sinal, como o envio de mensagens de texto (SMS – *Short Message Service* –, serviço que permite o envio de mensagens curtas por meio de celulares) e capacidade para transmissão de dados entre dispositivos de *fax* e *modem*. No Brasil, a CTBC, empresa de telecomunicações do Grupo Algar, lançou o primeiro serviço pré-pago em 1998.
>
> **Segunda geração e meia (2,5G)** – É caracterizada pela transição entre as tecnologias 2G e 3G, embora o termo "2,5G" tenha sido definido pela mídia, e não oficialmente pela União Internacional de Telecomunicações (UIT). Esse termo foi criado para descrever serviços de transmissão mais rápida de dados (banda larga) oferecidos ainda pela tecnologia 2G, como as tecnologias *Edge* (*Enhanced Data* para o padrão *GSM*) e 1xRTT (para o padrão *CDMA*). A 2,5G apresenta velocidades superiores à tecnologia 2G e, através de tecnologias de pacotes, permite acesso à Internet de forma mais flexível e eficiente. O *Edge* (também conhecido como 2,75G) é uma versão de maior banda do *GPRS* (e por isso muitos o chamam de *E-GPRS*), e permite velocidades máximas de até 384 Kbps. No Brasil o celular 2,5G foi lançado em 2001 pela Telesp Celular (atual Vivo); em 2002, a Anatel permitiu o aumento de duas para até quatro operadoras em cada mercado e em 2003 começaram a ser vendidos os celulares com *chip*. Em agosto daquele ano os celulares chegaram a 40 milhões, ultrapassando o total de linhas fixas em cerca de 1 milhão.
>
> **Terceira Geração (3G)** – A característica mais importante é sua capacidade de suportar um número maior de clientes de voz e dados, especialmente em áreas urbanas, além de permitir o tráfego de maiores taxas de dados a um custo menor que na 2G. É a geração atual e permite a transmissão de 384 kbits/s para sistemas móveis e 2 Megabits para sistemas estacionários (telefonia fixa). No Brasil, as operações 3G tiveram início em 2008.

> **Quarta Geração (4G)** – É a tecnologia que permite conexões com a Internet através de dispositivos móveis com velocidade quatro vezes superior à dos aparelhos 3G. Em termos práticos, isso significa que enquanto a tecnologia 3G leva em média seis horas para baixar um arquivo com 1 gigabyte, os dispositivos 4G levam aproximadamente 2 minutos para fazer o mesmo. Esses cálculos levam em conta apenas a velocidade prometida de conexão, porque na prática a velocidade varia muito e depende da intensidade do tráfego, da distância do aparelho em relação à antena e do contrato que o cliente firmou com a operadora. Com a tecnologia 4G, o celular não serve apenas para fazer ligações, mas também para gerar, compartilhar e solicitar conteúdo. A Anatel aprovou em novembro de 2010 as alterações no regulamento sobre as condições de uso de radiofrequências nas faixas de 2.170 MHz a 2.182 MHz e de 2.500 MHz a 2.690 MHz. Atualmente, essas faixas ainda são utilizadas para a prestação de serviços de comunicação multimídia e TV por assinatura via MMDS (Serviço de Distribuição de Sinais Multiponto Multicanais). Com as mudanças, aos poucos essas faixas também estão sendo usadas para telefonia fixa e móvel. A assinatura dos termos de autorização ocorreu em outubro de 2012, após realização de processo licitatório. Do total de 190 MHz disponível na faixa de 2,5 GHz, as operadoras de celular ficaram com 140 MHz. As tecnologias mais exploradas na indústria são WiMax e LTE (Long Term Evolution), sendo que esta última precisa de uma faixa do espectro de radiofrequência diferente daquela usada pelo 3G. Porém, não é necessário esperar a expansão da rede 4G. Já há aplicativos que utilizam o celular como uma "lente" que adiciona informações ao mundo real. Donos de celulares Android, sistema operacional do Google, ou de iPhones, por exemplo, já podem testar diversos programas de realidade aumentada.

Tendências do mobile *marketing*

Conforme mencionado, o crescimento da venda de *smartphones* no Brasil, aliado ao maior uso do 3G e 4G, cuja base em janeiro de 2017 era da ordem de mais de 243,42 milhões de usuários, são outros indícios incontestáveis de que o celular está se fortalecendo como um canal de comunicação *one-to-one* e que deverá ser mais bem aproveitado para veiculação de campanhas publicitárias nos próximos anos. Segundo o estudo da empresa Kantar WorldPanel, 57% dos brasileiros que possuem um celular têm um *smartphone*.

A cada dia que passa o celular está mais presente na vida das pessoas, principalmente da chamada geração Y, que utiliza o aparelho para filmar, fotografar, enviar fotos, jogar, ouvir música, transferir dados, enviar mensagens instantâneas e uma série de outras tarefas, até para falar com amigos e parentes. E o *mobile* marketing tem muita sinergia com esse público por ser rápido, seletivo, com alta capacidade de segmentação, e, ainda, por requerer baixo investimento.

Um estudo feito pelo Ibope Mídia mostrou que 42% dos brasileiros aceitam esse novo tipo de propaganda, principalmente porque lhes é oferecida a opção de receber ou não aquela informação, ou seja, não é invasiva. E ainda, o *mobile* marketing está alinhado com a velocidade, liberdade, consumo, individualidade e tecnologia que os jovens da geração Y querem, exigem e buscam.

Outro estudo, realizado pela Nielsen em dez países sobre os consumidores móveis, chamado "Consumidor Móvel: um instantâneo global", demonstrou que:

- 50% dos brasileiros seriam receptivos aos anúncios no celular se em troca pudessem acessar conteúdo de graça;
- 44% aos anúncios devem conter informações geográficas relevantes com base em onde eles estão no momento (geolocalização);
- 54% preferem os anúncios que não tiram o usuário para fora do aplicativo para finalizar algum processo;
- 38% são mais propensos em clicar em anúncios com texto simples e 41% em anúncios que incorporam elementos multimídia.

O mesmo estudo da Nielsen mostrou que 68% dos usuários de *smartphones* brasileiros preferem usar seus dispositivos com aplicações de jogos.

Aproximadamente 90% utiliza aplicativos de mídias sociais, e as redes mais utilizadas são Facebook, WhatsApp e YouTube. Outros tipos de aplicativos populares entre os usuários de *smartphones* incluem mapas (51%) e vídeo/filmes (45%).

> *Ranking* das operadoras
> Em maio de 2017 a operadora Vivo, controlada pela Telefonica, liderou o segmento de operadoras de telecomunicações no País, detendo 30,65% do *market share*. A TIM Participações, da Telecom Itália, seguiu na segunda posição, com 25,21% do mercado. A operadora Claro, do conglomerado mexicano de telecomunicações América Móvil, ficou na terceira posição, com 24,88% de participação de mercado. E finalmente a Oi, da qual a Portugal Telecom comprou participação, deteve 17,35% do *market share*.
> Fonte: Teleco, 2017.

É importante ressaltar que, embora a base de usuários da telefonia celular seja grande no País, a maioria dos assinantes ainda dispõe de aparelhos convencionais, cujo principal uso é para recebimento de chamadas de voz e de mensagens de texto. Também é igualmente importante observar que a renovação do parque de aparelhos ocorre de forma veloz: a cada um ano e meio a base é renovada.

Uma pesquisa realizada pelo Gartner Group mostrou que o grande desejo das pessoas é poder acessar *e-mails* no celular (55% das citações); seguido pelo compartilhamento de arquivos através de mensagem multimídia (MMS), com 51%; busca de informações – 43% e 42% querem fazer *downloads* de músicas digitais, além de 40% que têm interesse em serviços bancários.

Foi nesse cenário que a quantidade de usuários do Facebook aumentou, somando mais de 2 bilhões de pessoas no mundo e 117 milhões no Brasil (em junho de 2017). Pela primeira vez na história da rede social, a quantidade de usuários que acessaram a rede via dispositivos móveis superou o número de pessoas que se conectaram via computadores físicos.

Em 2016 o Facebook registrou lucro líquido de US$ 10,2 bilhões, um aumento de 177% em relação ao ano anterior. **O faturamento com anúncios móveis representou 84%** dos ganhos da empresa.

Os números de aparelhos celulares e de Internet móvel no Brasil são interessantes. No entanto, percebe-se que ainda há um grande caminho a percorrer no que tange ao uso desses dispositivos para a propaganda. Enquanto mercados mais desenvolvidos já possuem parcelas significativas de seus investimentos com propaganda em mídias digitais, no Brasil esse número ainda é pequeno. Na Inglaterra, por exemplo, 47% dos gastos com propaganda foram digitais. Nos EUA esse número foi de 28%, e no Brasil, somente 14%.

Os últimos lançamentos do mercado de *smartphones* e sua rápida aceitação indicam que quase todos os aparelhos móveis top de linha terão telas grandes. Uma abundância de *smartphones* que já vêm prontos para o consumo de mídia, somada às conexões *wireless* cada vez mais rápidas, mostra que a publicidade *mobile* vai crescer rapidamente nos próximos anos. Esse crescimento virá à custa de anúncios em *rich media* (conteúdo digital interativo e dinâmico, como aplicativos, áudio, imagens e vídeos).

Os anunciantes continuam a achar que o alto custo de implementação de *rich media* não traz ROI adicional. Como resultado, testemunhamos a mudança do *rich media* para ver mais HTML5 nas plataformas de criação. Já a publicidade em vídeo é bem recebida por empresas, consumidores e veículos. Isso permite que os grandes anunciantes estendam o alcance de suas compras em mídia de televisão e forneçam experiências muito pessoais aos consumidores através de *smartphones* e *tablets*. Com base no crescimento do uso de aparelhos que exibem conteúdos e mídia, assim como no fato de as marcas estarem cada vez mais aderindo a anúncios *mobile* em vídeo, a projeção é que a publicidade em vídeo para dispositivos móveis continue a crescer.

O mundo dos Apps (Aplicativos)

Há diversos projetos de sucesso no uso de *mobile* marketing implementados pelas empresas. Um dos exemplos foi o lançamento do carro Fiat Punto, feito primeiro nos celulares e depois em outros meios de comunicação, pela AgênciaClick.

Outro exemplo foi uma campanha da Skol Beats, em que diversas informações sobre o festival eram enviadas via celular para aqueles que haviam adquirido ingressos para o *show* e, além disso, as pessoas podiam também contribuir previamente com o conteúdo, indicando *shows* e DJs que gostariam de ver na programação, ação que mostrou a possibilidade de integrar o espaço físico, *show* e *site* via celular. Os aparelhos móveis facilitam a conexão entre mundo real e virtual.

Deve-se destacar ainda a importância do desenvolvimento de aplicativos para *smartphones* e iPhones, segmento que está crescendo de forma considerável. Em junho de 2016 havia 2,2 milhões de aplicativos para o sistema operacional Android na loja virtual Google Play, seguidos pelo iOS, com 2 milhões na loja App Store, em seguida os aplicativos na Windows Store, com 669 mil e, por último, na Amazon app store, com 600 mil aplicativos.

Enquanto a onda de aplicativos só cresce no Brasil, um dos grandes consumidores de apps do mundo, as marcas tentam pegar carona como podem com a inserção de mensagens publicitárias em aplicativos próprios ou em apps consagrados do mercado e que aceitam propagandas.

O grande problema é que os aplicativos viraram os novos *hotsites* das empresas, ou seja, são criados para uma promoção ou algo que tem data para acabar, ao invés de ser um ponto em que as pessoas se apoiam e sempre voltam. O maior desafio para as marcas é oferecer algo tão relevante que seu aplicativo esteja na tela inicial e seja lembrado. É o que Léo Xavier, da empresa Pontomobi chama de obter *share of hardware*. São poucas marcas que emplacaram apps usados com frequência. A grande maioria dos sucessos é de empresas digitais nativas, como WhatsApp, Netflix, Twitter, Kindle, Facebook, Waze, Instagram, Trip Advisor, 99Taxis etc. Mas também existem bons exemplos de marcas tradicionais que criaram aplicativos, como bancos, empresas aéreas, Nike+, Starbucks, entre outros.

O aplicativo Nike Running, por exemplo, é um dos mais usados pelos amantes de corrida. O app fornece um *feedback* sobre performance ao longo do exercício (corrida, caminhada, bicicleta etc.) e permite ainda comparar com a dos amigos. Ou seja, você adiciona pessoas à sua conta e o app informa o total de quilômetros percorridos por você e pelos seus amigos, o que pode funcionar como um fator motivacional importante.

Os aplicativos terão vida longa, principalmente devido à popularização dos *smartphones* e por oferecer melhor experiência e recursos para os usuários depois de instalados.

Entre os exemplos de uso de marketing *mobile* que utilizam geolocalização inclui-se o aplicativo desenvolvido para a cerveja Heineken, que permite aos clientes localizar bares próximos para aproveitar uma promoção, e ainda o da construtora

Tecnisa, que permite checar imóveis, acessar mapas e detalhar a rota até as unidades indicadas para os clientes. Seguem na mesma linha os aplicativos criados pelas empresas Sul América e Bradesco Seguros.

O Grupo Pão de Açúcar lançou o aplicativo Pão de Açúcar Delivery Mobile nas plataformas Android, iPhone, iPod touch e iPad com o objetivo de compor a estratégia da marca e criar um vínculo mais próximo com o consumidor. Com isso, os usuários passaram a ter acesso a funcionalidades e serviços que já encontravam por meio do *site*, como buscas de produtos, listas prontas, listas personalizadas, receitas e últimas compras realizadas, além de localizador para a loja do Pão de Açúcar mais próxima. Bastava baixar o aplicativo por meio da loja virtual disponível para cada um dos sistemas operacionais e se cadastrar. Os usuários de iPhone, iPod touch e iPad puderam obter o aplicativo na AppStore. O aplicativo para iPad foi lançado antes mesmo da comercialização do produto no Brasil, como forma de a empresa se antecipar para atender os futuros usuários e também aqueles que já adquiriram esse dispositivo no exterior.

Numa campanha da empresa Nívea para a categoria de proteção solar, bastava aos consumidores clicar em um *banner* para serem direcionados para a AppStore, em que baixavam um aplicativo que indicava, pelo celular, qual o filtro solar mais indicado para o tipo de pele de cada pessoa, e ainda havia um *timer* para lembrar o usuário de reaplicar o protetor a cada duas horas. Esse tipo de serviço é bastante interessante e inovador, pois está divulgando o produto através de um serviço ao consumidor.

Fonte: Disponível em: <https://www.youtube.com/watch?v=kwrzv3VgU5k>. Acesso em: 17 jul. 2017.

Figura 3.15 Imagem do vídeo do aplicativo NiveaProtege.

Há aproximadamente três anos, a agência FCB Brasil criou o "Anúncio Protetor" para Nivea Sun Kids, também da Nivea, com o objetivo de ajudar os pais a deixar seus filhos brincando com mais segurança na praia. Para isso, parte da peça se transforma em uma pulseira que, ao ser sincronizada com o aplicativo NiveaProtege, é capaz de monitorar pelo celular a distância a que a criança está dos pais, inclusive determinar o afastamento máximo permitido aos filhos.

A ideia foi tão interessante que rendeu à marca uma premiação no Festival de Publicidade de Cannes, pois, além de criatividade, traz também utilidade aos seus usuários.

A dica é criar um aplicativo que preste um serviço, seja útil para a vida das pessoas e que não morra com o fim de uma campanha. Outra reflexão é que os aplicativos das marcas precisam criar uma real necessidade, ou seja, uma relação constante, fazendo o consumidor voltar ao aplicativo e se relacionar com a marca.

Existem algumas barreiras a serem consideradas na hora de criar um aplicativo para uma marca. A primeira é que a pessoa precisa instalar ele no seu *device*, ou aparelho. Isso requer uma estratégia de ativação só para essa tarefa. A segunda barreira é contemplar as diversas plataformas (iOS, Android, Windows Phone) e tamanhos de tela (*smartphone*, *tablet*). E, finalmente, a terceira barreira é que o aplicativo não acaba depois de instalado e precisa ser periodicamente atualizado para continuar relevante. Para isso precisam ser inseridos em estratégias de longo prazo.

Para o sucesso de campanhas de *mobile* marketing é importante o **planejamento e gerenciamento das informações** obtidas após a autorização dos usuários para entender seus gostos e preferências, o que contribui para vender mais e auxilia na mensuração de resultados. A grande vantagem desse tipo de publicidade é chegar, literalmente, às mãos do consumidor e estar onde ele está. Dentro dessa perspectiva, as últimas tendências são a utilização das ferramentas de geolocalização, como os exemplos citados, e direcionamento de ofertas de acordo com a região onde o usuário está.

Infelizmente não há muitos casos de utilização de *mobile* marketing pelas pequenas e médias empresas. Isso se deve à falta de recursos para investimentos, falta de conhecimento e receio por parte dos microempresários de investir em novas mídias.

3.9 Outras tecnologias: SMS, Bluetooth, realidade aumentada e *mobile tagging*

O grande desafio é estabelecer formas criativas, funcionais e lucrativas de uso da publicidade em celulares. Já existem várias tecnologias que contribuem para isso. Uma ferramenta muito utilizada foi o SMS, com os conhecidos torpedos, em algumas campanhas, como a feita pela Brastemp há alguns anos para motivar seus vendedores, em que a equipe recebia um SMS informando quantos itens já tinham sido vendidos e quantos faltavam para subir no *ranking*. O Laboratório Fleury, de São Paulo, também utilizava o SMS para avisar seus clientes sobre o agendamento de exames e resultados prontos e disponibilizados no *site*. São apenas alguns exemplos do uso corporativo do SMS. Nesses casos, a base utilizada com números de celulares é de funcionários da empresa, ou de clientes, que pré-autorizaram o recebimento de mensagens.

Embora os serviços de mensagem instantânea tenham sido opções populares para comunicação via *smartphone*, hoje cresce o uso de redes como WhatsApp, misto de mensagem instantânea e rede social. Obviamente a adoção desse serviço via mídia social teve um impacto negativo nas vendas líquidas de SMS. Atualmente 90% dos usuários de *smartphone* usam pelo menos um aplicativo de mensagem instantânea e, em média, os entrevistados tinham três aplicativos de mensagens, incluindo SMS.

Segundo o estudo do Mavam Brasil, 71% usaram seus *smartphones* para procurar informações sobre produtos e serviços, com 69% afirmando que recebem e leem os SMS enviados para seus *smartphones* por empresas, lojas ou marcas. Os tipos mais comuns de notificações SMS são aqueles relacionados a serviços médicos, como lembretes de consultas e exames ou comunicados bancários. Quando o assunto é outro conteúdo enviado por empresas, os alertas e descontos são os que têm mais alta penetração (64%). Porém, 26% disseram que não viam nenhum problema em enviar informações pessoais via SMS para uma empresa em que confiam, mas os entrevistados se sentiam mais seguros quando tinham a opção de enviar essas informações usando o aplicativo criado pela própria empresa (31%).

Nos últimos tempos começaram a surgir mais e mais aplicativos de mensagens instantâneas inspirados pela febre que se apoderou de milhões de pessoas ao redor do mundo. Antes do surgimento de aplicativos como o Line ou WhatsApp, a maioria das pessoas que desejavam enviar mensagens *on-line* por estarem conectadas durante o dia, sem que isso gerasse alto custo, usavam o Facebook Messenger. Os resultados da consulta realizada pelo Business Insider demonstram que a plataforma mais usada pelos usuários de telefones celulares é o WhatsApp, que em 2015 possuía 900 milhões de usuários no mundo, contra 700 milhões do Facebook Messenger. Isso fez que o Facebook adquirisse o WhatsApp por cerca de US$ 22 bilhões em outubro de 2014. No último ano, cada um deles contava com 1,2 bilhão de usuários. Outro dado relevante do estudo faz referência à grande quantidade de jovens entre 16 e 24 anos que está deixando de usar o Facebook para migrar para aplicativos como o Snapchat, por exemplo.

Vivemos a era dos nichos. A fragmentação dos públicos é tanta que desafia as marcas a criar estratégias muito especiais e a publicar para grupos menores, mantendo conversação a distância com mais privacidade, por meio do WhatsApp, Instagram Direct, Snapchat, Viber, Facebook Messenger, mensagens diretas do Twitter etc., substituindo o SMS.

A marca Hellmann's é um exemplo de produto de consumo que fez uma ação de *branding* "um pra um" em tempo real em um meio digital. Para isso criou "What's Cook?", uma plataforma em que as pessoas cadastram o número de telefone habilitado no WhatsApp para poder conversar pessoal e individualmente com um chefe de cozinha. Perto dos horários de almoço ou jantar, a pessoa receberá uma mensagem para iniciar uma conversa com um cozinheiro que vai dar dicas de como preparar uma refeição com o que houver na geladeira.

Bluetooth

Outra tecnologia utilizada é o Bluetooth – um protocolo-padrão de comunicação que permite conectar e trocar informações entre dispositivos como telefones celulares, *notebooks*, computadores, impressoras, câmeras digitais e consoles de *videogames* digitais através de uma frequência de rádio de curto alcance (1 metro, 10 metros, 100 metros). Os dispositivos podem até estar em ambientes diferentes, contanto que a transmissão recebida seja suficientemente potente.

A empresa Netshoes, hoje uma das maiores redes de varejo *on-line* focada no setor de artigos esportivos no País, usou esse recurso no passado para que torcedores de futebol o acionassem num estádio durante um jogo para adquirir a camisa do time que estava sendo lançada naquele dia. Essa ação teve grande repercussão por explorar a questão de permitir a interação com o consumidor no momento exato em que ela terá maior impacto, nesse caso, durante um jogo de futebol do time relacionado à camisa ofertada, no momento do seu lançamento.

Realidade aumentada e mobile tagging

Mobile tagging é o processo de **ler um código de barras bidimensional usando a câmera de um aparelho móvel**. Quase todos os tipos de dados podem ser codificados, como será exposto a seguir. Apenas como exemplo, há a transformação de endereços de URLs de *sites* em códigos como esses. Existem mais de 70 tipos de *tags*, mas para *mobile* são usados 12 deles. Os mais usados são QR codes e DataMatrix.

Bastante popular no Japão, o *mobile tagging*, principalmente o QR Code (*Quick Response Code*), é uma tecnologia oferece enorme potencial.

Qualquer pessoa que possua um celular com câmera e acesso à Internet pode ler QR Codes (Figura 3.16), bastando para isso baixar um aplicativo, por exemplo, o *software* gratuito i-nigma (www.i-nigma.mobi).

A possibilidade de armazenar URLs nesse código 2D transforma um QR Code, impresso em algum lugar, em tipo de "botão" de conexão para o mundo *on-line*. Ou seja, essas *tags* são excelentes justamente para isso, unir o mundo *on* com o *off-line*.

Figura 3.16 Uso do QR Code.

Levando-se em conta que a penetração de telefones celulares com câmera e acesso à Internet está crescendo de forma exponencial, em breve a maior parte das pessoas estará habilitada a ler esses códigos onde quer que estejam.

Na prática, um símbolo (código) pode ser publicado em uma página de revista, ou num *outdoor*, e basta focar o celular nele para ler a mensagem inscrita nele contida.

No Japão, uma das utilizações é colocar grandes painéis do lado de fora de um prédio no qual está um magazine, por exemplo, com um código gigante, que as pessoas podem focar a distância usando seus celulares, para terem acesso às promoções instantâneas daquela loja de departamentos.

A L'Oréal lançou uma campanha baseada em realidade aumentada e ganhou premiação no Festival de Publicidade de Cannes há aproximadamente dois anos. Com essa ação, as mulheres podiam testar produtos de forma virtual, visualizando como ficariam maquiadas, testando suas cores sem aplicar qualquer item em sua pele, e ainda compartilhar com seus contatos nas redes sociais para obter *feedback*.

> **Conceitos sobre realidade aumentada**
>
> **A realidade aumentada** (RA), segundo a Wikipedia, é uma linha de pesquisa dentro da computação gráfica que lida com integração do mundo real e elementos virtuais ou dados criados pelo computador. Atualmente, a maior parte das pesquisas em RA está

> ligada ao uso de vídeos transmitidos ao vivo, digitalmente processados e "ampliados" pela adição de gráficos criados pelo computador. Pesquisas avançadas incluem uso de rastreamento de dados em movimento, reconhecimento de marcadores confiáveis utilizando mecanismos de visão e a construção de ambientes controlados contendo qualquer número de sensores e atuadores.
>
> A definição de Ronald Azuma sobre a realidade aumentada é a descrição mais bem aceita. Ela ignora um subconjunto do objetivo inicial da RA, porém é entendida como uma representação de todo o seu domínio: realidade aumentada é um ambiente que envolve tanto realidade virtual como elementos do mundo real, criando um ambiente misto em tempo real. Por exemplo, um usuário da RA pode utilizar óculos translúcidos, e, através deles poderia ver o mundo real, bem como imagens geradas por computador projetadas no mundo.
>
> Azuma define a realidade aumentada como um sistema que:
> - combina elementos virtuais com o ambiente real;
> - é interativa e tem processamento em tempo real;
> - é concebida em três dimensões (3D).
>
> Atualmente, essa definição é geralmente utilizada em algumas partes da literatura da pesquisa em RA. Já existem vários sistemas de manipulação da realidade aumentada disponíveis gratuitamente. Existem aplicações educacionais, jogos e aplicações de realidade nas mais variadas áreas, como bioengenharia, física e geologia.

O QR Code também possibilita o crescimento do uso da realidade aumentada. Por meio dos códigos bidimensionais podem ser projetados objetos virtuais em uma filmagem do mundo físico, melhorando as informações exibidas e expandindo as fronteiras da interatividade. Isso é feito colocando-se um objeto real em frente à câmera, para que esta capte a imagem e a transmita ao equipamento que fará a interpretação.

A câmera manda as imagens, em tempo real, para o *software* que gerará o objeto virtual. O dispositivo de saída, que pode ser uma televisão ou monitor de computador, exibe o objeto virtual em sobreposição ao real, como se ambos fossem uma coisa só. Essa tecnologia tem sido utilizada em jogos, por exemplo, mas também em *sites* de *e-commerce* de vestuário, nos quais a pessoa pode ter a sensação de estar vestindo aquela peça que deseja comprar. Na verdade, existem vários tipos de códigos diferentes que possibilitam esse tipo de ação, porém o mais famoso é mesmo o QR Code.

Para o lançamento do novo Golf, há aproximadamente seis anos, a Volkswagen criou um QR Code para anúncios em revistas e um aplicativo para Android e iPhone que permitia ao usuário interagir com o carro, trocar sua cor, ver a roda, girar e ainda tirar uma foto junto com o produto. O recurso ainda possibilitava que a foto fosse compartilhada no Facebook.

Outra ação foi da marca de curativos Band-Aid, da Johnson & Johnson, premiada em Cannes há aproximadamente 5 anos, baseada em pesquisas de consumo que revelaram as crianças como um fator de decisão de compra na família. Foi uma ação com realidade aumentada estrelada pelos Muppets, com o intuito de divulgar a linha de curativos e fidelizar esse público mirim.

Fonte: Disponível em: <http://www.youtube.com/watch?feature=player_embedded&v=pFS6EHzBGVc>. Acesso em: 19 jul. 2017.

Figura 3.17 Ação de QR Code e realidade aumentada: Campanha Volkswagen.

3.10 *Advertainment* e *advergaming*

O *advertainment* (junção das palavras *advertising*, propaganda; e *entertainment*, entretenimento), como essa técnica é chamada, é uma **ferramenta de divulgação** que pode ser muito útil para alguns tipos de produtos. O objetivo é promover produtos e/ou serviços junto a determinado público-alvo de forma direcionada e impactante, combinando o conteúdo dos formatos (filmes, novelas, desenhos etc.) com as marcas. Há uma interação direta com o consumidor, diferindo do modo tradicional de veicular publicidade. Pode ser vinculada a diversos formatos de entretenimento, como cinema, televisão, teatro, esportes e também à Internet, que oferece boas opções.

Na verdade, embora alguns nomes sejam novos ou tenham se alterado, a técnica não é exatamente inédita. Já se observavam casos de aproximação da propaganda com o entretenimento há muito tempo. Como no filme *007 contra Goldfinger*, com o ator Sean Connery como James Bond, com seu automóvel da marca Aston Martin DB5. É óbvio que esse carro, dessa marca, não estava ali por acaso!

Outra modalidade importante são os *advergames* (junção das palavras *advertising* e *games*), que nada mais são do que o **uso de *games* para a prática de promoção de**

uma marca, produto ou empresa. A divulgação do produto pode ser feita através de *games on-line* (jogados diretamente na *web*, com um ou mais jogadores ao mesmo tempo) ou daqueles que necessitam do uso de consoles. Os principais fabricantes de consoles são Sony, Microsoft e Nintendo.

Quando se fala em marketing digital, as primeiras ideias que sempre vêm à mente são mídias sociais, ou a divulgação em grandes portais, com diferentes formatos, ou nos buscadores, como o Google, com a utilização de técnicas de otimização de *sites* (SEO) para melhoria da busca orgânica, ou então *links* patrocinados. Porém, é necessário perceber que existem também outras possibilidades de ações, muitas delas ligadas ao entretenimento, que são cada vez mais relevantes, como os *games*, como veremos mais adiante.

Outro exemplo marcante que ilustra o uso do entretenimento para divulgação de marcas pode ser observado no filme *O Náufrago*, estrelado pelo ator Tom Hanks, em que as marcas Fedex, de logística, e a marca Wilson, de artigos esportivos, estavam totalmente incorporadas ao enredo do filme. Nesses casos, a técnica usada é chamada de *product placement*, como detalhado a seguir.

Uma pesquisa global feita pela Games Market Report, divulgada por sua parceira, a consultoria Newzoo, destaca que as vendas de *games* no período de 2016 a 2020 deverão crescer 6,2% em todos os segmentos, saltando dos US$ 101 bilhões para US$ 128 bilhões. O mercado que deverá ter maior queda de participação será o de portáteis (15%); há perspectiva de crescimento de jogos para os *tablets*, com alta de 47,6%, seguido por *smartphones*, com 18,8%, e ainda de MMO (Massively Multiplayers Online Games ou Jogos Online Massivos para múltiplos jogadores), com 10,4%, e de consoles, com 3,5% de participação no segmento.

O mercado de MMO, em particular, está avançando. A média de tempo geral de quem joga é de 18 minutos de permanência, ou seja, se compararmos com a propaganda em TV, cujo tempo médio é de 30 segundos, podemos perceber a **força dos *games* para aproximação dos consumidores com as marcas.**

No Brasil calcula-se que há mais de 50 milhões de *gamers*, que se dividem em *Extreme Hardcore Gamers* (os jogadores super-radicais), o menor grupo, seguido pelos *Hardcore Gamers* (jogadores radicais), os *Moderate Gamers* (jogadores moderados), e, por fim, os *Casual Gamers* (jogadores casuais), segundo Mitikazu Lisboa, CEO da agência Hive Entertainment, especializada na criação de *games*.

Um fator interessante, nesse caso, é a quebra de paradigma quando analisamos a faixa etária de quem joga, pois a idade média é de 30 anos, e não de um público por volta de 15 anos, como era de se esperar. Além disso, 30,5% têm entre 35 e 49 anos de idade, 16,6% entre 25 e 34 anos e apenas 14,3% entre 12 e 17 anos. De acordo com o Ibope NetRatings, 70% preferem jogos casuais, e 57% desse público são mulheres entre 25 e 45 anos de idade. Tudo isso nos faz perceber que esse grupo se enquadra na população economicamente ativa, representando um público de milhões de pessoas com alto poder de consumo. Além disso, mulheres de 43 anos formam o perfil de quem mais joga *games* sociais, ou seja, os jogos presentes nas redes sociais (veja mais detalhes a seguir, em seção específica).

Outro ponto muito relevante quando se fala do uso de *games* para a divulgação de produtos é a vantagem da "imersão", ou seja, enquanto estão jogando as pessoas ficam completamente focadas, não há dispersão de atenção, o que é dificílimo de ser obtido em outros tipos de mídia, além de permanecerem muito mais tempo em contato com a marca do que na publicidade-padrão, devido à interatividade exigida pelo *game*.

Além disso, os fabricantes têm investido muito em tecnologia, levando a grandes inovações e mais velocidade, fazendo que essa imersão seja ainda maior. Há ainda a questão da facilidade de **viralização dentro da rede social do *game***, o que faz que, dependendo do jogo, ele se popularize muito mais.

Os *games on-line* apresentam uma vantagem adicional, pois sua atualização é extremamente ágil, permitindo grande segmentação do público e mensuração completa, possibilitando um acompanhamento do perfil de quem está jogando, além de conhecimento sobre o tempo de conexão, local e hora de acesso, ou até quantas vezes o jogo foi acessado durante o dia.

Quando o produto ou a marca faz parte do contexto do entretenimento, é chamado *product placement,* como explicado para o contexto do cinema, e esse é o tipo percebido como menos invasivo por parte dos jogadores. Para eles o jogo se torna ainda mais "real". É como se existissem *outdoors* reais de uma marca de refrigerantes ao longo da pista de corrida, por exemplo, ou então, a logomarca de um fabricante de *chip* para computadores, que surge de repente durante um jogo, como no caso do *The Sims*, ou mesmo uma competição musical em que os jogadores usam guitarras de determinada marca real, como ocorreu no *game Guitar Hero* (Figura 3.18), em que as guitarras da marca Fender – objeto de desejo de quem adora guitarras – eram as estrelas principais.

Para alguns produtos, por exemplo, bebidas, artigos esportivos, instrumentos musicais, produtos infantis ou de alta tecnologia, essa é uma excelente estratégia para alcançar o público almejado, e essas indústrias já estão investindo nisso para seus produtos.

Existem inúmeros exemplos em que se pode observar a replicação de modelos vistos no mundo físico, como um time de futebol utilizando camisas estampadas com uma marca, e dessa forma os jogadores literalmente "vestem a camisa" de determinada empresa. Ou mesmo campo de futebol, com diversas placas de divulgação nas suas laterais. Idem para jogos de corridas automobilísticas, em que é possível escolher a marca do carro com a qual se deseja competir, por exemplo.

Mas é importante considerar que se trata de uma alternativa de mídia ainda bastante cara se comparada a outras opções, principalmente se a produção for exclusiva para uma única marca, como é a solicitação de alguns fabricantes. Há a possibilidade também de participar de *games* já conhecidos do público e consolidados, o que se torna, às vezes, mais viável financeiramente.

Há diversos *cases* de *games* que podem ser citados, como o do lançamento do jogo *Halo3*, em que um dos personagens segura um *banner* do Walmart, maior varejista do mundo, ou o *game* criado pela indústria de alimentos Sadia para promover seu produto Hot Pocket, pois o objetivo era impactar um público mais jovem, que tinha pouco tempo para se alimentar. Outro caso foi o da marca de automóveis Troller, com o *game Trilha Virtual*.

Um ponto que não pode deixar de ser citado é que nesse universo dos *games* há **grande incidência de pirataria,** em que os principais prejudicados são os produtores dos jogos. Para os patrocinadores, na verdade, essa questão não impacta tanto, pois o *game* já foi pago e o mais relevante é a quantidade de pessoas que estará jogando e sendo exposta à marca.

Fonte: Disponível em: <http://gamehamster93.wordpress.com/2008/10/24/battle-advice-on-guitar-
-hero-iii-legends-of-rock/>. Acesso em: 19 jul. 2017.

Figura 3.18 Imagem do *game Guitar Hero*.

A tendência é que os números do setor continuem crescendo, favorecendo assim o aumento também dos investimentos nessa atividade, principalmente se considerarmos o excesso de apelos publicitários a que todos estão expostos diariamente. Essa é, sem dúvida, uma forma de as marcas chamarem mais atenção para os seus produtos.

Vale ressaltar que o setor de *games* é a maior indústria de entretenimento do mundo, superando a de cinema e música.

Social games *ou* games *nas redes sociais*

Não há como negar que as campanhas digitais interativas e que promovem o entretenimento ao consumidor tendem a apresentar resultados bem mais interessantes do que as mídias convencionais, e que agora começam a explorar também as redes sociais, como bem explica Mitikazu Lisboa, da Hive Digital Media:

> A pergunta que a mídia convencional tende a responder com segurança é: quantas pessoas foram impactadas? Já as novas mídias interativas buscam outras respostas, como: que tipo de pessoas foram impactadas; quantas dessas pessoas visitaram minha loja ou meu *website*; dessas pessoas, quantas "recomendaram" o meu produto/serviço para os seus amigos? Mesmo que não conheça a fundo as ferramentas de Social Media Marketing (SMM), a maioria dos internautas do Brasil já participa de uma ou mais redes sociais, como Facebook, Twitter, Google+ ou LinkedIn. Os grandes sucessos do mundo dos games de hoje se parecem cada vez mais com essas redes sociais, e, mais que isso, muitas vezes inspiram seus criadores. Uma prova inegável de que a origem e estrutura de ambas as formas de mídia está intimamente conectada é que redes sociais movimentam os maiores games on-line da atualidade, e aplicativos com fortes elementos de games estão sempre entre os preferidos entre os usuários das grandes redes sociais.
>
> Para se ter ideia do tamanho e da força dessas grandes redes sociais que são os modernos *games on-line*, o maior deles, *World of Warcraft*, tem mais de 10 milhões de assinantes no mundo inteiro (dado de 2014), que pagam, cada um, US$ 15 por mês. Essa abordagem de *games* como redes significa que a comunicação para o usuário desses títulos deve considerar essa característica comportamental para ter sucesso e conseguir uma presença interativa dentro do contexto e, principalmente, não invasiva; características essas essenciais para esse tipo de mídia, uma vez que a comunicação da mensagem publicitária deixa de ser coadjuvante e passa a assumir o papel principal, tornando-se objeto de desejo dos jogadores.

Já existem vários exemplos de sucesso, como o projeto criado pela agência Ogilvy para lançar o chocolate Mini Bis, da Kraft Foods do Brasil, que contou com uma ação no *game Colheita Feliz*, em que o internauta podia apreciar os frutos de árvores geradas por sementes virtuais plantadas pelos usuários do jogo. Essa ação, além de aumentar em mais de 50 vezes a visitação ao *site* da Kraft Foods, atingiu praticamente todos os 20 milhões de jogadores do *Colheita Feliz*. Para conseguir o mesmo resultado por meio das mídias tradicionais seria necessário aplicar recursos 200 vezes superiores, sem, no entanto, obter tanta interatividade.

As redes sociais também têm se beneficiado com os *games on-line*, como é o caso do Facebook, que oferece vários jogos, entre os quais o Cookie Jam. O título foi lançado em maio de 2014 e arrebatou mais de 5 milhões de usuários em todo mundo.

3.11 TV digital e Web TV

Entre todos os meios de comunicação, a televisão é, sem dúvida, o mais tradicional (só perdendo para o rádio), e tem sido bastante utilizado para vender produtos e serviços das mais variadas e criativas formas. O **merchandising nas novelas** é um dos exemplos. E quem já assistiu a algum programa veiculado à tarde e dirigido ao público feminino certamente cansou-se de ver inúmeras inserções comerciais com vendedores enaltecendo as qualidades de determinado produto, em geral referendado pelo(a) apresentador(a) do programa, e não raro oferecendo algum desconto ou brinde para os espectadores que ligarem para tal número naquele momento. Nesse modelo de marketing, combina-se o uso da televisão, para apresentar o produto, com o telefone, por meio do qual a compra é efetivada. A prática não é nova. Desde os primórdios da TV no País, há 60 anos, utiliza-se esse recurso para vender produtos e serviços, mas a diferença é que hoje se buscam integrar vários canais de comunicação para levar o espectador a interagir cada vez mais e com maior rapidez. Nos programas populares, não faltam promoções pedindo aos interessados para enviar determinado código via mensagem instantânea (SMS) pelo celular para concorrer a algum sorteio ou ter direito a descontos ou coisas do tipo.

As operações de televendas podem ser consideradas formas preliminares de *t-commerce*, que pressupõe a possibilidade de fazer compras diretamente da televisão, utilizando o controle remoto para obter resposta direta em tempo real. Atualmente os canais de TV por assinatura (a cabo ou satélite) permitem apenas a compra de programas como filmes e *shows* por meio dessa forma. Mas a interatividade deverá ganhar força com a TV digital aberta, em que é possível utilizar o meio para compra e venda de variada gama de produtos e serviços.

Alguns desafios a vencer são de cunho tecnológico, uma vez que o *t-commerce*, em seu sentido exato, supõe o uso do controle remoto para compras em operações de *direct response,* o que dependerá do crescimento e popularização da TV digital e do suporte dado pelas operadoras. Mas, sem dúvida, será mais um canal de vendas que trará comodidade ao consumidor e, especialmente no Brasil, deverá ganhar muitos adeptos se considerarmos que a população adora TV, o que é evidenciado pelo fato de 97% dos lares brasileiros possuírem pelo menos um aparelho. Um estudo anual realizado pela empresa de pesquisa de mercado CVA Solutions aponta o crescimento de novas tecnologias nos lares brasileiros: dos 5.600 entrevistados que possuíam como televisor principal um aparelho de tela fina (Flat), 30% tinham Smart TV, conectada à Internet, e 66% deles utilizavam a tecnologia em média 1,9 vezes por semana, e os demais 34% não costumavam acessar a *web*, o que indicou oportunidade de expansão.

Relativamente recentes no mercado, as Smart TVs trouxeram o conceito de conectividade, compartilhamento e interatividade, características já assimiladas pelos consumidores nos celulares e *tablets*. Assim como nesses dois dispositivos, as TVs também possuem uma loja de aplicativos, permitindo que marcas e produtos possam interagir com esse público que não para de crescer no Brasil. Assim, a TV deixou de ser apenas um aparelho emissor para se tornar um dispositivo de entretenimento com games, interação social e reprodução de conteúdo interativo em alta definição, e que ainda possibilita a venda de produtos e serviços.

Assim como o *mobile* está a todo o vapor no Brasil, com diversas iniciativas e *cases* de sucesso, a TV começa a aparecer nesse horizonte, possibilitando uma integração com todos os outros meios, tornando-se indispensável e cada vez mais perto do usuário. O *t-commerce* é o próximo passo e já está ao alcance tanto dos lojistas como dos consumidores.

Web TV

Com a evolução da Internet e o aumento da velocidade de conexão, os internautas se sentiram motivados a criar e a postar seus próprios vídeos na *web*. Também começaram a ser criadas empresas de Web TV, como foi o caso da All TV (www.alltv.com.br), em São Paulo, disponibilizando uma grade própria de programação ao vivo, e da InfoTV Web (www.infotvweb.com.br) no Nordeste.

Os grandes portais como Terra e UOL, entre outros, e empresas de televisão como Globo e CNN, seguiram nessa direção e procuraram, cada um à sua maneira, se diferenciar, como explica Fernando Palermo, sócio e diretor comercial da Sétima Arte Digital:

> O Terra TV (http://terratv.terra.com.br) tem um formato diferenciado na organização do *site*: o vídeo que está sendo executado fica numa parte superior da tela, enquanto todo o restante, como as organizações dos canais, fica mais abaixo. Dessa forma, o vídeo tem mais destaque do que nos outros portais, que costumam colocar *banners* ou qualquer outra informação que não seja referente ao mesmo. O conteúdo pode variar entre produções próprias, séries e programas de TV que costumam ser exibidos em canal aberto ou fechado.
>
> Na TV UOL (http://tvuol.uol.com.br/) os vídeos são carregados mais rapidamente e dificilmente travam. O UOL também possui uma plataforma colaborativa, mas isso não é o ponto forte do portal, que tem mais audiência com vídeos de produção própria, feita por profissionais, ou com os vídeos que o *site* exibe em parceria com outros portais ou canais de TV. A TV UOL permite votar no vídeo, comentar, indicar para algum amigo e incorporar [...].
>
> A Rede Globo de Televisão lançou o Globo Play, que é uma plataforma digital de *streaming* de vídeos sob demanda que teve o seu lançamento feito em novembro de 2015.
>
> A plataforma disponibiliza gratuitamente os principais trechos dos programas exibidos pela Globo, com as versões completas dos programas – chamadas de "íntegras" – disponibilizadas apenas para os assinantes do serviço. A emissora também disponibiliza aos assinantes da plataforma conteúdo gravado em resolução 4K.
>
> A rede de TV norte-americana CNN (http://edition.cnn.com/video/) possui um grande portal de vídeos na Internet. Divididos pelos mais variados canais e subcanais, grande parte do conteúdo que a rede exibe na TV pode ser visto no *site on demand*. O *site* interage com algumas redes sociais, como MySpace e Facebook.

Muitas corporações estão começando a experimentar o meio para divulgar seus produtos e firmar suas marcas. Mas Fernando Palermo destaca que para o **melhor**

aproveitamento da Web TV corporativa devem ser seguidos alguns passos, tais como:

- estabelecer um planejamento estratégico das ações de comunicação em vídeo a partir da necessidade do público, definindo as melhores soluções em conteúdo e tecnologia;
- produzir vídeos exclusivamente para as ações criadas, que adotam a linguagem mais adequada para o público-alvo, que sejam atrativos, criativos e eficientes, respeitando o que foi definido no planejamento estratégico;
- empregar solução tecnológica inovadora para a exibição e transmissão de vídeos via Internet, envolvendo recursos de última geração;
- gerir e analisar resultados, com uso de soluções que permitam o monitoramento das ações de comunicação através da coleta de dados e fornecimento de relatórios para análise, como audiência, pesquisas e avaliações;
- criar aproximação com o internauta, disponibilizando conteúdo específico para cada tipo de público, tirar dúvidas, abrir espaço para sugestões etc., com o objetivo de criar audiência e fidelizar o público.

Como se pode observar, o uso publicitário da Web TV e da TV digital apresenta diversas possibilidades a serem ainda mais intensamente exploradas pelas empresas de diversos tamanhos. Nos últimos anos, uma empresa vem se destacando quando o assunto é a Web TV, que é a Sambatech.

3.12 Publicidade *on-line*

Num passado nem tão remoto as companhias tinham de investir muitos recursos para impactar os consumidores com suas marcas, para tentar convencê-los de que elas eram sua melhor opção. Hoje, quando se deseja comprar um produto qualquer, basta pesquisar nos buscadores ou em *sites* especializados em pesquisa de preços e definir em que loja o produto será comprado, e ainda se a transação será *on-line* ou não.

Pode-se ainda pesquisar o que está sendo dito sobre aquele produto, ou loja, pelos compradores anteriores, e assim obter maior segurança antes de tomar a decisão.

Por isso, **a publicidade *on-line* ganha cada vez maior relevância.** Não por acaso os investimentos nesse sentido estão crescendo de forma contínua. Segundo publicado no Portal Comunique-se, uma pesquisa desenvolvida pela Gartner Inc. revela que a aposta das empresas é crescente no marketing digital. Em termos de valores, foram aplicados, segundo o IAB (Interactive Advertising Bureau): em 2016, R$ 11,8 bilhões, com crescimento acima do previsto em 2017, crescimento de 26%, algo em torno de R$ 14,8 bilhões. O Google já é o segundo maior veículo de mídia no País, ficando atrás apenas da Rede Globo.

Entre os motivos desses resultados que, embora crescentes, são ainda tímidos, se comparados a outros países, incluem-se a descrença por parte de muitos anunciantes sobre o meio digital e o baixo acesso da população à banda larga. A falta de cultura ainda é um grande empecilho para o investimento na publicidade *on-line*, pois falta conhecimento da parte de muitas empresas sobre o retorno que o meio é capaz de gerar. Mas esse panorama já está começando a mudar.

Entre as várias possibilidades, os **banners, ou mídia *display*, são a forma mais simples e direta de publicidade na Internet.** Podem ter diversos formatos e são apresentados em posições definidas nos *sites*/portais. O conceito do *banner* é simples: o consumidor está acessando um portal, vê o *banner* e recebe a mensagem publicitária. Em geral, um clique sobre o *banner* leva ao *site* do anunciante, mas existem *banners* que apresentam somente o endereço ou telefone da empresa.

Os formatos de *banners* são muito variados, mas há iniciativas para padronizá-los, como as promovidas pela IAB (Interactive Advertising Bureau). Os mais comuns são *banners* com imagens estáticas (nos formatos .jpg ou .gif) ou com imagens animadas (formato .gif). Entretanto, *banners* multimídia estão utilizando vídeos, animação e som, e as tecnologias Java e Flash.

Além dos *banners* de imagem, existem os que são apenas texto, muito usados pelo Google AdSense. Esses *banners* de texto surgiram pela necessidade de adaptação dos anúncios de *links* patrocinados do Google a um formato que pudesse ser utilizado em *sites* e *blogs* fora da ferramenta de busca, em sua rede de conteúdo, por exemplo.

O método de pagamento pela veiculação do *banner* é outro fator importante de decisão. Ele varia entre três modelos básicos:

- Por Impressão (CPM): neste método o espaço reservado ao *banner* é compartilhado entre diversos anunciantes. Cada anunciante paga por 1.000 impressões, ou seja, por 1.000 exibições do *banner* num *site*. Cada vez que um internauta acessa a página e seu *banner* é carregado, é contada uma impressão. A vantagem desse método é que se paga pela audiência efetiva.
- Por Clique (CPC): nesse método o *banner* é apresentado, de forma fixa ou compartilhada, e o anunciante só paga se o internauta clicar sobre o *banner*, transferindo a navegação ao endereço indicado pelo anunciante. O método tem a vantagem para o anunciante de pagar pela ação de visita do consumidor ao seu *site*, e é mais adequado para *sites* de comércio eletrônico e para aqueles que necessitam incrementar suas visitas.
- Por Tempo: nesse método o *banner* é apresentado de forma fixa ou compartilhada, e o anunciante paga pelo período de veiculação, que pode ser uma

diária, faixa horária, ou por um período determinado. O método está mais ligado ao patrocínio de *site* ou instituições, e o *banner* do anunciante deve ter algum tipo de controle de exibição para permitir que se tenha uma visão real da audiência da publicidade.

A publicidade na Internet, porém, vai muito além da publicação de *banners*, embora eles sejam parte do planejamento de divulgação *on-line*. Mas é importante considerar também outras alternativas. Algumas talvez sejam até mais adequadas e eficientes para determinadas empresas.

Não basta obter cliques em massa e atrair uma quantidade de visitantes para um *site*, aplicativo ou página de rede social. É imprescindível selecionar esse público e estabelecer estratégias de bom relacionamento.

A segmentação exige trabalho, mas dá mais resultados por se tratar de uma "mídia de nicho", já que permite encontrar e manter um relacionamento com diferentes públicos e criar *sites* customizados para o cliente, com nome, fotos e ofertas específicas para cada um, de acordo com seu perfil ou histórico de compras. Para isso basta que os usuários sejam marcados com um *cookie* (arquivo criado por um *site* quando o internauta faz uma visita, para armazenar informações sobre sua navegação).

Posteriormente, com esses dados, podem ser feitas campanhas de *remarketing*, recurso utilizado para gerar propagandas gráficas direcionadas ao usuário que tenha navegado pela página, de acordo com seu interesse por determinado produto ou serviço.

A tecnologia disponível em plataformas de *display* permite, por meio de ferramentas de segmentação, atingir a pessoa certa, na hora certa e com a mensagem adequada de forma eficiente e em larga escala.

É preciso, entretanto, levar em consideração que o usuário possui várias opções à sua escolha; são milhões de *sites*, canais de YouTube, aplicativos para celular etc., todos a apenas um clique de distância.

Em paralelo, surgem novas tecnologias que estimulam ainda mais essa seleção, como bloqueadores de anúncios. Por isso, é necessário evoluir para um mercado *on-line* baseado na escolha, não apenas de conteúdo, mas também de publicidade, ou seja, migrar para um formato no qual os usuários optem pelos anúncios que querem ver, de forma que os anunciantes só paguem quando forem escolhidos. Isso incentiva tanto os anunciantes quanto as agências a criar anúncios cada vez mais relevantes, atraentes e úteis para capturar a atenção da audiência.

As novas mídias sociais nasceram com esse componente participativo, que dão o poder para os usuários interagirem com a publicidade; nesse caso, formatos como o TrueView do YouTube podem ser um complemento importante no *mix* de publicidade digital, para obter engajamento. Como exemplo, o vídeo "The Lovi Istóry", da Head & Shoulders, segundo da marca depois do sucesso da campanha "Maria sem Caspa" estrelada por Sabrina Sato, Rodrigo Faro e Joel Santana (trio de embaixadores da Head & Shoulders), atingiu mais de 18 milhões de visualizações, sendo que essas visualizações foram de pessoas que optaram por assistir ao anúncio.

Essa é uma tendência que a mídia gráfica ou *display* deve seguir para continuar atraente para os usuários e, consequentemente, eficaz para os anunciantes.

Existem também alguns modelos em teste no mercado, como os **anúncios de engajamento**, nos quais os anunciantes só pagam quando os usuários escolhem interagir com o anúncio (por pelo menos dois segundos) e, quando isso ocorre, é apresentado um formato expansível de *rich media*.

O Google está experimentando esses modelos em *display*, cujo formato de cobrança por engajamento permite aos anunciantes pagar somente quando os usuários realmente estiverem interessados na história que as marcas têm para contar.

Está cada vez mais claro que o usuário assumiu o controle, e sua participação é essencial para que as marcas contem suas histórias de forma diferente e com maior profundidade.

O primeiro *banner* da Internet apareceu há aproximadamente 24 anos, época em que a publicidade *on-line* ainda dava seus primeiros passos.

Foi vendido pela *HotWired*, uma das primeiras revistas da Internet, para a AT&T com o objetivo de promover uma página que mostrava os grandes museus patrocinados pela empresa ao redor do mundo. Esse primeiro anúncio era uma peça simples, que dizia: "Você já clicou seu *mouse* aqui antes? Você irá", e obteve uma taxa de cliques de 44%. Passados quase 20 anos, o mercado e a tecnologia evoluíram drasticamente, incorporando sofisticação ao processo de publicidade *on-line*. Porém, depois de tanto tempo, ainda vemos o mesmo *banner* em muitos *sites*, seguindo a mesma dinâmica do anúncio da AT&T: uma chamada à ação, clique e relatórios de desempenho baseado em impressões e cliques.

Estratégia de *remarketing*

Em média, 98% dos visitantes navegam em *sites* sem conversão. Para fazer mídia *on-line* inteligente é interessante utilizar uma estratégia conhecida como *remarketing*, que significa redirecionamento comportamental, em que os anúncios são apresentados para usuários com base em algumas medidas que tomaram no passado recente, como acesso ao *site* de uma marca ou a interação com um *e-mail* marketing.

Basicamente, ele usa a tecnologia de computação para colocar um *cookie* no *browser*, e assim controlar o histórico de visualização do consumidor, uma vez que uma página ou um item é clicado, mas não convertido em uma transação; com isso o anunciante vai manter o registro, permitindo apresentar a mesma peça publicitária para esse consumidor quando ele acessa os *sites* que contenham uma mídia comprada por essa marca.

Um exemplo de empresa que faz esse tipo de ação é a indústria de máquinas de alimentos Bralyx: após uma visita no seu *site*, ao acessar portais de comunicação, assunto não relacionado com o segmento em questão, são apresentadas peças de comunicação da empresa com o produto pesquisado.

Ainda seria possível melhorar os resultados e impactos dessa campanha ao identificar o empreendimento e o bairro que despertou o interesse do usuário, destacando seus benefícios, diferenciais e até mesmo uma oferta exclusiva para aumentar o interesse desse provável comprador.

As principais vantagens desse tipo de estratégia é a assertividade com o público, o que significa uma segmentação mais precisa, já que a marca atinge os usuários cujos comportamentos indicaram interesse nos produtos. Isso permite uma alta frequência, que é a apresentação de comunicação para o mesmo usuário por diversas vezes até a sua conversão, além de dar para a campanha uma escala de percepção grande e gerar economia devido à sua efetividade, podendo gerar maior retorno para o investimento em mídia.

O mais interessante é que a ação de *remarketing* permite à marca orientar sua estratégia de comunicação com base no interesse do usuário, tornando a mídia *on-line*, basicamente uma mídia de massa, em mídia de nicho, já que é possível e recomendado alterar as peças de comunicação baseando-se no conhecimento que o anunciante vai obtendo do usuário, por exemplo, o produto que chamou sua atenção, seu estágio no carrinho de compras, se já é cliente ou *prospect*, entre outras informações. Com isso, o anunciante poderá apresentar uma oferta customizada e também aumentar o desconto promocional para tornar a oferta mais agressiva até atingir o resultado esperado.

Compra de mídia programática

Um dos objetivos mais básicos de um plano de mídia é construir uma audiência para enviar a mensagem de uma marca. Tradicionalmente, eram feitas definições demográficas, como a faixa etária e o nível de renda, para chegar no público que a mídia desejava atingir, e assim descobrir onde essas pessoas estavam, ou seja, os *sites* que visitavam.

Até hoje, a compra de mídia digital tem se baseado principalmente na abordagem de casar anúncios a canais específicos (*placement*), definidos basicamente pelo seu conteúdo, com o objetivo de alcançar o público-alvo, apesar de impactar apenas um percentual aproximado de todos os possíveis clientes.

O surgimento de novas tecnologias e plataformas vem mudando esse ecossistema ao possibilitar a compra e exibição de uma campanha automaticamente no momento de encontrar os usuários digitais mais dispostos a comprar um produto, com direcionamento personalizado de acordo com o seu perfil (vida, interesses, desejos, preocupações e rotina).

Essa abordagem de automação do processo de compra de decisão de mídia é baseada em dados, modelo conhecido como compra de mídia programática, através da plataforma DSP (Demand Side Plataform), para o alcance do usuário certo, na hora em que está disposto a comprar o produto e com a mensagem certa.

Seu diferencial está em primeiro conhecer o comportamento e interesse de cada consumidor usuário da Internet. Assim, cada internauta visualizará um anúncio que se enquadra nas suas necessidades e interesses específicos, para em seguida definir a distribuição da mídia das empresas. Isso significa que os compradores só pagarão para alcançar os clientes que desejam efetivamente alcançar.

A distribuição da mídia se refere à compra de inventário de forma dinâmica, no formato de um leilão em tempo real através de plataformas de RTB (Real Time Bidding), com uma decisão para cada impressão do anúncio disponível. O lance vencedor é exibido instantaneamente no *site* do editor.

Há, basicamente, dois modelos de compra em leilão: um é a venda baseada em preços (Price Based Trading), que tenta comprar impressões pelo preço mais baixo possível para obter reduções de custos na campanha e maior visibilidade no público-alvo; e outro, baseado em valor do cliente, no qual o sistema atribui um valor a cada impressão de anúncio após aprender com as respostas dos clientes a anúncios, inclusive valorando a etapa em que o usuário está no funil de conversão (conhecimento, interesse, consideração e compra).

Um passo lógico para melhorar os resultados da compra é agregar a inteligência do cruzamento de dados em plataformas DMP (Data Management Platform), que permite qualificar a audiência do veículo e obter *insights* de novos nichos e novas audiências.

Esses dados podem ser próprios, oriundos do CRM (Customer Relationship Management) do anunciante e da navegação no seu *site*, ou de terceiros, como demográficos (por exemplo, gênero, idade e renda), psicográficos (interesses) e comportamentais (buscas recentes e uso de cartão de crédito). Esses dados são comercializados por CPM, custo por mil impressões.

A mídia programática está diretamente relacionada com a monetização de inventário com o objetivo de maximizar a receita do veículo. Já do lado do anunciante é obter melhor ROI (Return on Investment) e o menor preço pelas impressões qualificadas disponíveis, tudo em tempo real e de maneira automática.

A tendência vem ganhando força nos últimos anos, substituindo a venda-padrão de *banners* e influenciando os modelos de negócio dos veículos de todo o mundo, experimentando diversas estratégias diferentes, como a divisão do inventário em grupos e o uso de diferentes estratégias de preço para cada um deles, já que a abertura total do inventário para todo o mercado via RTB (Real Time Bidding) pode depreciar e desvalorizar o inventário do veículo, além de não contribuir para o controle de todas as informações que o veículo pode disponibilizar para os anunciantes comprarem.

Em suma, o marketing voltado para audiência e dados (Data Driven Marketing) sobre os usuários irá tornar-se a moeda das negociações do futuro e vai ditar qual caminho uma campanha deve seguir e como deve ser planejada. As agências deverão compartilhar seus objetivos de campanha e públicos baseados nesses dados se quiserem obter resultados em suas campanhas. Os veículos que tiverem esses dados de audiência e de usuários para ofertar às agências conseguirão extrair mais receitas do seu inventário.

3.13 Marketing digital para pequenas e médias empresas (PMEs)

As oportunidades em estratégias digitais de marketing para os pequenos e médios empresários têm crescido nos últimos tempos, visto que a Internet é hoje o local em que os consumidores buscam diferentes informações sobre empresas e produtos antes de realizar suas compras. Desde livros e CDs (as "vedetes" do início do *e-commerce*) até compras mais elaboradas, como carros ou apartamentos, as pessoas almejam fazer um bom negócio, e isso normalmente envolve uma etapa de vasta pesquisa na Internet, mesmo que depois a compra venha a ser feita em uma loja física.

Esse fato aponta para questões relevantes para as quais as empresas devem estar atentas. Uma delas refere-se àquelas redes de lojas físicas em que os vendedores acreditam que a Internet "rouba" suas vendas, ou seja, veem na rede uma concorrência "dentro de casa". Nesses casos, eles precisarão de mais informações para que mudem sua visão. O ideal é que haja uma integração, de forma que a Internet funcione para complementar o processo de busca de informações para o cliente antes de a empresa decidir realizar determinado investimento. Alguns autores chamam isso de "multicanalidade" (como citado), ou seja, disponibilizar canais de acesso ao consumidor para que ele decida onde, quando e como deseja efetivar sua compra.

Um exemplo que aponta a Internet como excelente canal para as PMEs foi demonstrado pelo autor Chris Anderson, com a famosa teoria da "cauda longa", citada no Capítulo 2, na qual descreve infinitas possibilidades de negócios para atender às mais variadas, e até "bizarras", demandas. Conforme exemplo em seu livro, há interessados nas músicas "menos famosas" de certas bandas de *rock*. Onde alguém, com esse tipo de interesse, poderia pesquisar por produtos, se não na Internet? Por isso digo que essa teoria da cauda longa é a explicação para o foco em nichos específicos que a Internet permite, como nenhum outro canal permitia antes. Além disso, a Internet é democrática, uma vez que o baixo custo por clique (CPC) possibilita a uma PME ter acesso a *links* patrocinados, por exemplo.

De qualquer forma, antes de definir se irão oferecer produtos ou serviços para nichos específicos, os pequenos empresários precisam focar basicamente em ter ou estruturar um planejamento do seu negócio; criar uma presença digital, que, entre outras coisas, pode ser iniciada com um *site* ou *blog* bem estruturado, repleto de informações que ajudem seu cliente a decidir na hora da compra; selecionar as principais plataformas de mídias sociais em que faz sentido estar presente; pensar em uma estratégia de divulgação, utilizando, por exemplo, as ferramentas de busca para divulgar seus produtos ou serviços, *links* patrocinados, redes sociais, *e-mail* marketing, ou seja, **o que é válido para empresas maiores também pode ser adaptado para as PMEs**, guardadas as devidas proporções.

Essas e muitas outras ações podem ser utilizadas pelas PMEs; porém, sabemos como é difícil dar foco a mais essa demanda, visto que os empresários, em geral, são responsáveis por tudo dentro da empresa e não têm o conhecimento necessário. Por isso recomenda-se a contratação de profissionais especializados no universo digital, que poderão obter melhores resultados, pois já conhecem detalhes dessas operações, além de trazer agilidade ao processo. Se a contratação for algo inviável, há a possibilidade de contratar, por exemplo, assessorias ou consultorias em Internet, que muitas vezes também são empresas de pequeno porte e por isso poderão oferecer um bom trabalho a custos mais acessíveis e adequados às PMEs.

Muitos podem se perguntar por qual razão é necessária uma abordagem específica de "Marketing para as PMEs". Essa adequação se deve a alguns fatores, tais como: a falta de estrutura de marketing, o que ocorre na maioria das pequenas e médias empresas; a dificuldade de entendimento do que exatamente significa marketing (pois em muitas empresas a palavra marketing é associada única e exclusivamente a ações de divulgação de produtos); o entendimento, incorreto, de que não é necessário destinar parte do orçamento para ações de marketing e, por último, mas não menos importante, a falta de um planejamento de marketing.

Nesse perfil de empresa é muito comum que o próprio dono do negócio se dedique a elaborar certas ações relacionadas a marketing, em meio a todas as outras atribuições que lhe cabem. Porém, a falta de conhecimento específico faz que diversas ações não tragam o resultado esperado. Muitas vezes, esse efeito é mascarado pelo momento da economia, que pode favorecer ou desfavorecer os negócios. Porém, numa época de crise mais aguda percebe-se a clara necessidade de buscar soluções mais adequadas, visando melhor retorno dos investimentos realizados.

Nesse momento, normalmente, o gestor se depara com a necessidade de trazer profissionais especializados para auxiliá-lo nas decisões a serem tomadas. E isso não se refere somente a marketing, mas a outras áreas também.

Posso ilustrar com um exemplo ligado a marketing digital, quando o proprietário diz que seu *site* foi refeito nos últimos anos e ainda está com um *design* bonito, interessante etc. Porém, quando se consultam as ferramentas de busca, como Google e Yahoo, a empresa sequer aparece nas dez primeiras páginas. E, como sabemos, hoje, se a empresa não é encontrada, ela não existe, porque as pessoas realizam pesquisas na Internet para selecionar prestadores de serviços ou para adquirir produtos, como já foi amplamente discutido. E, nesse caso, provavelmente o empresário não terá conhecimento específico para atingir sozinho melhores resultados.

As empresas que imaginam ser possível permanecer distantes das inovações digitais esquecem que, muitas vezes, seus concorrentes veem isso de outra forma, e, sem perceber, perderão clientes para aqueles que se adaptaram melhor ao novo jogo do mercado.

3.14 Mensurando os resultados

A mensuração dos resultados é outro ponto que faz parte do planejamento, pois, como se sabe, só podemos melhorar aquilo que conseguimos medir. Nota-se que a dificuldade para analisar o retorno de algumas campanhas foi ampliada com o uso, cada vez maior, das estratégias digitais de marketing, tendo em vista a grande diversidade de novas ações que podem ser empregadas. Mas, se por um lado ficou mais trabalhoso acompanhar e explicar os resultados por conta das mídias digitais, por outro se tornou claro que não é viável estar ausente desse canal de comunicação. E, além disso, as mídias digitais oferecem uma grande vantagem, pois se pode mensurar e acompanhar praticamente tudo.

> Há algumas formas gratuitas de acompanhar diversas informações do *site* da empresa utilizando, por exemplo, o Google Analytics (www.google.com/analytics), a mais conhecida das ferramentas. Pode-se monitorar, por exemplo, o volume de acesso por determinado período, de onde as pessoas acessam o *site*, ou seja, a origem das visitas, de que regiões do mundo, entre muitas outras informações.

Na prática, o caminho mais indicado a ser percorrido é definir inicialmente quais os objetivos que se desejam atingir com a realização de determinada campanha ou ação, pois, embora isso pareça óbvio, nem sempre é o que ocorre. Essa etapa contempla a definição dos principais indicadores de controle ou de sucesso de determinada estratégia, que irá variar de acordo com o tipo de negócio em questão, ou seja, cada empresa deverá ter sua lista de indicadores, com os itens a serem acompanhados, caso contrário não terá meios de assegurar que suas ações trouxeram o resultado esperado. E isso é fundamental para empresas de quaisquer tamanhos.

Em alguns casos a empresa não está somente buscando vendas, e sim almeja a captação de novos contatos para posterior oferta de algum novo serviço, como cursos, por exemplo. Nesses casos, o resultado ou a taxa de conversão que devemos analisar é se os *prospects*, ou futuros interessados, estão preenchendo algum tipo de formulário ou cadastro.

É necessário realizar um **acompanhamento constante** para avaliar se os investimentos realizados estão sendo alocados na melhor estratégia e nos melhores canais, sejam eles portais, *links* patrocinados etc. E essa é uma das grandes vantagens da *web*, pois é possível medir praticamente tudo e fazer alterações de rota em tempo real, com muita velocidade de implantação, algo que não se observa em diversas outras mídias.

Devem-se analisar os resultados trazidos não apenas pelos diferentes canais onde está sendo feita a veiculação, mas também os diferentes formatos utilizados para tal.

Se estivermos falando de *banners* é necessário analisar qual tipo mais atrai a atenção do internauta, por exemplo, comparando os resultados com o uso de um *banner* simples *versus* um formato *rich media* (que pode ser definido como uma forma de maior atração e com a possibilidade de acessar informações mais rapidamente).

No caso do uso de *links* patrocinados (veja mais detalhes nos tópicos a seguir), devem-se selecionar e analisar as palavras-chave mais adequadas para localizar aquele tipo de produto ou serviço da empresa, acompanhar sistematicamente e, mediante seus resultados, alterar essa lista sempre que for necessário. Esse é um trabalho permanente e que exige muita disciplina por parte da agência ou da própria empresa.

Isso demonstra que não se pode focar apenas nos resultados baseados em cliques feitos em um *banner* ou uma página, por exemplo, pois eles não retratam exatamente tudo o que está acontecendo, até mesmo porque, na maioria dos casos, as campanhas são integradas, ou seja, uma mala-direta deve levar ao *site*, um anúncio em revista ou TV pode levar a um *hotsite*, enfim, é necessário avaliar por múltiplas métricas para se chegar a uma conclusão mais adequada.

Outra forma de análise do *site* é o ClickStream, que analisa a navegação através dos cliques em cada página; nesse caso, cada seta é um clique e cada ponto é uma página do *site*. Isso mostra o tempo de navegação, e os botões clicados e as cores indicam a popularidade da página.

Em resumo, é necessário definir quais itens mensurar, utilizar ferramentas gratuitas disponíveis na própria *web* para trazer informações, mesclar com levantamentos internos feitos pela equipe de marketing da própria empresa e, quando necessário, recorrer aos prestadores de serviços especializados, que poderão complementar de forma eficiente esse trabalho de levantamento e análises, pois, repetindo, só é possível aprimorar aquilo que conseguimos mensurar.

> **Mensurando redes sociais**
>
> Outra métrica que se torna cada vez mais relevante é a avaliação do impacto gerado pelas redes sociais (saiba mais nos tópicos a seguir). Há diversas soluções voltadas para levantar dados sobre a situação da empresa em comunidades significativas, e há também muitas estratégias para que ela se relacione melhor com essas redes.
>
> Há empresas especializadas, como SocialMetrix, DP6, Vitrio, AT Internet, SCUP e eLife, entre outras, que fazem esse tipo de análise, classificam as menções em positivas, negativas ou neutras, avaliam o impacto e a progressão dos comentários, identificam autores e a sua influência na rede, enfim, acompanham a presença digital da empresa como um todo.
>
> Essas empresas usam recursos avançados, como semântica, ontologia e desambiguação para poder avaliar melhor o que é dito na rede. Isso tudo vai muito além das famosas nuvens de *tags* (termos em destaque nos *sites*), que são apenas palavras soltas. Para que façam sentido é necessário contextualizá-las, dar significado, por meio da estruturação das informações.

> Essas empresas monitoram *blogs*, fóruns, *sites*, redes sociais e a mídia tradicional *on-line*. Capturam publicações, depoimentos e opiniões. Identificam marcas, produtos, serviços e suas características. Essa mensuração ganha importância cada vez maior dado o crescimento da influência das redes de relacionamento sobre as vendas, o famoso *social commerce*. Sabemos que a maioria das pessoas utiliza a *web* para pesquisar antes de comprar quaisquer produtos. São pesquisas de preços, de opiniões de outros internautas, de detalhes dos produtos, enfim, o cliente já chega ao vendedor, muitas vezes, com mais informações do que o próprio. Para itens de maior valor agregado, como automóveis, por exemplo, essa pesquisa é feita por mais de 90% do público interessado.

3.15 Tendências para o marketing digital

De tempos em tempos algumas inovações se tornam marcantes. No momento, as atenções se voltam para o marketing na *web* e, principalmente, para a força das mídias sociais e seu melhor uso para chegar até o cliente.

Como há muito modismo, observa-se que algumas empresas solicitam, por exemplo, às suas agências uma campanha de marketing viral, como se isso fosse algo possível de se prever. Na verdade, as ações não devem ser feitas de forma independente de uma estratégia de marketing global da empresa. É preciso cautela, pois em alguns casos é necessário primeiramente rever a estratégia do negócio como um todo e verificar se as ações estão adequadas com o que é feito no restante da empresa.

Outra tendência, que não está nos equipamentos nem nas novas tecnologias, está relacionada à forma de se adequar aos novos usuários – as classes de baixa renda. Um desafio interessante é compreender qual a melhor linguagem e os serviços que agregam mais valor a serem percebidos por esse público, que não pode ser ignorado de forma alguma. Um exemplo da importância desse mercado é que hoje há quase 60 milhões de jovens das classes C, D e E que em breve se casarão, constituirão família e ditarão os rumos do consumo no País; eles estão conectados via Internet ou celulares e frequentam comunidades virtuais, assim como frequentam bares. Portanto, é fundamental saber como se comunicar com eles.

Observa-se também uma **tendência de investimentos para a expansão de operações de *e-commerce*.** Entre os setores que apresentarão grande expansão se inclui o varejo de conveniência, como farmácias, supermercados e produtos para presentes (vemos o crescimento das listas de presentes de casamento, por exemplo), além de novas tecnologias que possibilitam a exposição dos produtos em 3D, ou a melhor apresentação de itens de vestuário, com o uso de realidade aumentada ou de centimetragem para reduzir as incertezas por parte dos consumidores no momento da compra desse tipo de item, visto que no Brasil há ainda uma falta de padronização nessa área. Ainda com relação ao *e-commerce*, a tendência é que o *social commerce* e o *mobile* *commerce* continuem crescendo, o que finalmente vem se acelerando rapidamente nos últimos semestres.

O crescimento no volume de investimentos ocorrerá também para aquisição de *softwares* e soluções de suporte ou "retaguarda". Esses investimentos se referem à **necessidade de monitoramento de redes sociais,** com a contratação de equipes dedicadas ou empresas terceirizadas com o objetivo de levantar e acompanhar a situação das marcas na *web*. Esse tipo de serviço é fundamental para as empresas que desejam entender e aprimorar o relacionamento com seus diversos públicos.

Outra tendência diz respeito ao **aperfeiçoamento do uso das ferramentas de busca,** pois o que se observa ainda é que muitos investimentos são feitos no desenvolvimento de *sites* corporativos, mas sem grande preocupação com uma efetiva "presença digital", fator primordial para contribuir com a localização, ou "encontrabilidade" da empresa na *web*, fundamental para o sucesso ou fracasso das instituições.

Observa-se o crescimento da chamada *web semântica*, que por sua vez se caracteriza como a Internet inteligente, que transformará o conteúdo ainda desorganizado da *web* em informação relevante para a tomada de decisão, através do cruzamento de dados. Isso evitará o envio de uma "enxurrada" de páginas inúteis a cada busca realizada, por exemplo. Ao mesmo tempo, haverá cada vez mais sintonia entre o perfil de quem realiza a busca e as ofertas a ele apresentadas de acordo com seu momento de consumo.

O movimento de migração das verbas publicitárias para ações digitais de marketing também está relacionado ao fato de ser possível chegar mais próximo do marketing *one-to-one*, idealizado pelos profissionais de marketing direto há mais de 25 anos, mas que agora se torna realidade através do uso inteligente dos dados, para oferecer de maneira eficiente o que o consumidor realmente deseja adquirir.

A compra de mídia programática tem sido um dos segmentos que mais crescem na publicidade digital, estando em um ponto de inflexão, e a evolução tende a ser ainda mais rápida nos próximos anos, impulsionada principalmente pelos dispositivos móveis. À medida que consumidores e anunciantes se tornam cada vez mais *mobile*, a mídia programática continua a crescer, representando 50% de todas as compras de anúncios para dispositivos móveis.

Para que isso ocorra é essencial a integração das informações da campanha *on-line*. Por esse motivo, outra grande tendência será a utilização de uma ferramenta de Data Management Platform (DMP), por ser um método centralizado que permite gerenciar cada usuário impactado e **quanto cada veículo e formato contribuíram para a conversão do cliente,** além de permitir a personalização da comunicação em função do seu comportamento e interesse, quando integrado com uma ferramenta de DCO (Dynamic Creative Optimization), que permite a criação de peças publicitárias para o meio digital de forma automatizada; para compra de mídia no modelo RTB (Real Time Bidding) em plataformas de DSP (Demand Side Platform), que se plugam nos veículos através das AdExchanges, conforme explicitado anteriormente.

Exemplo: uma cliente encontra o *site* de determinada empresa clicando em um *link* patrocinado. Ela volta uma semana depois através de uma rede social. Nesse mesmo dia, ela recebe um *e-mail* e retorna pela terceira vez ao *site*, agora com uma possibilidade maior de conversão, com base na ferramenta que calcula a propensão do usuário para a compra. Ainda assim, não faz a compra. Como a ferramenta sabe o produto de interesse dessa cliente, é possível gerar um *banner* com uma promoção desse produto, com a forma de pagamento desejada, em um *site* qualquer que ela acesse. Mais uma vez ela é impactada, entra no *site* e finalmente realiza a compra.

Isso porque, na prática, **não é apenas um veículo ou formato que leva à conversão do cliente**, conforme o exemplo citado, mas cada um dos pontos de contato com a campanha *on-line* teve sua parcela de contribuição. Afinal, o último clique (*last click*) no *banner* poderia não ter ocorrido se não houvesse um conhecimento adquirido sobre o produto de interesse e o estágio de compra dessa usuária. Tudo isso só foi possível devido à integração e centralização do conhecimento obtido durante o processo de experiência de cada usuário (engajamento), o que pode ser chamado de "marketing de atribuição", informações essas obtidas pela ferramenta.

Por outro lado, ainda sobre mídia programática, segundo dados da empresa MediaMath sobre *adfraud*, as perdas com fraude em anúncios devem somar US$ 16,4 bilhões este ano no mundo. No ano passado, cerca de 20% do investimento em mídia digital foi desperdiçado e 29% dos investimentos em compra programática rodaram em tráfego inválido em 2017.

Nunca antes houve tantos pontos de contato pessoais para chegar a um consumidor, através de *smartphones*, *tablets* e, a partir de 2015, os *wearables*, ou a internet "vestível". A ascensão de aplicativos móveis e a compra programática foram algumas das maiores tendências da indústria *mobile*. Com os avanços das empresas de mídia programática, da *First-Party Data* (informações coletadas diretamente do *site* de anunciantes, varejistas, ou outros, sobre seus visitantes ou consumidores) e dos formatos de anúncios altamente engajadores, é o momento para a publicidade móvel.

Para finalizar, destaca-se a tendência de busca por maior conhecimento, pois cada vez mais percebemos que a Internet imprime uma velocidade alucinante, fazendo que todos se sintam desinformados em muito pouco tempo; é como se estivéssemos sempre perdendo alguma coisa. Dessa forma, o mercado de educação como um todo também está bastante favorecido, havendo grandes oportunidades de desenvolvimento de cursos, treinamentos e programas nessa área.

Ainda há uma longa jornada a ser percorrida, pois muitas dessas tendências dependem de mais investimentos em tecnologia para criação de processadores cada vez mais potentes e para a unificação de padrões, o que não é fácil de ser obtido.

Se por um lado esse futuro se mostra fascinante em termos de oportunidades de novos negócios e de agilidade no acesso a muitas informações, por outro tem trazido à tona os questionamentos sobre privacidade e sobre ética. Para as empresas, o que se torna imperativo é o acompanhamento dessa evolução.

Este capítulo tratou de diversos aspectos ligados à **utilização de estratégias digitais** para expandir os horizontes do marketing tradicional, com o objetivo de divulgação, venda, criação e fortalecimento de marcas. Essas estratégias, como foi bastante destacado, não devem ser pensadas e aplicadas de forma isolada e independente de uma estratégia global da empresa.

4

AS MÍDIAS SOCIAIS E O RELACIONAMENTO EMPRESA-CLIENTE

OBJETIVOS

- ✓ Entender as características do consumidor atual, e como a Internet pode auxiliar nessa interação.
- ✓ Esclarecer a diferença entre redes sociais e mídias sociais.
- ✓ Conhecer o potencial das mídias sociais para o relacionamento com o cliente, e a importância do planejamento dessas mídias para atingir os objetivos do negócio.
- ✓ Entender o conceito de cocriação, e como aplicá-lo para envolver a comunidade na criação de novos produtos e serviços.
- ✓ Conhecer os conceitos de *storytelling* e *storyselling* e como aplicá-los.
- ✓ Ter um panorama geral das mídias sociais no Brasil, na América Latina e no mundo.

A era da Web 2.0, que ainda vivemos hoje, como foi dito no primeiro capítulo, é marcada pela interação e pela participação, pois trouxe o consumidor para o centro do palco, permitindo que sua voz fosse ouvida, que suas mensagens fossem levadas a sério pelas empresas e que cada cidadão se transformasse em mídia. Essa realidade impacta diretamente as empresas e o consumo em geral, pois o internauta tem o poder de influenciar tanto na formatação de novos produtos como na promoção ou mesmo prejuízo de uma marca, dependendo de suas ações e de seu poder de influência.

> **Fique por dentro**
> Além dos avanços trazidos pela Web 2.0, estamos passando pela etapa da Web 3.0, ou web semântica, em que a inteligência artificial e a estrutura da Internet são utilizadas para personalizar a experiência dos usuários.

A introdução de novos processos e tecnologias sempre provocou mudanças significativas nas relações entre o mercado e o consumidor. Passamos por vários estágios, iniciando com a figura do vendedor que ia de porta em porta para levar ao provável comprador uma série de mercadorias para sua escolha, evoluindo para as lojas físicas e outros canais de venda, entre os quais catálogos, televisão e telefone (televendas), e finalmente para o comércio eletrônico pela Internet e outros canais. O efeito paralelo mais importante causado pelo uso do meio digital para aquisição de produtos e serviços foi o surgimento de um novo tipo de consumidor.

A partir daí – no período compreendido entre 1995 e 2005 – é que as pessoas começaram a se dar conta de que a Internet lhes permitia comparar produtos, marcas e preços, analisar formas diferenciadas de pagamento, selecionar varejistas e mercados (interno e externo) – hábito que se incorporou ao comportamento e contribuiu para torná-las cada vez mais exigentes e seletivas. Outra grande mudança aconteceu a partir de 2006, quando o celular, as tecnologias móveis e as redes sociais também passaram a ser utilizados como canais de relacionamento, vendas, promoção e pagamento de produtos e serviços. E agora as atenções se voltam para um novo e promissor canal: a TV digital interativa.

Com todos esses meios à sua disposição, o consumidor ficou mais consciente do seu poder e das múltiplas possibilidades existentes, o que, em contrapartida, tem obrigado as empresas (tanto fabricantes de produtos como prestadoras de serviços e varejo) a ser mais eficientes e criativas, tanto para conquistá-lo como para satisfazê-lo.

No Brasil, a semente dessa conscientização foi plantada bem antes, em 1990, com a criação do Código de Defesa do Consumidor (CDC) e de órgãos governamentais eficientes para assegurar o seu cumprimento, como o Procon, medidas essas que forçaram as empresas a tratar queixas e necessidades dos clientes com maior seriedade. Mas não resta dúvida de que foi a partir da evolução da Internet, mais precisamente da Web 2.0 e da interatividade propiciada pelas mídias sociais, que o consumidor ganhou voz e poder de fato.

Até então, os únicos canais disponíveis para reclamações ou para esclarecimentos de dúvidas sobre produtos e serviços eram o telefone, *fax* e *e-mail*, que, em geral, compõem os SACs (Serviços de Atendimento ao Consumidor) nas empresas. Mas a comunicação continuava sendo restrita, de um para um, e na maioria das vezes ineficaz, exigindo do cliente muita paciência e persistência para fazer valer os seus direitos. E isso ainda acontece porque grande parte das empresas não despertou para essa nova realidade. Esse é um conflito que existe hoje: os *sites* institucionais, que em geral foram construídos há mais de quatro ou cinco anos, não oferecem espaço para qualquer tipo de interação. Em geral, limitam-se a fornecer um número de telefone ou endereço de *e-mail*, esquecendo que hoje as pessoas não querem apenas ver um *site* "bonito"; elas desejam interação. E se o *site* oficial da empresa não oferece um espaço para essa discussão, o consumidor vai levar sua insatisfação ou dúvidas para fóruns públicos, quer dizer, comunidades virtuais que viabilizam essa discussão. Ele vai debater suas questões nas redes sociais, tanto para fazer queixas sobre produtos ou serviços, como também para elogiar ou recomendá-los, se for o caso.

Com isso, a comunicação deixa de ser "de um para um" e passa a ser "de um para muitos" – e, em vários casos, "de um para milhares", e mesmo de muitos para muitos. Se a empresa fica alheia a isso, pode ter sua imagem bastante comprometida, passando a amargar prejuízos e até perder clientes – os tradicionais e, principalmente, os potenciais, que pesquisam tudo na *web* antes de fazer novas compras e, no caso de encontrar muitas queixas não solucionadas pelas empresas, vão, com certeza, buscar alternativas mais interessantes na própria *web*.

É o que Maurício Salvador, fundador da ComSchool, classifica como o fortalecimento do quinto poder:

> Lembro bem de ter estudado, no colégio, sobre os Três Poderes: Executivo, Legislativo e Judiciário. Algum tempo depois, já na faculdade, falava-se no Quarto Poder, o da Imprensa, que era voltado a proteger os direitos do cidadão denunciando abusos, injustiças e má administração governamental sob uma bandeira de defesa da democracia. Atualmente, na Era da Informação, catalisada pela Internet e seus "zilhões" de páginas, imagens, vídeos e mídias sociais, podemos pensar em um Quinto Poder: *o poder do consumidor e seu conteúdo colaborativo*. O Quinto Poder significa mais do que colocar suas insatisfações como consumidor num amplificador. É o poder de fazer produtos voltarem para as mesas dos projetistas para serem redesenhados. É o poder de fazer as empresas reconhecerem, publicamente, quando erram e de enaltecer aquelas que se preocupam realmente em trazer qualidade e inovação para o mercado.

4.1 Rede social × Mídia social, SAC 2.0 e *Facebook Marketing*

Em termos conceituais ainda há certa confusão entre mídias sociais e redes sociais. Na verdade, as redes sociais nada mais são do que grupos de pessoas com interesses comuns, que não necessariamente dependem da Internet para existir. Grupos que se reúnem para conversar sobre os mais diversos temas – o que inclui falar sobre marcas, produtos, serviços, empresas etc. –, jogar ou simplesmente bater papo. O que mudou é que com a evolução da Web 2.0, isso se reproduziu no ambiente virtual e cresceu de forma exponencial. O surgimento dos **sites de relacionamento, que passaram a ser chamados de "redes sociais"**, como Facebook, LinkedIn, Instagram, Snapchat, Google+, Twitter, só para citar alguns mais conhecidos, permitiram reunir na *web* várias comunidades (redes) com regras próprias, possibilitando a seus integrantes interagir de várias formas e trocar informações de interesse comum.

Figura 4.1 Ilustração sobre as redes sociais.

Uma rede social é composta de "nós" (pessoas) e "laços" (conexões ou vínculos sociais). Os "nós" são ligados pelos laços interpessoais. É importante analisar o **capital social** de cada nó (indivíduo), ou seja, o **valor** que cada indivíduo obtém dos recursos acessíveis através da rede social, por exemplo, a troca de informações. Os laços interpessoais podem ser de três tipos: **fortes** (amigos, famílias e pessoas com quem mantemos relações próximas), **fracos** (conhecidos e pessoas com quem mantemos relações mais superficiais), ou **ausentes** (pessoas que não conhecemos ou com quem não nos relacionamos). Os laços fracos constituem a maioria das ligações entre as pessoas. São responsáveis pela maior parte da transmissão de informações entre as redes, ou seja, mais notícias e novidades fluem para os indivíduos por meio dos laços fracos do que pelos laços fortes. Isso provavelmente ocorre porque os amigos mais próximos (laços fortes) tendem a frequentar os mesmos ambientes, por isso as informações que recebem normalmente se sobrepõem ao que já sabem. Já os conhecidos (laços fracos) conhecem pessoas diferentes, portanto, recebem mais informações novas.

Esse fenômeno contribui para a identificação de novas oportunidades, principalmente para as PMEs, pois através das redes sociais os empreendedores podem verificar possibilidades de novos negócios ou de desenvolvimento de produtos. No ambiente digital, devido à alta velocidade de circulação de informações, o papel dos laços fracos torna-se ainda mais crítico, e por isso requer a habilidade de mapeamento para que possam ser adotadas estratégias adequadas de atuação.

Por outro lado, o termo "mídias sociais" se refere ao meio, ou seja, às ferramentas usadas para comunicação, que incluem as redes sociais e os *sites* de Internet que permitem a criação e o compartilhamento de informações e conteúdo de pessoas para pessoas. Nesse caso, o consumidor pode ser ao mesmo tempo produtor e consumidor da informação, como ocorre, por exemplo, nos *blogs*, e também em outras redes como o Twitter, Tumblr, YouTube, Slideshare e Pinterest.

Para as empresas é fundamental compreender como as redes e as mídias sociais funcionam e avaliar seu poder de persuasão. E, ainda, devem ficar atentas para o fato de que, nelas, o conhecido "boca a boca" ganha uma amplitude inimaginável, pois se no mundo físico uma pessoa insatisfeita podia influenciar outras 11 (segundo teoria famosa do passado), no mundo virtual esse número pode chegar a milhares ou milhões de pessoas, dependendo do alcance de sua influência.

Isso, portanto, vale para o bem e para o mal. Tanto vale para falar bem de um produto ou serviço e, consequentemente, levar outros consumidores a se interessar por eles, como para desabafar sobre descontentamentos, falhas ou atendimento ruim por parte das empresas.

Isso transformou a *web* em um novo canal de relacionamento, fazendo surgir um novo termo, o **SAC 2.0**, que quer dizer Serviço de Atendimento ao Consumidor na era 2.0, ou na era digital, ou na era das mídias sociais.

Fique por dentro

Da mesma forma que a Web 3.0, já se fala em SAC 3.0, que tem como objetivo principal conhecer a fundo cada consumidor. Utilizando ferramentas de armazenamento e análise de dados, é possível traçar o perfil e hábito de cada cliente e direcionar estratégias específicas e mais assertivas, aumentando o potencial de gerar negócios.

Uma boa aplicação da utilização das opiniões de outros clientes de forma estratégica também pode ser vista em diversos *sites* voltados para o turismo, como o TripAdvisor, Booking.com ou Hoteis.com, para reservas de hotéis no mundo todo. Isso fornece muito mais segurança aos consumidores, pois não estarão tomando uma decisão com base em propaganda ou mídia paga realizada por uma empresa (*paid media*), e sim com base em testemunhais de clientes que já se hospedaram naqueles hotéis e que atestaram sobre sua localização e serviços prestados, conceito esse denominado **mídia conquistada ou espontânea** (*earned media*). A única questão é que essa mídia não pode ser controlada.

Em situações de insatisfação com algum produto ou serviço, nas quais o consumidor não consegue ser atendido pela empresa que o vendeu ou fabricou, esse descontentamento pode ter reflexos extremamente negativos no ambiente virtual. As primeiras manifestações desse tipo surgiram no Brasil na extinta rede social Orkut, com a criação de comunidades como "Eu odeio a empresa tal...", e com o passar do tempo se multiplicaram em outras redes e até incentivaram a criação de *sites* específicos para reclamações, como é o caso do famoso *site* Reclame Aqui (www.reclameaqui.com.br), que hoje, aliás, está se internacionalizando e se tornou praticamente o novo Procon.

O maior risco é para as empresas que não costumam fazer monitoramento das redes sociais, nem ter uma atuação adequada no ambiente digital, pois as reclamações não respondidas nem solucionadas acabam impactando as primeiras páginas dos buscadores, o que obviamente impactará também a decisão de quem tinha a intenção de adquirir algum produto ou serviço da empresa. Consequentemente, a companhia que está perdendo vendas e novos clientes, sem se dar conta dos motivos que estão levando a isso, acredita que essa perda de mercado advém de outros fatores, por exemplo, da falta de divulgação ou incompetência da sua equipe de vendas.

O problema, porém, teria resolução mais simples se a empresa estivesse mais atenta à sua presença digital. Faça uma experiência você mesmo: imagine que está buscando um novo seguro para seu automóvel, selecione uma empresa qualquer que você conheça e pesquise o que é dito sobre ela. Se encontrar informações e notícias negativas nas primeiras posições nas páginas dos *sites* de busca, você irá optar mesmo assim por essa companhia?

A rede de supermercados paulista Pão de Açúcar também tem hoje uma equipe atenta para o atendimento vindo pelos canais sociais, tamanha é a importância que esse assunto adquiriu depois de terem passado por alguns problemas no início desse *boom* de interações nas redes sociais. Nenhuma grande empresa quer correr o risco de ter sua imagem arranhada depois de fazer tantos investimentos na construção da sua imagem.

Evidente que uma empresa de pequeno porte muitas vezes não tem condições de fazer o mesmo investimento, mas existem alternativas. A primeira delas é começar a mapear a Internet e descobrir o que as pessoas estão falando da sua marca, produtos ou serviços. O mínimo que a empresa tem de saber fazer é entrar nos *sites* de busca como o Google e verificar o que está sendo dito sobre ela diretamente, ou sobre seu segmento de atuação, e mesmo se seu nome aparece ou não nas buscas e de que forma. É importante, inclusive, verificar se a empresa aparece nos *sites* específicos para reclamações para saber se há clientes (e quantos) insatisfeitos com ela e que optaram por esse caminho, pois provavelmente não foram atendidos pela própria empresa.

É recomendável monitorar constantemente as redes sociais. Para isso podem ser utilizadas ferramentas gratuitas, principalmente no início dessa atividade. Porém, sugere-se que a empresa procure contratar ferramentas que forneçam mais informações, pois hoje há serviços bem acessíveis. Isso porque os gratuitos, normalmente, analisam apenas as últimas 50 ou 100 menções sobre o assunto, enquanto os pagos guardam o histórico completo e suas análises. Além disso, os pagos oferecem dados como dias e horários em que a marca é mais citada, qual o formato de interação do consumidor, quais as reclamações mais constantes, quais as pessoas que mais interagem com a marca e muito mais.

Após tomar conhecimento sobre as reclamações a seu respeito, uma providência importante é procurar aquele(s) consumidor(es) e tentar resolver a questão fora das redes sociais. Não é recomendável, de forma alguma, a empresa entrar em uma discussão nos meios digitais, porque isso poderia se voltar contra ela mesma, na medida em que poderia levar as pessoas a reclamar ainda mais. Se o problema for resolvido a contento, provavelmente o próprio cliente volta a postar seus comentários na rede.

No *site* Reclame Aqui, por exemplo, são elencadas todas as reclamações atendidas e as que não foram. Essa informação é fundamental para o consumidor porque, se a empresa teve problemas, mas conseguiu resolvê-los de forma satisfatória para o reclamante, ganha muitos pontos a seu favor. É uma forma de mostrar ao mercado que está atenta ao cliente e que toma providências para satisfazê-lo.

Há algum tempo, o supermercado Pão de Açúcar, por exemplo, soube que o cliente de uma de suas lojas reclamou no Twitter por ter comprado um produto fora do prazo de validade. Imediatamente a empresa procurou esse consumidor e enviou para sua casa um novo produto, agora com a validade correta.

Outro caso interessante foi uma "conversa" entre o Banco Itaú, a rede Ponto Frio e o sistema de *streaming* Netflix, para atender um consumidor pelo Twitter que estava interessado em adquirir produtos ou serviços dessas marcas. Isso demonstra uma mudança gigantesca de paradigma, quando verificamos empresas interagindo para satisfazer um cliente.

Por outro lado, se uma empresa não responder nem tomar providências quanto a uma reclamação, tal atitude se voltará contra ela. É como se estivesse dizendo que, além de não ter a preocupação de atender bem o cliente no seu próprio estabelecimento, também não está atenta para as reclamações realizadas nos canais onde o cliente escolheu fazê-las, nem está atuando para corrigi-las.

Vale reforçar a importância das ferramentas de buscas. Não basta apenas a empresa aparecer nas primeiras páginas dos resultados de uma pesquisa; precisa se preocupar com a forma como aparece. Isso porque, em geral, as redes e as mídias sociais estão conectadas com os buscadores, o que significa que tudo o que se posta nas redes de relacionamento, como *blogs*, Twitter, Reclame Aqui, Facebook, YouTube etc., poderá vir a aparecer nos resultados de busca, e pior, de forma negativa para a empresa.

Por isso, mesmo que a empresa não esteja presente nessas redes, invariavelmente (e indiretamente) ela estará lá de alguma forma, pois os próprios internautas se encarregam de postar informações e materiais sobre ela. Por isso, costumo aconselhar os empresários que ainda não estão criando ou fortalecendo sua presença digital que monitorem o que está sendo tratado sobre suas empresas e marcas, pois isso não depende apenas do seu desejo; eles devem saber que o controle da sua imagem corporativa não está somente nas suas mãos ou da sua equipe de comunicação, mas passa pelas ações diretas dos seus consumidores. Essa é, hoje, uma das mudanças mais importantes a que devemos estar atentos e nos preocupar!

Os consumidores estão começando a ser donos de nossas marcas e participantes na sua criação... Precisamos começar a nos desapegar.

(AG Lafley, CEO e presidente da P&G, outubro 2006)

Facebook Marketing

Quando um perfil é ativado no Facebook, uma marca se permite usar o poder de um *post* para contar um capítulo da narrativa envolvente de sua campanha de comunicação, como uma novela. Nesse instante, a mensagem, identidade e missão podem ser divulgadas para milhares de consumidores, além do produto, serviço ou marca em questão.

Essa missão não é simples, já que a todo momento seus consumidores são submetidos a uma enxurrada de informações, dificultando a construção de relações efetivas. Por esse motivo, uma ação de marketing no Facebook deve compreender a dinamização de estratégias sociais, que se baseia em **storyselling** (em português, "venda de uma história") e segmentação da audiência, a fim de contar histórias certas sobre sua empresa para as pessoas certas, permitindo que o consumo de conteúdo, responsável pela conexão emocional, e o ato da compra andem juntos.

Já não é uma novidade o papel que boas histórias desempenham no cérebro humano, por ser uma forma de registrar o passado e de entreter. Tanto que estão presentes quando vamos ao cinema, quando lemos um livro e quando estamos entre amigos. Gostamos de nos identificar com um personagem, sentir raiva de outros e nos divertir com aquele mais engraçado. São por essas histórias da vida real, experiências e vivências dos nossos amigos e familiares, compartilhadas nas mídias sociais, que nos conectamos. Afinal, gostamos de nos emocionar.

Baseada nesse conceito, a tática *storyselling* (utilizar a narrativa de uma história para vender algo) surgiu no ramo empresarial. Ocorre quando as marcas se apropriam de histórias para causar um impacto diferente e transformar leitores em compradores, e compradores em leitores. É um pensamento que vai além da influência, por isso a experiência precisa ser positiva para ambos os lados.

Por ser um movimento tão estratégico, não basta apenas construir conteúdo e comprar espaço publicitário sem considerar o impacto dessa disposição. É imprescindível conhecer a linguagem, preferências, vontades, desejos e necessidades para garantir que não só a comunicação, mas também que os produtos anunciados estejam alinhados às expectativas do público, e assim, conduzir o usuário da jornada de conhecimento (conteúdo) para a jornada de compra (*e-commerce*).

Nesse momento, você deve estar se perguntando sobre a diferença entre *storytelling* e *storyselling* e se ambas as táticas estão relacionadas com contar histórias. É fato que muitas marcas já emocionam seu público contando histórias para construção de posicionamento, já que emoção e memória caminham juntas, e contar histórias é uma forma de transmitir sentimentos. Esse é o conceito de *storytelling*. No *storyselling*, a estratégia é diferente, pois se criam campanhas usando histórias das experiências de cada consumidor, incluindo seu momento na jornada e aproveitando as especificidades de cada canal de comunicação.

A plataforma de publicidade do Facebook desenvolveu formatos para que as campanhas de comunicação das marcas explorem o uso criativo do *storyselling*, permitindo que gerem conhecimento e ao mesmo tempo a conversão. Afinal, esse deve ser o novo pensamento que norteará as marcas que buscam *performance*, principalmente nas mídias sociais.

Dois exemplos do uso de ferramentas para o *storyselling* são o da Nestlé, que fez uma receita rápida usando o formato carrossel de anúncio, e da Netflix, que usou o mesmo formato para promover a série "Narcos"; os dois exemplos podem ser visualizados na imagem a seguir.

O resultado, porém, não será efetivo se o conceito criativo certo for desenvolvido e não for apresentado para o usuário certo no momento certo. Por isso é imprescindível aliar ao planejamento uma segmentação coerente da audiência, ou seja, a escolha do usuário que será impactado com a mensagem. Aliás, o Facebook é uma das plataformas mais completas do ponto de vista de segmentação de usuários. Para se ter uma ideia, é possível definir usuários com base nas músicas que estão ouvindo ou mesmo de acordo com a opção de sentimento, como: "fulano está se sentindo triste, alegre...".

Atualmente, é possível criar campanhas baseadas nos dados geográficos, demográficos ou psicográficos do Facebook, como sexo, faixa etária, localização (cidade, estado e país), relacionamentos (solteiros, namorando, noivos, casados e divorciados), interesses (esportes, *hobbies*, músicas, livros, filmes e hábitos), formação (nível escolar e instituição de ensino), dispositivo móvel (iOS, Android, 2G, 3G ou 4G), trabalho (empresa e função), viagens (frequência, lugares, média de gastos – econômica ou executiva) e comportamento.

Ainda, é possível utilizar dados do próprio anunciante, como o *match* com a base de CRM, visitantes no *site* e usuários com perfis similares (função conhecida como *Lookalike* no Facebook), e também dados de parceiros, obtidos a partir do *match* entre

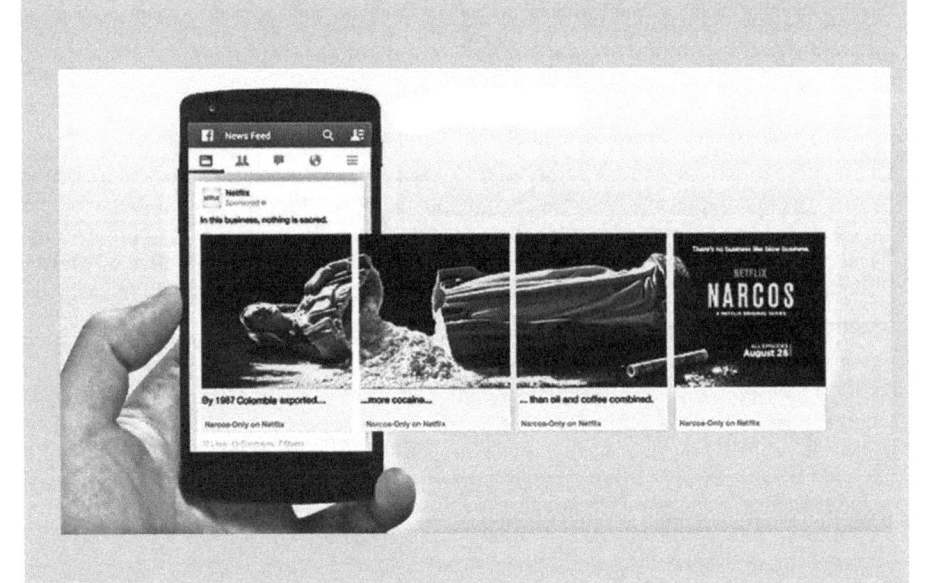

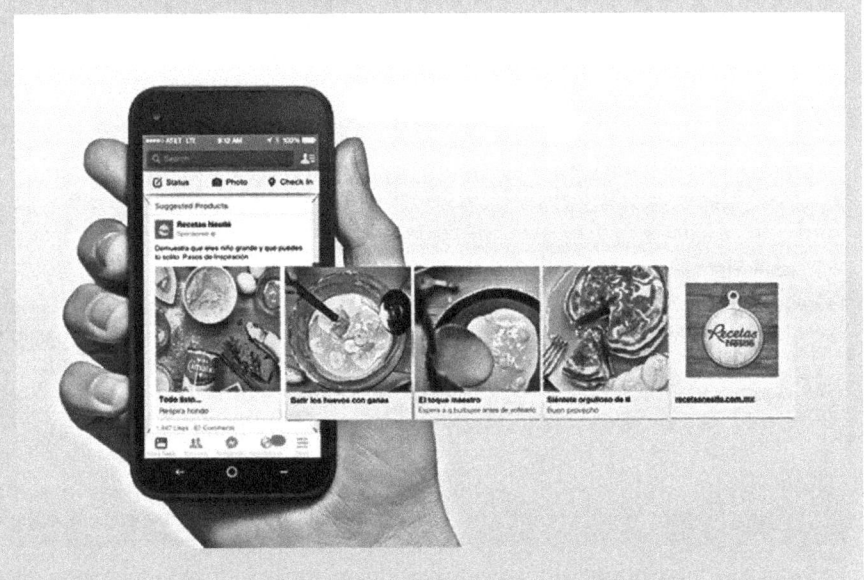

Fonte: <http://www.multiwebdigital.com.br/wp-content/uploads/2015/11/Receita-nestle-carrosel-facebook-ads.jpg>. Acesso em: 12 jul. 2017.

> a base da empresa Serasa-Experian com a base de usuários do Facebook, aplicando dados do mundo *off-line*, como afinidade com determinadas categorias de bens e seu nível de valor, renda familiar, renda pessoal e quantidade de pessoas na residência.
>
> A grande vantagem da publicidade *on-line* está em definir o perfil de cada pessoa em tempo real de acordo com dados individuais, o que permite identificar cada usuário em todas as suas etapas no funil de compra. Definitivamente, está nas mãos dos especialistas em comunicação lançar *posts* que contem as histórias certas da sua marca para as pessoas certas em mídias diferentes, de forma a serem complementares e não terem o mesmo conteúdo, para transformar esse leitor em comprador.

4.2 A importância do planejamento nas mídias sociais e criação da *persona* da marca

Após saber o que são e como funcionam as redes e mídias sociais, o próximo passo é avaliar em quais delas fazem sentido para a empresa, ter presença e uma atuação mais contumaz e, então, estipular uma estratégia de atuação, pois não é indicado nem estar em todas as redes.

Um erro bastante comum das empresas é tentar interagir nas redes sociais sem nenhum planejamento prévio, sem nenhuma estratégia anterior. Simplesmente iniciam uma "conversa" *on-line* sem definir antes quais são seus objetivos, o que é um risco muito grande para suas marcas.

Esse risco se dá porque há bem pouco controle sobre a repercussão de certas ações, o que expõe as empresas a possíveis consequências indesejáveis. Essa falta de controle se deve ao processo atual de geração de conteúdo, que pode ser feito por qualquer um, bem como sua disseminação, que ocorre de forma extremamente veloz na *web*, devido ao alto grau de conexão entre as pessoas.

Costumo dizer que a comunicação nas mídias sociais é "crua, não filtrada e imediata", e, por isso mesmo, muito vulnerável.

São inúmeros os canais e *sites* dos quais um mesmo usuário está participando, ou onde suas mensagens são reproduzidas. Uma boa estratégia de mídias sociais precisa reconhecer esses pontos e ser criada desde o início para evoluir constantemente, aumentando sempre o número de canais monitorados, pessoas influenciadas e a qualidade da análise. É importante começar por algum lugar, mas iniciativas muito pontuais podem ser um erro e levar a resultados por vezes irrelevantes.

Sem um bom planejamento uma marca pode iniciar uma presença ativa no Facebook, ao mesmo tempo que ignora uma comunidade de milhares de pessoas numa rede segmentada, por exemplo, que critica seus produtos e serviços.

As principais marcas serão aquelas cujos consumidores contam as melhores histórias... é a comunicação CtoC (consumidor para consumidor).

Da mesma forma, discutir um produto em comunidades no Facebook pode ser totalmente ineficiente se o seu consumidor preferir uma rede social vertical para isso. Ou controlar a conversa em *blogs*, no Twitter e no Instagram, e não ver os votos que seu produto recebe no BuscaPé ou no Foursquare.

Ou seja, tudo isso indica a necessidade de um plano prévio, incluindo pesquisas, para definir o rumo a ser seguido quando o assunto são redes sociais.

Como sempre digo, o melhor resultado de uma atuação em mídias sociais requer um trabalho "integrado entre muitas ações paralelas".

Uma palavra que nunca foi tão atual é "**reputação**", e para construí-la na Internet é necessário o desenvolvimento de uma "Estratégia de reputação digital". E a estratégia começa com o que a empresa deseja para sua marca no médio e longo prazos. Além disso, as ações na *web* não podem estar desconectadas das estratégias globais da empresa; muito pelo contrário, devem caminhar juntas. Por exemplo, se a empresa deseja transmitir uma imagem inovadora, deverá promover ações que demonstrem isso dentro e fora da rede. Se for uma empresa ligada ao meio ambiente, sua atuação nas mídias digitais, assim como fora delas, deve refletir isso, e assim por diante.

A *web* tornou as pessoas muito mais exigentes e críticas. São milhões de consumidores mais bem preparados para o processo de consumo e de interação atual. Como dissemos, tem sido cada vez mais comum encontrar consumidores nas lojas com mais informações sobre os produtos que desejam adquirir do que os próprios vendedores daquela marca. Várias empresas que se lançam nas redes sem antes definir uma estratégia incorrem em equívocos que não somarão para o seu desempenho futuro, tanto na *web* como nos negócios. Exemplo disso são as empresas que procuram utilizar as redes unicamente para promover seus produtos ou serviços, com o intuito de vender a qualquer custo.

Isso é visto como algo invasivo e poderá fazer que os "seguidores" ou "fãs" daquela marca a abandonem rapidamente. Essas ações acabam saturando aqueles que interagem com a marca. As mídias sociais são, na verdade, uma grande oportunidade de aproximação e interação com seus diversos públicos: clientes, fornecedores, parceiros etc., proporcionando às empresas a chance de criar uma imagem mais positiva e humana.

O mais adequado, além de utilizar esse meio para relacionamento, é a **disponibilização de conteúdo relevante para o seu público de interesse** e, ainda, contar com a sua participação para criar junto um conteúdo cada vez mais colaborativo. Como se diz nas redes de relacionamento, em geral é muito importante primeiro "dar algo" ao grupo para depois pensar em obter algum retorno, e não o contrário.

Uma estratégia de atuação nas redes sociais focada em relacionamento é extremamente importante. Alguns estudos mostraram que um fã na página de uma empresa no Facebook equivale a vinte visitas adicionais ao seu *site*, ao longo de um ano. A Ambev, empresa com um dos maiores níveis de engajamento nas redes sociais no Brasil, desenvolveu pesquisas próprias para entender o valor de transformar um usuário do Facebook em fã, e constatou que essas pessoas convertidas bebiam o dobro de guaraná se comparadas aos clientes tradicionais, além de terem maior preferência pela marca do que pela do concorrente. Os resultados obtidos fizeram que a empresa aplicasse a estratégia aprendida em suas outras marcas, principalmente a cerveja Skol. Com isso, a empresa poderia se comunicar de maneira individual, de forma personalizada e constante com os fãs de suas marcas através de iniciativas de marketing direto, CRM e até mesmo com uma abordagem promocional. A audiência obtida com essa estratégia proporcionou para a empresa uma base maior do que a de leitores de qualquer publicação impressa ou programa de TV a cabo ou rádio brasileiros. Segundo a Associação Brasileira de Comunicação Empresarial (Aberje), cerca de 69% das companhias afirmam utilizar ferramentas de análises e monitoramento para compreender o que é exposto em relação à marca, ao produto ou ao serviço que oferecem. Apenas 38,2% dessas empresas analisam o sentimento do cliente, atividade que pode, segundo 53% dos entrevistados, liderar a lista nos próximos anos. Esse fato indica que grande parte delas não compreende ao certo como agir e os riscos que correm. As empresas usam as redes apenas para ações de marketing, divulgação de produtos e para monitoramento da marca, o que ainda demonstra a baixa utilização desses canais como plataforma de relacionamento. Esse ponto difere do comportamento observado entre empresas americanas e de alguns casos no Brasil, por exemplo, a Ambev, Ponto Frio, Netflix, Itaú, citadas anteriormente.

Outro ponto que ainda merece atenção é o **uso do meio digital para captação de oportunidades e inovação,** que podem ser obtidas através de inteligência coletiva, tendência essa que ainda veremos crescer muito nos próximos anos e que será abordada mais adiante.

O que temos observado também é uma mudança na postura de algumas empresas na forma como se relacionam com seus públicos, ouvindo, prestando atenção, respondendo, como foi o caso, que já tem algum tempo, mas é um bom exemplo, da empresa brasileira de cosméticos O Boticário. Por monitorar sua imagem nas redes sociais, acompanhou um movimento de clientes insatisfeitos pois um de seus perfumes havia deixado de ser fabricado. Imediatamente a empresa esclareceu os motivos que a levaram a deixar de fabricá-lo, comprovando que soube utilizar adequadamente aquela informação e satisfazer uma parcela considerável de clientes. A mesma empresa, anos depois, por meio do monitoramento, pôde acompanhar a repercussão polêmica de uma de suas campanhas publicitárias de massa, em que demonstrou apoio a relacionamentos homossexuais.

Outro exemplo dessa mudança ocorreu com o McDonald's, que criou um *site* para comunicar aos seus consumidores sobre como os produtos são fabricados.

A empresa Hellmann's também utilizou uma ação de relacionamento, em parceria com a agência Ogilvy & Mather, ao lançar a ação #PreparaPraMim, que trouxe receitas personalizadas, de maneira automática e em qualquer horário, para os usuários que enviassem um *tweet* com a *hashtag* #PreparaPraMim e os ingredientes de sua preferência ou disponíveis em sua geladeira. A ação aconteceu exclusivamente pelo Twitter, no canal oficial da Hellmann's na rede. O objetivo foi incentivar novos usos para a maionese estar presente no dia a dia e potencializar a interação com os usuários por meio do TCTV (TV Conversation Targeting), ferramenta do Twitter que monitora o que os usuários postam sobre a grade de programação da TV.

Estudos do Google mostram que 89% da população digitalizada do Brasil utiliza a Internet enquanto assiste televisão, comentando a programação. Grande parte dessas conversas ocorre no Facebook e Twitter, gerando o conhecido efeito de "segunda tela".

Fonte: Disponível em: <https://www.youtube.com/watch?v=6cq-IgvEyn8>. Acesso em: 12 jul. 2017.

Figura 4.2 Ação da Hellmann's no Twitter.

> **Estratégia de criação de *persona* da marca para redes sociais**
>
> Todo relacionamento requer um nível de afinidade entre as partes para que se estabeleça um elo afetivo e social, e uma interação. Os sentimentos e as relações interpessoais acontecem entre as pessoas e as marcas, já que reconhecemos nelas características psicológicas, de caráter, de comportamento e de emoções básicas.

Baseados em nossas percepções, formamos opiniões e demonstramos sentimentos que podem ser facilmente compartilhados, o que se amplia hoje com as redes sociais. Por isso cresce a importância das marcas. Elas estão se tornando cada vez mais humanas e personalizadas visando estabelecer interações e um vínculo emocional mais forte e duradouro.

Uma das principais estratégias para essa humanização é a criação do que chamamos de **persona da marca**, que deve ser pensada até mesmo antes da definição de sua logomarca. Essa *persona* leva em conta sua história, características emotivas e físicas, personalidade, **valores e ideias compatíveis com as do seu público-alvo**, que poderão ser mudadas com o tempo ao vivenciar experiências e aprender coisas novas. **Ela pode falar em nome da marca**.

Quanto mais detalhada, clara e assertiva for a definição da *persona*, mais fácil será sua implantação e uso no dia a dia da empresa. Recomenda-se que a empresa olhe para o seu cliente/consumidor para verificar a melhor forma de se comunicar com ele. Procure definir essa *persona* com detalhes de como ele é, que idade tem, como é seu comportamento, como é sua atitude na Internet, como é sua comunicação, sobre o que gosta de conversar etc. Isso servirá inclusive como base para futuros treinamentos, pois, independentemente de quem estiver na gestão das mídias sociais da empresa, a personalidade dela deverá ser a mesma.

Além disso, é extremamente importante ter uma postura de transparência, mesmo quando a marca comete erros.

Essa *persona*, algumas vezes, se transforma num tipo de mascote, mas é necessário ressaltar que são coisas diferentes. Um exemplo que tem sido utilizado com sucesso por algumas marcas é o Pinguim do Ponto Frio, com a finalidade de promover engajamento e até mesmo diferenciação nas redes sociais. De maneira humorada e antenada, ele ampliou as vendas, usando apenas os seus perfis no Twitter e Facebook para divulgar as ofertas, aproveitando os assuntos do momento, como na época da eleição do Papa. Enquanto, as pessoas esperavam a fumaça branca, a fumaça preta deu a dica para o personagem divulgar um *grill* que não faz fumaça na cozinha. Dessa forma, o usuário se sente convidado a dialogar com o personagem, que também dialoga com outras marcas, como no caso da Netflix, para vender a TV com o serviço de filmes e séries, como citado anteriormente.

A *persona da marca* se tornou um termo mais conhecido na era das redes sociais, mas poucas empresas ampliam sua atuação para torná-la a base da estratégia de relacionamento. Um exemplo é o Magazine Luiza, cuja *persona* tomou a forma da Lú, uma personagem presente nas redes sociais e no *site* da empresa recomendando produtos, tem o seu próprio *blog* num modelo de SAC 2.0, criado para fornecer conteúdo sobre produtos e em determinado momento saiu da Internet, quando chegou a telefonar para uma cliente que havia manifestado interesse em retomar contato com a marca.

Para entender melhor o sucesso de certas estratégias, é importante ter um novo olhar para o consumidor e seu comportamento: tem pouco tempo, tem dúvidas sobre uma variedade de produtos disponíveis e tem medo de errar na escolha. A solução encontrada por um número cada vez maior de pessoas é procurar por "especialistas", profissionais reconhecidos num assunto específico, próximos e confiáveis, que possam lhe ajudar a minimizar o risco do erro na tomada de decisão. É exatamente nesse ponto que estratégias que tornam a marca mais humana se diferem das outras marcas e, consequentemente, obtêm vantagem competitiva.

Além disso, a *persona da marca* é uma estratégia de comunicação muito eficiente para manter nas pessoas a lembrança da marca, permitindo um menor esforço de

> mídia (frequência) para a transmissão de uma mensagem. E ainda, ela pode se tornar a mentora de uma narrativa de *storytelling* (veja o próximo boxe), conceito que será mais bem explicado posteriormente, no caso de a marca também adotar essa estratégia para conquistar maior atenção. As possibilidades e vantagens são inúmeras.
>
> A recomendação de profissionais especializados em marketing digital é de que a empresa deve encarar o momento de criação da *persona da marca* como uma oportunidade para rever seus conceitos, valores e avaliar se estão sendo refletidos em suas ações para realizar as devidas mudanças e correções, caso necessário.
>
> Afinal, as pessoas hoje são mais informadas, exigentes, demandam um relacionamento mais próximo e relevante por parte das empresas, ou seja, mais humano, transparente e orientado para seus próprios valores, que possibilite aproximação e troca de experiências para construir fortes elos de encantamento, engajamento e fidelização.

4.3 Cocriação e *crowdsourcing*

As empresas devem considerar que o marketing digital não se restringe apenas a divulgação e promoção. É bem mais amplo do que isso. Gastam-se verdadeiras fortunas com pesquisas para conhecer a opinião do consumidor e, muitas vezes, nas redes sociais, temos essa informação de forma gratuita. O ambiente digital também é extremamente propício para estimular a colaboração e a cocriação, ou seja, a contribuição do consumidor para melhorar produtos já existentes e até para criar novos e, como foi dito, esse é um caminho que pode ainda crescer muito.

O termo **cocriação** começou a ser usado em 2004. É uma forma de inovação que acontece quando as pessoas de fora da empresa, como fornecedores, colaboradores e clientes, associam-se com o negócio ou produto, agregando inovação de valor, conteúdo ou marketing, e recebem em troca os benefícios de sua contribuição, sejam através do acesso a produtos customizados ou da promoção de suas ideias.

Um ótimo exemplo é da Natura, com o movimento *Cocriando Natura*. Através de uma plataforma (http://cocriando.natura.net) são criadas Jornadas de Cocriação, de acordo com oportunidades ou temas indicados pela própria empresa.

O processo é dividido em cinco etapas:

1. Identificação do Desafio – Sempre que surge uma oportunidade ou tema, a Natura lança a Jornada).
2. Conexão – Todos os que se identificarem com o tema podem se cadastrar para participar da Jornada.
3. Cocriação Onlife – Utilizando o ambiente virtual e também em encontros presenciais, são construídos em conjunto conceitos, ideias e respostas para os desafios.

4. Interação – As ideias geradas durante a jornada são compartilhadas com todos, para servir de inspiração para as áreas internas do processo de inovação da Natura.
5. Reconhecimento – Os participantes que mais colaboram nas jornadas acumulam pontos e são reconhecidos por isso.

Em síntese, o movimento é composto por uma rede de pessoas com diversos perfis (consumidores, consultores, colaboradores da Natura e especialistas em diversos temas). Essa rede é colaborativa e todos constroem juntos ideias, conceitos e modelos de produtos e serviços. A partir daí essas ideias são avaliadas pela equipe de desenvolvimento e podem se tornar novos produtos.

Outro ponto interessante é a utilização de gamificação para estimular os participantes. Todas as atividades realizadas na plataforma geram pontos que são acumulados pelos participantes e liberam novas funcionalidades na rede. Assim, além de evoluir na jornada, os participantes mais ativos têm acesso a experiências exclusivas com a Natura.

Um ótimo exemplo é da montadora de automóveis Fiat, pioneira no uso de cocriação, inclusive para lançar um novo carro, batizado de "Fiat Mio" e lançado na Feira do Automóvel em São Paulo em novembro de 2010. Criou uma rede para que as pessoas pudessem colaborar com a construção de um novo carro de acordo com as suas preferências.

Na verdade, tudo começou quando a empresa completou 30 anos no Brasil. Em vez de relembrar a história das últimas três décadas de presença em território brasileiro, a Fiat optou por comemorar esse fato convidando as pessoas a pensar o futuro com ela, por meio da campanha "Fiat 30 anos, convidando você para pensar o futuro", que tinha como protagonistas crianças e jovens, que falavam das suas visões sobre os novos tempos. Pessoas de diferentes regiões, idades e classes sociais puderam participar de uma experiência interativa na Internet, num exercício que apontava o que esperavam para os próximos 30 anos.

No *hotsite* <www.fiat30anos.com.br>, milhares de brasileiros deixaram suas impressões sobre o futuro (em vídeo, áudio ou texto) e também discutiram o mundo em que viveremos. Com base nesses depoimentos foi criado o Fiat Concept Car I (FCCI), um carro cupê de inspiração Adventure, 100% brasileiro, apresentado no 24º Salão Internacional do Automóvel. A partir daí os estudos continuaram, porém com outro foco, o de criar um veículo ecologicamente correto, capaz de proporcionar prazer ao dirigir. O resultado desse esforço foi o Fiat Concept Car II (FCC II), apresentado no Salão Internacional do Automóvel em 2008.

Fonte: Disponível em: <http://f.i.uol.com.br/folha/classificados/images/0830481.jpg>.
Acesso em: 13 jul. 2017.

Figura 4.3 Fiat Concept Car.

Após esses dois projetos vitoriosos, a empresa continuou pesquisando e desenvolvendo novas tecnologias, atenta às tendências e ao comportamento do consumidor para se relacionar, cada vez mais e melhor, com a marca. E foi aí que nasceu o projeto do *Fiat Mio, Um carro para chamar de seu*, que contou com a colaboração dos clientes para criação de um carro que incluía suas ideias. A interação se deu por vários canais como o *site* http://conceptcar.cc/ e as redes sociais Facebook e Twitter.

Outro caso interessante é o da empresa Lego, fabricante de brinquedos que utilizou as redes sociais para sair da crise em que estava. Contando com a colaboração dos consumidores, conseguiu reverter o quadro. Essa quebra de paradigma ocorreu há aproximadamente seis anos, quando os colecionadores japoneses de Lego foram surpreendidos com um lançamento exclusivo no País. Tratava-se de uma réplica do Shinkai 6500, submarino tripulado que chega a 6,5 mil metros de profundidade para estudar o fundo do mar, com produção limitada de 10 mil unidades. Foi a primeira vez que a concepção do brinquedo não saiu da sede da empresa, e sim como fruto do engajamento e da criatividade dos seus fãs.

Tudo começou no Cuusoo.com, *site* colaborativo que reúne, divulga e vende ideias de novos produtos como Nissan e Sony. Os usuários entram com sugestões, submetidas à votação pelos membros. O Cuusoo.com apresenta as ideias mais votadas aos parceiros, que decidem se as lançam em escala industrial, pagando uma porcentagem do lucro ao criador. Foi o que aconteceu com o Shinkai, projeto que ganhou apoio de 10 mil membros. A Lego abraçou a causa, lançando seu primeiro produto oficial criado por um fã; ao abrir a porta para a inventividade, a empresa se recriou, chegando a um patamar de lucro e relevância em que nunca havia estado.

Esse não foi o único aprendizado vivenciado pela empresa. Há vinte anos, a Lego lançou a Mindstorms, projeto desenvolvido com o MIT (Massachusetts Institute of Technology), que consistia em um robô formado por peças tradicionais, sensores e motores. Após três semanas, mil *hackers* vasculharam o código do Mindstorms, até que um deles conseguiu quebrá-lo, publicando seu feito na Internet. Foi nesse momento que a reação da Lego surpreendeu: em vez de ir à Justiça, a empresa decidiu aprender com os *hackers* e implementar as melhorias que eles apresentaram; e mais, foi a partir desse episódio que eles descobriram o tamanho do interesse adulto no Mindstorms, pois até então a Lego achava que só falava com o público infantil. E a partir daí esses consumidores passaram a ser conhecidos como "afol" (adults fans of Lego – adultos fãs de Lego) e sua diversão é fazer "MOCs" (sigla que significa "My Own Creation – minha própria criação"). Há mais de doze anos existe o "Designed by Me", serviço da empresa por meio do qual os consumidores criam seu próprio Lego. Basta baixar um programa, projetar o que quiser, fazer o *design* da caixa e encomendar seu Lego, que será entregue em casa. Esse serviço ainda não existe no Brasil.

Fonte: Disponível em: <http://super.abril.com.br/cotidiano/como-fas-salvaram-lego-642842.shtml>. Acesso em: 12 jul. 2017.

Figura 4.4 Réplica do Shinkai – Lego.

Ainda podemos citar o famoso caso de cocriação da empresa Camiseteria, um *site* de *e-commerce* criado há mais de 13 anos no Rio de Janeiro, a partir da experiência de Rodrigo David, um dos três fundadores, que participou de um concurso de estampas de camisetas promovido pelo *site* norte-americano *Threadless*. Com base nisso, decidiu trazer esse modelo de negócio para o Brasil. Graduado em *design* gráfico e trabalhando como profissional da área, Rodrigo percebeu que havia uma carência no mercado em oferecer um "espaço" para formação de uma comunidade voltada a fomentar a troca de ideias, exposição de trabalhos etc.

Ele e mais dois amigos colocaram o *site* no ar. O desenvolvimento de produtos (camisetas) passou a ser feito com a colaboração direta dos clientes. Qualquer pessoa podia (e ainda pode) enviar uma proposta de estampa de camiseta, e esse desenho é exibido no *site*, junto com esboços de propostas de outros internautas. Depois, todos esses croquis recebem notas dos potenciais clientes que visitam a página. Apenas as estampas que recebem as notas mais altas são impressas nas coleções, e seus autores recebem R$ 1.300 e mais R$ 500 por cada nova reedição da estampa, e então são colocadas no seu portfólio para venda aos clientes.

Os rapazes investiram pesado nas redes sociais para aumentar a presença do novo negócio nesses canais de comunicação, divulgando e trazendo para o *site* assuntos, funcionalidades e novidades capazes de suprir as necessidades do público-alvo. Antes de lançar o *site*, os três sócios ficavam conversando sobre como seria a receptividade do público e da imprensa, quantas camisetas venderiam, entre outros assuntos. A grande surpresa foi verificar que o público abraçou a ideia e mudou completamente o *site* Camiseteria. A maioria dos clientes tem entre 20 e 24 anos, mas Rodrigo enfatiza que a preocupação não é vender para um nicho específico, mas para qualquer pessoa que goste de arte, camisetas e Internet. Todos são bem-vindos no *site* e podem participar ativamente da escolha das coleções. As mídias sociais – em especial Twitter, Facebook e uma base própria de *e-mail* marketing – são usadas pela empresa para se comunicar com os clientes.

Seu *blog* é utilizado para divulgação, promoção de concursos e como ferramenta para desenvolver novos produtos, além de possuir uma característica viral, já que os *designers* que mandam estampas querem que seus amigos entrem para votar nelas. A Camiseteria não divulga o faturamento. Segundo Fabio Seixas, um dos sócios, a camiseta é vista como uma tela de arte, onde são colocadas as propostas de diversos "artistas" (veja vídeo no YouTube sobre a Camiseteria: <http://www.youtube.com/watch?v=X3mW7fOCdlY>).

A construtora Tecnisa também se destacou no ambiente digital e foi uma das primeiras empresas brasileiras a ter corretores *on-line*, e a lançar um espaço de cocriação chamado "Tecnisa Ideias", segundo revela Romeo Busarello, diretor de Marketing e Canais Digitais da Tecnisa e professor da ESPM e do Insper:

> Com o advento da Web 2.0, ocorreu uma grande transformação e novamente fomos pioneiros. Fomos a primeira empresa brasileira a ter um *blog* corporativo, sem censura, aberto a todos os *stakeholders*. Em

março de 2008 a Tecnisa saiu na frente novamente ao contratar o primeiro gestor de redes sociais da Internet brasileira, também chamado, na brincadeira, de "gerente vagabundo", visto que a cada momento ele estava navegando em uma rede social diferente! Abrimos a nossa conta no Twitter em fevereiro de 2008, sem grandes pretensões.

E, na segunda quinzena de maio de 2009, um cliente vai ao escritório da Tecnisa para assinar o contrato de compra e pergunta para a nossa área financeira: "como eu faço para receber os R$ 2.000,00 da promoção que vocês lançaram no Twitter?" O financeiro não entendeu nada e nem sabia direito o que era o Twitter. Ligou para nosso gerente de redes sociais para perguntar se ele sabia alguma coisa. Bingo! A área de *e-business* da Tecnisa veio abaixo: o Twitter tinha gerado uma venda. E o mais incrível foi que a promoção, sem custo nenhum – não foi preciso fazer publicidade em jornal, comprar *banner* em *sites* ou imprimir folhetos –, gerou a venda de um apartamento, comprovando que tudo o que pode ser escrito, falado, visto ou ouvido já está virando *bit*. A Internet é um novo mundo a ser explorado, mas é preciso não ter medo de arriscar e de testar suas potencialidades.

A Tecnisa sempre se manteve na liderança e pioneirismo quando o assunto é o uso dos canais digitais. Além de ter sido a primeira empresa a vender um apartamento com divulgação no Twitter, como descrito, foi a primeira a aceitar bitcoins na compra de um apartamento, muito antes de essa moeda virtual se tornar amplamente conhecida em 2017.

Através do seu projeto citado, o Tecnisa Ideias implementou um projeto totalmente inovador, voltado para a melhor idade, baseado em estudos de gerontologia.

Também foi pioneira no uso de drones para filmagem das obras em andamento e acompanhamento por parte dos compradores dos imóveis, além de ser uma das primeiras empresas no País a utilizar amplamente mídia programática em sua estratégia de comunicação *on-line*.

Isso sem contar histórias mais antigas, mas igualmente pioneiras, quando entrou e vendeu imóveis pelo *site* Second Life, e também foi pioneira na gestão de palavras-chave com erros de português, em suas estratégias no principal buscador do planeta.

4.4 Divulgação, promoções, conteúdo e *storytelling*

No que se refere ao uso das mídias sociais para divulgar novos produtos ou fazer promoções, as empresas devem tomar alguns cuidados para que essas ações não sejam interpretadas pelos seus clientes e futuros consumidores como oportunistas ou invasivas. Esses canais são propícios para criar e estreitar relacionamentos, e isso deve ser feito por meio da publicação de informações do interesse daquele público determinado.

Uma empresa que vende colchões, por exemplo, pode criar um grupo no Facebook ou um *blog* para falar sobre conforto, bem-estar, sobre a importância de dormir bem para a saúde, e não usar esses canais exclusivamente para fazer propaganda dos seus produtos. Primeiro a empresa deve "dar algo para o público" que deseja atingir, eleger quais os tópicos que irá focalizar e ser fiel a isso, o que significa trabalhar os 4Cs das mídias sociais (Conteúdo, Colaboração, Comunidade e Inteligência Coletiva – ou Collective Intelligence).

O **marketing de conteúdo** (ou *content* marketing) é o uso do conteúdo em volume e qualidade suficientes para permitir que o consumidor possa encontrar, gostar e se relacionar com uma empresa. A ideia é gerar conteúdo útil e relevante que proporcione algum conhecimento a alguém, que seja recente e específico, com pouca interferência comercial e que provoque a reflexão sobre determinado assunto.

Para saber o que funciona ou não para sua empresa é necessário pensar em seu cliente e/ou consumidor, no que ele precisa e em como gerar esse conteúdo de forma viável, ou seja, é necessário planejamento, que consiste em definir **"Quem"** (quem é o público-alvo), **"O quê"** (o que se pretende desse público), **"Como"** (como ele se comporta e como produzir o conteúdo) e **"Onde"** (que informação ele busca e que conteúdo será produzido). Seguem os principais tópicos que devem ser considerados:

- **Quem é o seu público:** se refere ao consumidor com interesse específico na empresa. Exemplo: casais entre 25 e 55 anos, das classes A e B, que querem uma opção de restaurante com ambiente romântico em Moema. Se o público-alvo for amplo, uma sugestão é dividi-lo em grupos menores, segmentando-os em *personas* de clientes para atingir cada grupo com conteúdo específico e direcionado.
- **O que se pretende deste público:** se refere ao resultado que a empresa deseja com esse público, que pode ser relacionamento, fidelização ou crescimento das vendas.
- **Como se comporta esse público:** se refere ao comportamento *on-line* do seu público-alvo. Para isso, o ideal seria fazer pesquisas *on-line* sobre o assunto para entender o comportamento dessas pessoas a fim de descrevê-las, definir o conteúdo que elas procuram e quando o fazem.
- **Que informação esse público busca:** se refere à informação que o seu público-alvo quer obter. O conteúdo deve ser construído para que possa ser encontrado com facilidade pelo consumidor e também pelas ferramentas de busca.
- **Que conteúdo produzir para esse público:** se refere à definição do conteúdo propriamente dito. Depende da estrutura, tipo de empresa e do quanto se pode investir nessa atividade. É recomendado algo simples e econômico, para que haja continuidade.

- **Como produzir esse conteúdo:** se refere a quem irá produzir o conteúdo (agência contratada para essa atividade ou funcionários da própria empresa), seu perfil (jornalista ou blogueiro) e a quantidade, frequência e profundidade com que o conteúdo será produzido. É importante que a empresa tenha *posts* publicados de acordo com o perfil de cada rede. Não há uma regra única que valha para todo o mercado. O ideal é ter conteúdo de sua própria autoria, e não apenas fazer curadoria de conteúdo (pesquisa e republicação de materiais de outros autores que, se acredita, possam ser úteis aos seguidores/fãs da empresa). Deve-se divulgar constantemente e sistematicamente conteúdo novo e estabelecer links com diversas redes. É uma prática utilizada no Twitter, por quem já tem mais experiência com essa ferramenta (repetir *posts*, ou *tweets*), porque as pessoas que acessam no período da manhã não são necessariamente as mesmas que acessam em outro período. Com isso é possível impactar várias pessoas com determinado conteúdo.

Na medida em que as empresas entenderem que a Internet é um lugar em que é possível atingir milhões de **micromercados com mensagens precisas exatamente no momento do consumo, o modo como criam conteúdo para esse meio mudará drasticamente**. Em vez de *sites* padronizados com mensagens para o mercado de massa, é preciso criar muitos minissites diferentes, com páginas iniciais adequadas ao propósito da busca e com o conteúdo "sob medida", cada um direcionado a um público-alvo específico. É o que observamos com maior frequência nos *sites* de *e-commerce*.

O marketing de conteúdo está intimamente ligado à estratégia de *inbound* marketing, que, resumidamente, se baseia na atração dos *leads* (futuros clientes) através do fornecimento de conteúdo diversificado e relevante, bem como do acompanhamento, para que se gerem grupos segmentados de acordo com seus interesses; e somente após algumas etapas, como a de nutrição dos leads, por exemplo, é que será oferecido algum produto (ou serviço) bastante alinhado com o perfil identificado dos seus *prospects*.

A construtora Tecnisa, já citada, gerou R$ 20 milhões de vendas em imóveis utilizando a estratégia de marketing de conteúdo no Facebook. Com o desafio de comercializar o lançamento de um novo empreendimento num bairro totalmente novo, desconhecido pela população e consequentemente invisível na Internet, não adiantava somente investir em mídia *on-line*, com *banners* em *sites* e *links* patrocinados nos buscadores. Foi assim que, com pouco mais de 12 mil fãs, a Tecnisa começou a divulgar informações relevantes e personalizadas, com vídeos, sugestões, fotos, depoimentos dos moradores e, ainda, expondo as qualidades e características do empreendimento. A ação, que contou com 600 *posts* e 6 mil anúncios na rede social, ou seja, uma ação integrada de mídia paga e própria de marketing de conteúdo, resultou numa média de 285 comentários por *post*, 479 *likes* e R$ 20 milhões de receita.

Uma estratégia muito interessante para obter diferenciação no marketing de conteúdo é o uso de *storytelling* (veja detalhes no boxe a seguir).

> *Storytelling*: como usar histórias na criação de conteúdo
>
> O conceito, embora antigo, ainda pode ser novo para a maioria das empresas, tornando-se um desafio, mas também uma grande oportunidade para as marcas que querem dialogar com públicos cada vez mais saturados de informação e, com isso, construir uma estratégia de relacionamento baseada numa poderosa ferramenta de compartilhamento de conhecimento e emoção.
>
> Mas, afinal o que é *storytelling*? Segundo a língua inglesa, é a união das palavras *story*, relacionada com fatos reais ou alguma coisa que aconteceu, e *tellling*, uma estrutura narrativa, geralmente ligada à ficção. Para uma empresa significa organizar seus fatos reais em uma estrutura de história e trabalhar os elementos e mensagens que compõem a história (*story*), e em seguida elaborar as obras narrativas (*telling*).
>
> O segredo está em atribuir significados emocionais a elementos técnicos por meio de um contexto relevante, ter um objetivo final e, ainda, trabalhar a curiosidade ao criar expectativa para que os consumidores queiram saber a continuidade da história e, assim, aumentar as possibilidades de engajamento e desdobramento. Porém, não adianta apenas contar qualquer história. É necessário que seu público se emocione com a marca, se identifique com o que está sendo contado, de preferência que cause alguma mudança na sociedade, encorajando a transformação ao inspirar valores maiores, do tipo: criatividade, autoexpressão e verdade, e traga as pessoas para o centro da narrativa ao personificá-las como os heróis, e a marca, como a mentora.
>
> Isso tudo requer um planejamento que obedece algumas fases, como: ouvir, aprender, descobrir, explorar, criar, comunicar e encantar. Primeiro, a sabedoria de saber ouvir o cliente e outros eventuais atores do processo para entender como a conversa pode ser relevante. Depois, aprender sobre o negócio e descobrir sua história ou outras histórias a serem contadas. E por fim, explorar essas histórias, suas variações e implicações, para criar conceitos de comunicação que possam encantar o consumidor. Ainda é possível ampliar o alcance da história com o uso de transmídia, que nada mais é do que uma estratégia de comunicação integrada para contar essa história por meio de diferentes mídias, de diversas maneiras em diferentes plataformas, cada uma com sua narrativa específica, mas com uma mensagem que perpasse todas as ações para manter a conectividade e, assim, atingir públicos diferentes.
>
> Sob esse ponto, a rede social é a melhor parceira, por ser uma mídia que permite contar uma história sem um tempo determinado, facilitando o compartilhamento e a participação do seu público. Entretanto, isso não impede que uma história que comece na TV tenha seu desfecho na Internet ou outra mídia, e vice-versa. E por que esse esforço vale a pena? A falta de tempo para consumir tanto conteúdo, as inúmeras possibilidades de mídias e a dificuldade cada vez maior de prender o telespectador em apenas uma delas, acarreta um alto investimento em comunicação, o que torna a atenção dedicada do seu público a maior vantagem de uma marca.
>
> Nesse sentido, o *storytelling* pode ser a melhor alternativa para conquistar essa atenção dedicada. Mas é importante reforçar que é preciso que a história tenha uma continuidade, seja multifacetada, facilmente compartilhável, tenha uma imersão na vida das pessoas, mostre um engajamento e que seja capaz de se perpetuar por diversas mídias em sincronia, tirando assim o maior proveito da história como um todo.

Outro ponto extremamente importante é a empresa, o profissional ou a instituição manter seu foco de atuação e não passar a debater temas diferentes do que se propôs a fazer no seu planejamento, pois seus fãs/seguidores se sentem realmente "traídos" quando isso acontece.

Quando criei o *blog* <www.sandraturchi.com.br> há dez anos, por exemplo, me propus a falar sobre estratégias de marketing digital, varejo, *e-commerce*, entre outros assuntos relacionados ao mundo do marketing, e tenho sido "fiel" a esses temas para não "trair" aqueles que estão me acompanhando. Também tenho contas em diversas redes sociais, como Facebook, Twitter, LinkedIn, Pinterest e outras. Cada vez que posto algo novo as pessoas que me seguem nesses canais são informadas para que possam acompanhar o assunto que estou tratando e sobre o que tenho trabalhado. Porém, temos de lembrar que cada canal deve ter um tratamento específico, de acordo com o exposto aqui.

Ao criar a empresa de consultoria, treinamentos e *headhunting* Digitalents, há aproximadamente cinco anos, iniciei o mesmo processo de construção de presença *on-line* e "relacionamento" nas diversas plataformas sociais, indo aos poucos, ainda, transferindo parte da reputação alcançada anteriormente para esse novo empreendimento. Tem de ser ressaltado que esse é um processo de médio a longo prazo: não se podem esperar resultados imediatos.

As empresas, em geral, devem procurar fazer o mesmo, e só depois que conseguirem criar essa relação com seu público-alvo iniciar o compartilhamento de alguma promoção que seja interessante para aquelas pessoas. Deve-se procurar respeitar o "estilo" de cada rede social e fazer ações de marketing bastante criativas.

Quando a promoção interage com a rede de alguma forma criativa, ela se multiplica sozinha, como ocorre no marketing viral. Não é recomendável fazer promoções simplistas do tipo: livros pela metade do preço, ou calças com 10% de desconto. Isso não é ser criativo; é ser chato. E quem for chato nas redes sociais será automaticamente deletado, pois esse é um universo superdemocrático. Para manter seguidores fiéis, o importante é ter relevância para eles e abrir um canal de comunicação, ou seja, uma conversa *on-line*.

Como destaca Emerson Calegaretti, CEO da Spark Brazil,

> O objetivo de toda empresa é tornar qualquer interação com um atual ou futuro consumidor uma oportunidade de encantá-lo. Portanto, não basta ouvir e reagir de maneira formal e burocrática. Para esse novo consumidor, acostumado a interagir profundamente através da *web*, é necessário dar um passo a mais e se antecipar às suas necessidades, estar mais presente na sua vida enquanto ele usa a Internet. Num mundo

ideal, o consumidor encontraria sua operadora de telefonia celular para alterar seu plano enquanto desce o elevador do seu prédio.

Trocaria ideias sobre a revisão do seu carro com o fabricante enquanto estivesse preso no tráfego. Reclamaria para a prefeitura sobre o buraco enorme na rua enquanto escrevesse um texto e tiraria dúvidas sobre qual o melhor tipo de ração para seu cãozinho enquanto estivesse mexendo no computador à noite. Fisicamente isso não seria possível, óbvio. A operadora não pode montar um quiosque no prédio, a montadora não pode mandar um técnico andar de carro com o cliente, a prefeitura não tem como adivinhar que o cidadão precisa agora de alguém ao seu lado para reclamar do buraco, nem o fabricante de rações está na casa do cliente toda noite.

Mas pela Internet tudo isso é possível. Um *site* corporativo já abastece o consumidor com informações e provavelmente resolve muitos dos seus problemas só dessa forma. No entanto, toda pessoa que usa a Internet está mal-acostumada. Acostumada a não só ler o conteúdo, mas a alterá-lo, recomendá-lo a alguém, tirar dúvidas com um amigo, bater papo sobre isso etc. Seria ótimo que nessas interações pudéssemos encontrar as empresas que fornecem produtos e serviços para também interagir com elas. Gostaria muito de que, onde eu estivesse, essas empresas me acompanhassem. Portanto, não basta só ouvir, sua empresa tem de reagir.

4.5 As PMEs e as mídias sociais

É fato que as mídias sociais vieram para ficar, o que fez que profissionais de marketing, agências de propaganda e grandes empresas se adequassem para entender essa nova realidade, criando ações capazes de encontrar e encantar seus consumidores na rede. Agora é a vez das PMEs (pequenas e médias empresas) também utilizarem essas ferramentas a seu favor.

Segundo documento do Cetic (Comitê Gestor da Internet no Brasil), 56% das empresas de porte médio têm uma conta ou perfil numa mídia social. Já as empresas de grande porte alcançam percentuais de 60%. A pesquisa também avaliou a frequência com que as empresas postam ou atualizam seus conteúdos nas mídias sociais. As mais assíduas, que o fazem todos os dias, representam 26% das empresas pesquisadas, subindo para 31% nas empresas de grande porte.

As ações de SEM e SEO continuam ganhando mais espaço, embora estratégias mais tradicionais, como *e-mail* marketing, ainda sejam muito praticadas pela maioria das companhias. As redes sociais são o principal canal de monitoramento e relacionamento com os consumidores *on-line*. Por isso há grande preocupação das empresas com o que acontece nesse ambiente, mas não quer dizer que estejam conseguindo implantar estratégias efetivamente alinhadas com suas culturas e processos, estabelecendo assim uma relação de fidelização e de engajamento de seus clientes.

Nas pequenas empresas, 51% possuem perfil em redes sociais. O monitoramento, em geral, é feito por equipes próprias, ainda com pouca ou nenhuma utilização de recursos profissionalizados. Isso reflete que há preocupação com o mundo das redes sociais, embora não haja ainda muitas ações estruturadas relacionadas a isso, principalmente porque, como se sabe, elas não dispõem de áreas de marketing focadas no assunto, nem de investimentos exclusivos para esse tipo de atividade.

De qualquer forma, há muitas companhias que saíram na frente e têm utilizado esse canal, principalmente para executar atividades como: relacionamento com seus clientes; levantamento de críticas e sugestões – o que funciona como uma pesquisa *on-line* e gratuita; resposta a dúvidas e comentários; como um SAC; divulgação de promoções de produtos; e também um uso para a área de RH (recursos humanos), com divulgação gratuita de vagas para contratação de novos funcionários.

4.6 Monitorando o mercado nas mídias sociais – Brasil e América Latina

Houve um tempo em que a importância das redes sociais foi colocada em dúvida. Pensava-se que era algo voltado, principalmente, para os jovens e usado apenas para entretenimento. No entanto, os atuais acontecimentos, como as manifestações que ocorreram no Brasil, a mais recente em abril de 2016, que culminou com a participação de milhões de pessoas nos atos de diversas cidades brasileiras, provaram que as redes sociais possuem um grande poder de mobilização, fluxo de informações elevado, e tanto podem beneficiar uma marca como destruí-la. Por esses motivos, **as empresas têm utilizado, cada vez mais, as redes sociais para aumentar as possibilidades de negócios.** Porém, segundo o relatório realizado por The Content Marketing Institute, as empresas ainda seguem duvidando de sua efetividade, demonstrando que ainda há um longo caminho a seguir trabalhando na construção da confiança.

De acordo com o estudo "We Are Social", de janeiro de 2017, a penetração global de Internet é de 50% da população total, 37% nas mídias sociais e 34% de usuários de mídia social *mobile*. O Brasil e a Argentina estão acima da média geral da América Latina, com 58% e 70% nas mídias sociais, respectivamente.

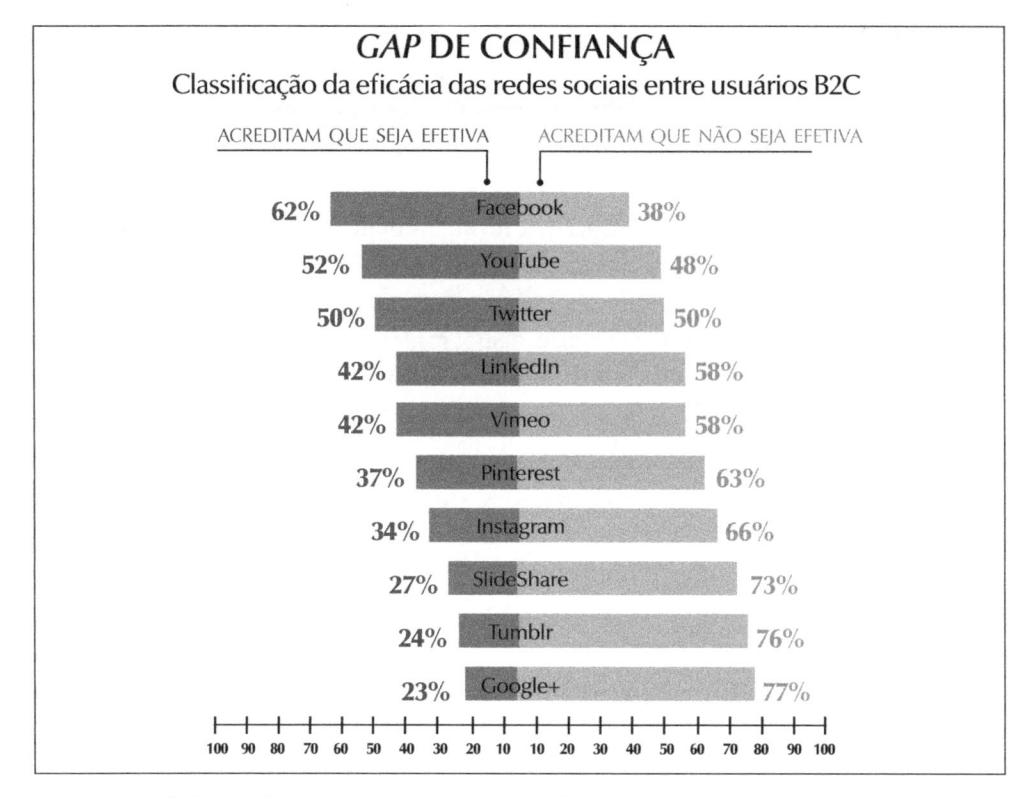

GAP DE CONFIANÇA
Classificação da eficácia das redes sociais entre usuários B2C

ACREDITAM QUE SEJA EFETIVA | ACREDITAM QUE NÃO SEJA EFETIVA

Rede	Efetiva	Não efetiva
Facebook	62%	38%
YouTube	52%	48%
Twitter	50%	50%
LinkedIn	42%	58%
Vimeo	42%	58%
Pinterest	37%	63%
Instagram	34%	66%
SlideShare	27%	73%
Tumblr	24%	76%
Google+	23%	77%

Fonte: Disponível em: <http://postcron.com/pt/blog/tendencias-redes-sociais-2014-infograficos-estatisticas/>. Acesso em: 13 jul. 2017.

Figura 4.5 *Gap* de confiança das mídias sociais.

O Facebook continua reinando, se popularizou e se consolidou como uma plataforma múltipla, de relacionamento, mídia e de promoção de marcas. Esse é o panorama atual da ferramenta, de modo que não se pensa mais no Facebook como *social marketing*, mas como um canal de mídia, até porque o alcance orgânico dos *posts*, atualmente, chega a apenas 2%, ocasionado pelas várias mudanças em seus algoritmos. Outra novidade do Facebook é o desenvolvimento de um novo dispositivo de autopreenchimento, uma espécie de *connect* para cartões de crédito, que permite que os usuários salvem suas informações do cartão no Facebook para usá-las com 450 mil comerciantes eletrônicos em toda a *web*. Neste momento, alguns dos maiores atores tecnológicos estão batalhando no espaço de pagamentos móveis, incluindo a Apple, com seu aplicativo *Apple Pay*, e até veteranos como PayPal, além do Google Wallet. O Facebook poderá vir a cobrar por seu serviço de transferência de dinheiro, utilizar os dados de compras dos clientes para atrair mais anunciantes ou até tentar rivalizar com os cartões de crédito tradicionais como Visa e Mastercard (que ganham bilhões em taxas).

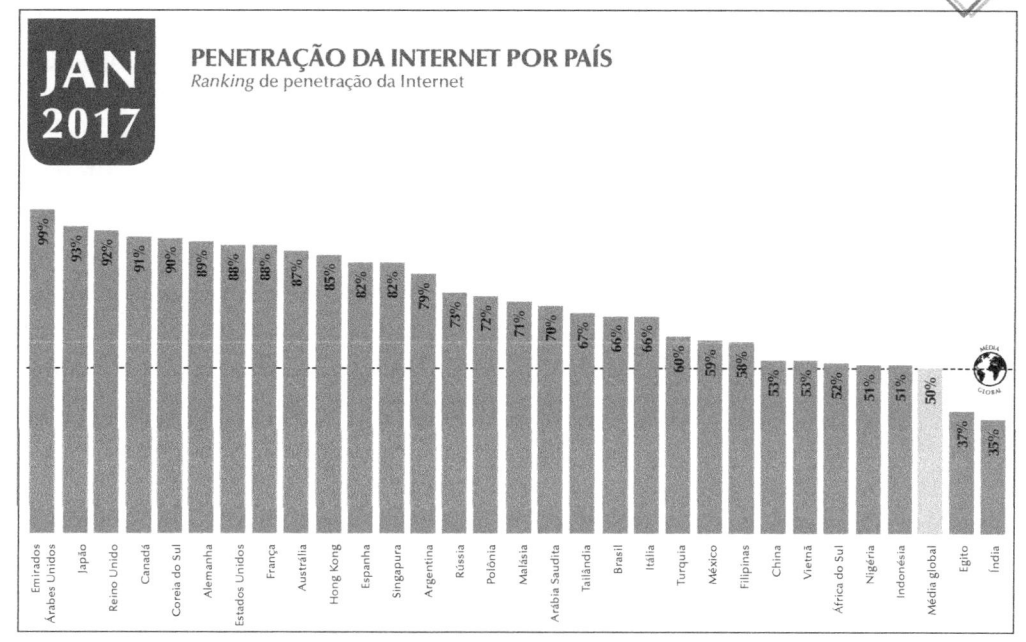

AS MÍDIAS SOCIAIS E O RELACIONAMENTO EMPRESA-CLIENTE

JAN 2017

PENETRAÇÃO DA INTERNET POR PAÍS
Ranking de penetração da Internet

Emirados Árabes Unidos 99% | Japão 93% | Reino Unido 92% | Canadá 91% | Coreia do Sul 90% | Alemanha 89% | Estados Unidos 88% | França 88% | Austrália 87% | Hong Kong 85% | Espanha 82% | Singapura 82% | Argentina 79% | Rússia 73% | Polônia 72% | Malásia 71% | Arábia Saudita 70% | Tailândia 67% | Brasil 66% | Itália 66% | Turquia 60% | México 59% | Filipinas 58% | China 53% | Vietnã 53% | África do Sul 52% | Nigéria 51% | Indonésia 51% | Média global 50% | Egito 37% | Índia 35%

Fonte: We Are Social, 2017. Adaptado pela autora.
Figura 4.6 Penetração da Internet por país.

Recentemente, o Snapchat caiu na graça dos *teens* com a tendência da mídia social fantasma. Com mais de 360 milhões de fotos compartilhadas e deletadas tempo depois, a empresa conseguiu mostrar que os *millenials* estão gostando da ideia de ter momentos privados.

O Instagram lançou uma ferramenta para produzir vídeos curtos, rapidamente adotada e aprovada pelos internautas brasileiros e, em 2016, lançou o Instagram Stories, muito similar ao Snapchat. Comprado pelo Facebook há aproximadamente cinco anos, o segredo da rede é privilegiar fotos e *hashtags* (para identificação de interesses de forma ágil) em vez das discussões, o que permeia o Facebook.

Além do Instagram, o WhatsApp também emergiu como uma das principais redes para troca de mensagens instantâneas. Os grupos viraram uma mania no Brasil. Há aproximadamente quatro anos, a popularização do WhatsApp foi absoluta, o que fez as pessoas abrirem seus grupos e migrarem do Facebook, o que pode indicar uma tendência de comportamento.

Os vídeos também ganham cada vez mais espaço nas mídias sociais. É a forma mais "preguiçosa" de consumir conteúdo, já que não é necessário ler e interpretar. Logo, é uma ferramenta bastante útil para se comunicar de maneira muito democrática, pois pode ser entendida por diferentes perfis de público. Segundo previsões do próprio Google, a maior parte do tráfego de conteúdo após esse ano será feita por vídeo.

Depois de um período estacionado, o Twitter volta a crescer no Brasil, impulsionado por eventos nos últimos tempos, como a Copa do Mundo, pelas eleições e pelo uso das *hashtags*, principalmente quando aliado a programas da televisão brasileira, como Domingão do Faustão e Master Chef, fazendo parte da comunicação e fortalecendo a participação do público, tanto que o resultado do último Master Chef foi anunciado pela rede.

Um dos aplicativos já conhecido dos brasileiros que pode ganhar novos adeptos é o Viber. Assim com o Skype, ele também possibilita a troca de mensagens e ligações gratuitas, sem estar atrelado a outra mídia social, visto que o WhatsApp também foi comprado pelo Facebook, o que transforma mensagens em dados, e podem ser (e são) utilizados entre as redes, para tornar a mídia mais assertiva e gerar mais negócios.

Por fim, embora o Google+ não tenha emplacado como uma das redes sociais mais usadas pelos usuários, é importante estar presente para alavancar os resultados nas buscas do Google (SEO).

Um dos desafios dos próximos anos passa a ser como integrar de maneira mais inteligente a Internet das Coisas, em rápido crescimento, à mídia social. Em suma, os **dispositivos inteligentes precisam melhorar sua inteligência social**. Isso poderia começar utilizando melhor os gráficos sociais dos usuários, sua rede de amigos e seguidores. Um exemplo: uma geladeira inteligente que rastreia seus eventos no Facebook vê que você está planejando uma festa e quantas pessoas confirmaram presença, e o avisa para comprar mais cerveja. "Escutando" a mídia social de maneira mais sofisticada, rastreando as atividades e interações dos usuários com amigos e seguidores, e depois respondendo adequadamente, os dispositivos inteligentes deverão ficar ainda mais personalizados.

Aliado a isso, as plataformas estão lançando *bots* para agilizar o atendimento aos clientes, como fez recentemente o Facebook. Essa "conversa" via *bots* ainda está em análise e evolução, mas já é uma realidade.

Outra demanda em crescimento é por redes sociais anônimas. Em outubro de 2014, o Facebook apresentou seu novo aplicativo de bate-papo "Rooms", que permite que os usuários criem salas de bate-papo em torno de interesses comuns, sem exigência de declarar seu nome ou sua localização. Em novembro do mesmo ano, o Facebook tornou-se o primeiro a oferecer apoio a "Tortura", um serviço de "anonimização" de fonte aberta, popular entre jornalistas, dissidentes políticos e policiais, que permite aos usuários esconder sua identidade, localização e histórico de navegação.

4.7 Redes sociais segmentadas, verticais, por afinidade ou de nicho

Facebook, Twitter, Instagram, WhatsApp e Google+. Muito se fala sobre essas **redes sociais de massa ou abertas**, consideradas as mais populares. Elas atraem a atenção de pessoas dos mais variados perfis e interesses, empresas dos mais distintos ramos de atividade e nelas encontram-se os mais diversos conteúdos. Nessas redes as pessoas estão conectadas umas às outras por vínculos afetivos, principalmente de parentesco e amizade (amigos próximos, amigos do trabalho, da escola/faculdade e amigos dos amigos).

Quando o assunto é relacionamento e interação, essas redes são eficientes. Porém, quando se trata de algo relacionado ao **mercado** e a um **assunto específico**, as **redes sociais segmentadas** se mostram muito mais eficazes por terem objetivos bem definidos e propiciarem o relacionamento entre pessoas com interesses e competências convergentes, abrindo caminho para o surgimento de novas oportunidades.

Em linhas gerais, as redes sociais segmentadas tratam de assuntos específicos, os conteúdos são abordados com maior profundidade, além de serem totalmente direcionados e especializados. Por isso conseguem engajar os usuários que possuem os mesmos hábitos de consumo e interesses, por exemplo, os amantes de futebol, de música, *games*, viagens, culinária etc., havendo ainda as redes voltadas para profissionais (médicos, dentistas, entre outros). Elas também são denominadas "segmentadas por afinidade ou nicho, ou verticais".

Nas **redes sociais de nicho,** as discussões são mais relevantes e podem muitas vezes se transformar em ambientes para geração de ideias. São um verdadeiro laboratório para incentivar a cocriação, possibilitando o recebimento de *inputs* para a melhoria ou desenvolvimento de produtos e serviços. Também promovem um relacionamento mais próximo com seu público, criando valor ao disponibilizar conteúdo para sua área de atuação ou interesse, já que nas redes sociais de massa está cada vez mais difícil conseguir a atenção dos consumidores.

Existem diversas redes neste modelo, como a Skoob, voltada para amantes da leitura; a Receitáculo, para culinária; Trocajogo, para games; Ask.fm, para música; TripAdvisor, para viagens; Fashion.me, para moda; Winetag, para quem gosta de vinhos; Tinder (e muitos outros), para quem procura um encontro amoroso, contando com mais 10 milhões de usuários no Brasil (o País é o terceiro com mais usuários no mundo); Ashley Madison, para quem busca um relacionamento extraconjugal; All Chefs, para chefes de cozinha; entre outras.

Profissionais também têm seu espaço, como a rede Comunique-se, voltada para profissionais de comunicação; Houzz, para arquitetos e *designers* de ambientes; SouMix, para músicos; CasaPro, para decoradores e arquitetos; a iDent, exclusiva para dentistas; a Ology e Sermo, redes para médicos. A iDent foi utilizada pela marca Colgate, que criou uma página para estreitar o relacionamento com os formadores de opinião. Há também a Treating, uma rede social que está sendo considerada o Tinder dos profissionais e é uma alternativa mais descontraída que o LinkedIn; e a Gabster, que estimula as pessoas a se encontrarem no mundo *off-line* a partir de suas preferências descritas no ambiente *on-line*.

Outros exemplos incluem a rede CasarCasar, líder na Argentina e que está chegando ao Brasil, voltada a prestar assessoria em todo o processo de organização de um casamento, e várias outras redes interessantes, tais como:

- Para os interessados em saúde: Mapmyfitness (usada por atletas amadores descobrirem e compartilharem caminhos de corridas); Fitocracy (transforma o emagrecimento num jogo em que os amigos competem entre si); Patientlikeme (central que permite a troca de experiência entre pacientes que possuem a mesma doença); Myfitnesspal (para os que querem divulgar seus exercícios para perda de peso).
- Família e amigos: Path (rede que limita a cada usuário incluir 150 amigos); Familyleaf e Geni (para os que desejam criar uma árvore genealógica e interagir apenas com parentes); Nextdoor (para aproximar vizinhos, funcionando apenas nos EUA), similar à plataforma Tem açúcar.
- Outros: Datemypet (para unir donos de animais de estimação); Myfreeimplants (mulheres que buscam homens que se disponham a financiar cirurgias plásticas); Startreckdating (para fãs do filme "Star Trek" que buscam parceiros amorosos); Matchadream (só para quem quer compartilhar sonhos e pesadelos).

As principais vantagens dessas redes é permitir a conexão com pessoas que não pertencem ao círculo de conhecidos, o que contribui para ampliar o rol de amizades, alcançar audiências interessadas, reduzir a chance de dispersão do usuário pela relevância do conteúdo, identificar os influenciadores para torná-los defensores e colaboradores da marca e, o mais importante, conhecer o que o consumidor espera, para assim desenvolver estratégias de relacionamento e engajamento duradouras.

Essas redes vêm ganhando espaço no Brasil devido a seu estágio de amadurecimento. É necessário que as empresas estejam atentas para essas mudanças, inclusive as PMEs, já que muitas entendem a importância de investir nas redes sociais, mas ainda enfrentam dificuldades para alcançar seu público-alvo. Já nas redes de massa, como o Facebook, Twitter e Google+, elas têm de encontrar o cliente no meio de um emaranhado de grupos ou fazer ações de comunicação para serem encontradas, envolvendo mais investimento e dispersão.

Essa pode ser uma oportunidade de falar diretamente com o seu público e aumentar sua relevância em outras redes sociais, principalmente para as empresas que saírem na frente e estabelecerem uma estratégia relevante e diferente para se apropriar desses canais. Afinal, ainda são poucos os casos de sucesso nesse assunto, o que representa um desafio e uma grande oportunidade para as marcas.

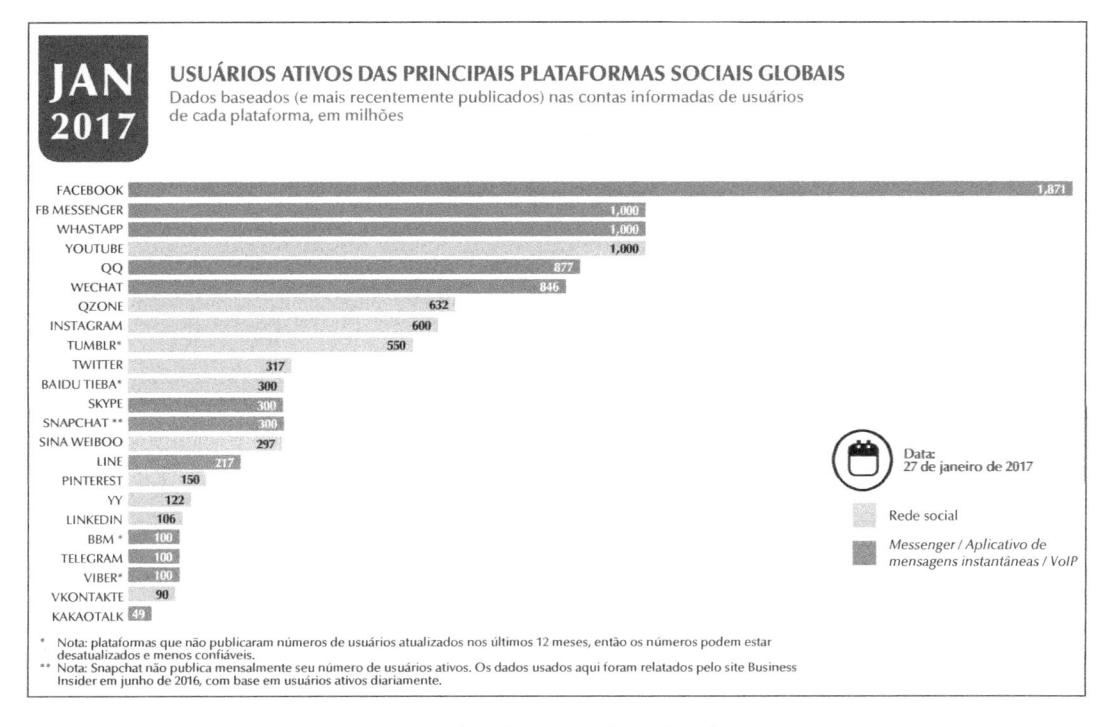

JAN 2017 — USUÁRIOS ATIVOS DAS PRINCIPAIS PLATAFORMAS SOCIAIS GLOBAIS

Dados baseados (e mais recentemente publicados) nas contas informadas de usuários de cada plataforma, em milhões

Plataforma	Usuários (milhões)
FACEBOOK	1.871
FB MESSENGER	1.000
WHASTAPP	1.000
YOUTUBE	1.000
QQ	877
WECHAT	846
QZONE	632
INSTAGRAM	600
TUMBLR*	550
TWITTER	317
BAIDU TIEBA*	300
SKYPE	300
SNAPCHAT **	300
SINA WEIBOO	297
LINE	217
PINTEREST	150
YY	122
LINKEDIN	106
BBM *	100
TELEGRAM	100
VIBER*	100
VKONTAKTE	90
KAKAOTALK	49

Data: 27 de janeiro de 2017

Rede social
Messenger / Aplicativo de mensagens instantâneas / VoIP

* Nota: plataformas que não publicaram números de usuários atualizados nos últimos 12 meses, então os números podem estar desatualizados e menos confiáveis.
** Nota: Snapchat não publica mensalmente seu número de usuários ativos. Os dados usados aqui foram relatados pelo site Business Insider em junho de 2016, com base em usuários ativos diariamente.

Fonte: We Are Social, 2017. Adaptado pela autora.

Figura 4.7 Redes sociais mais usadas no mundo, 2017.

4.8 As redes sociais no mundo

Com aproximadamente 2 bilhões de usuários, o Facebook está no topo em quase todos os países do mundo. Apesar disso, um estudo do instituto We Are Social trouxe dados referentes às principais tendências de redes sociais em diferentes países e mostra a complexidade e as mudanças desse mercado no mundo.

Na Ásia-Pacífico é quase impossível mencionar redes sociais sem incluir os aplicativos de mensagens móveis, já que 94% da população utiliza conexão móvel (mais de 3,8 milhões de pessoas). Atualmente, esses serviços adicionaram recursos de redes sociais como grupos, chamadas de vídeo, compartilhamento de arquivos, entre outros. Entre os aplicativos mais utilizados na China, o WeChat é o mais popular (24% da população), seguido pela Qzone, com 21%, e Sina Weibo, rede social similar ao Twitter, com 16% da população.

A Rússia é um dos únicos países onde o Facebook não domina o mercado de mídias sociais. Assim como na China, as redes sociais locais são as mais populares, como a VK – a mais conhecida no País (39% da população), seguida da Odnoklassinikiru, com 32%, e Facebook, com 24% de penetração.

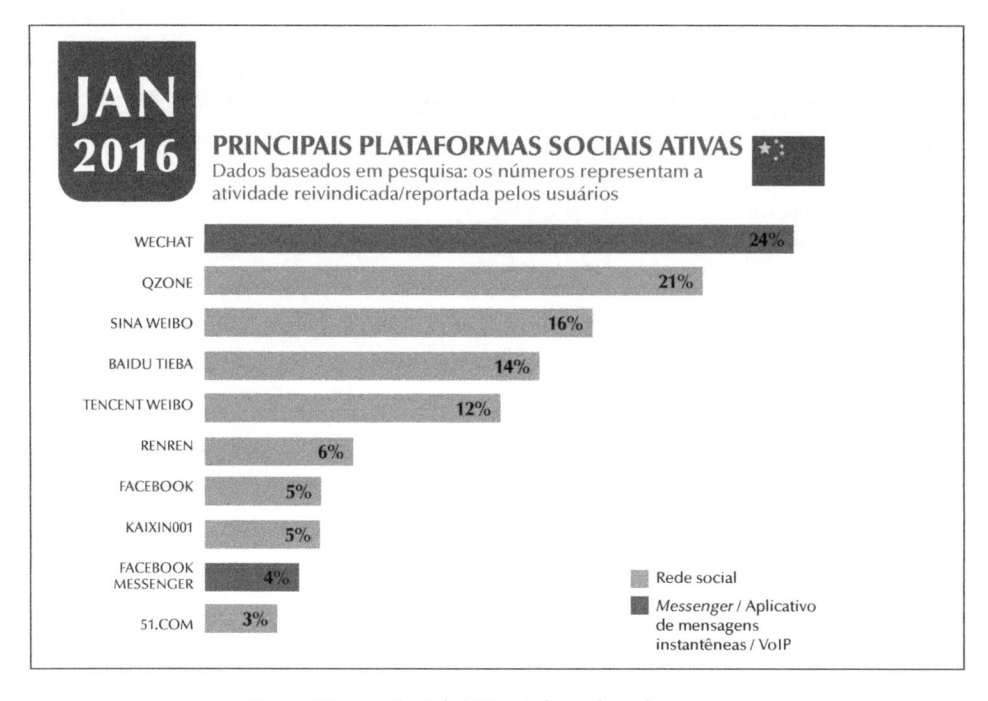

JAN 2016 — PRINCIPAIS PLATAFORMAS SOCIAIS ATIVAS
Dados baseados em pesquisa: os números representam a atividade reivindicada/reportada pelos usuários

- WECHAT — 24%
- QZONE — 21%
- SINA WEIBO — 16%
- BAIDU TIEBA — 14%
- TENCENT WEIBO — 12%
- RENREN — 6%
- FACEBOOK — 5%
- KAIXIN001 — 5%
- FACEBOOK MESSENGER — 4%
- 51.COM — 3%

Rede social
Messenger / Aplicativo de mensagens instantâneas / VoIP

Fonte: We Are Social, 2016. Adaptado pela autora.
Figura 4.8 Redes sociais mais usadas na China.

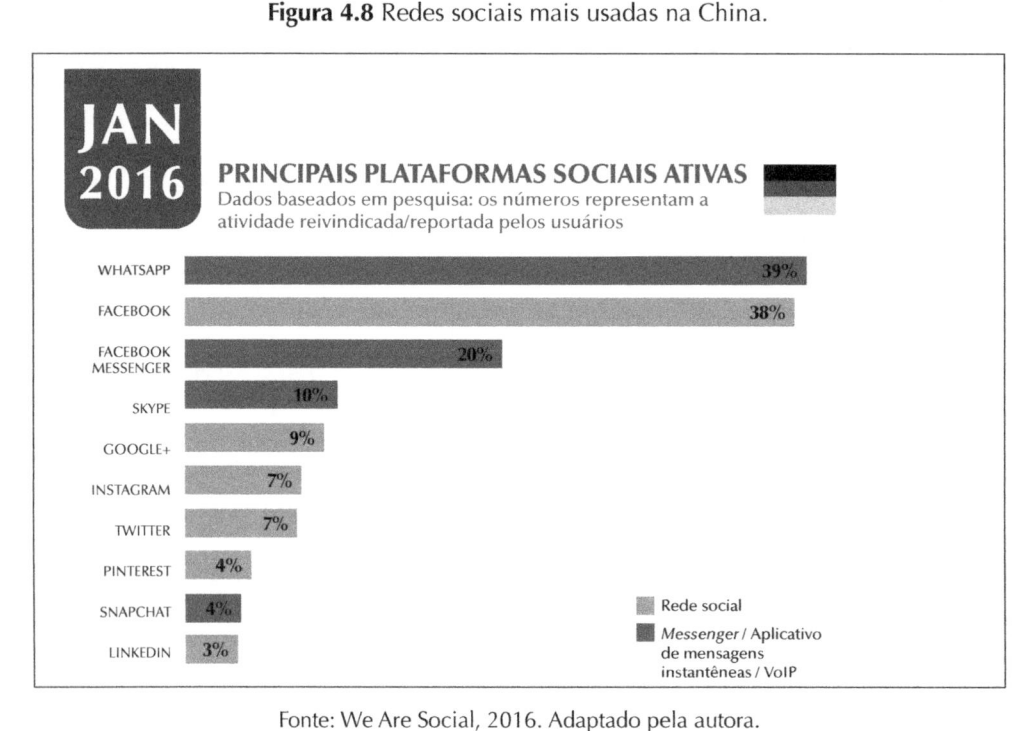

JAN 2016 — PRINCIPAIS PLATAFORMAS SOCIAIS ATIVAS
Dados baseados em pesquisa: os números representam a atividade reivindicada/reportada pelos usuários

- WHATSAPP — 39%
- FACEBOOK — 38%
- FACEBOOK MESSENGER — 20%
- SKYPE — 10%
- GOOGLE+ — 9%
- INSTAGRAM — 7%
- TWITTER — 7%
- PINTEREST — 4%
- SNAPCHAT — 4%
- LINKEDIN — 3%

Rede social
Messenger / Aplicativo de mensagens instantâneas / VoIP

Fonte: We Are Social, 2016. Adaptado pela autora.
Figura 4.9 Redes sociais mais usadas na Alemanha.

AS MÍDIAS SOCIAIS E O RELACIONAMENTO EMPRESA-CLIENTE

JAN 2016 — PRINCIPAIS PLATAFORMAS SOCIAIS ATIVAS
Dados baseados em pesquisa: os números representam a atividade reivindicada/reportada pelos usuários

- FACEBOOK — 43%
- FACEBOOK MESSENGER — 22%
- GOOGLE+ — 11%
- TWITTER — 11%
- SNAPCHAT — 9%
- SKYPE — 8%
- WHATSAPP — 7%
- INSTAGRAM — 7%
- LINKEDIN — 6%
- PINTEREST — 5%

Legenda: Rede social / Messenger / Aplicativo de mensagens instantâneas / VoIP

Fonte: We Are Social, 2016. Adaptado pela autora.

Figura 4.10 Redes sociais mais usadas na França.

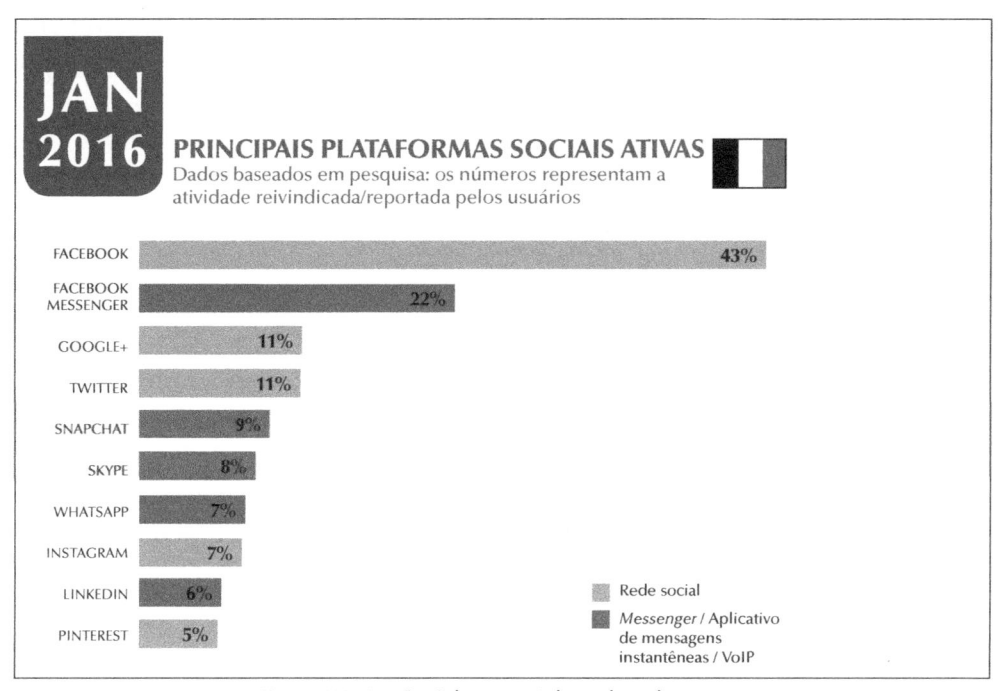

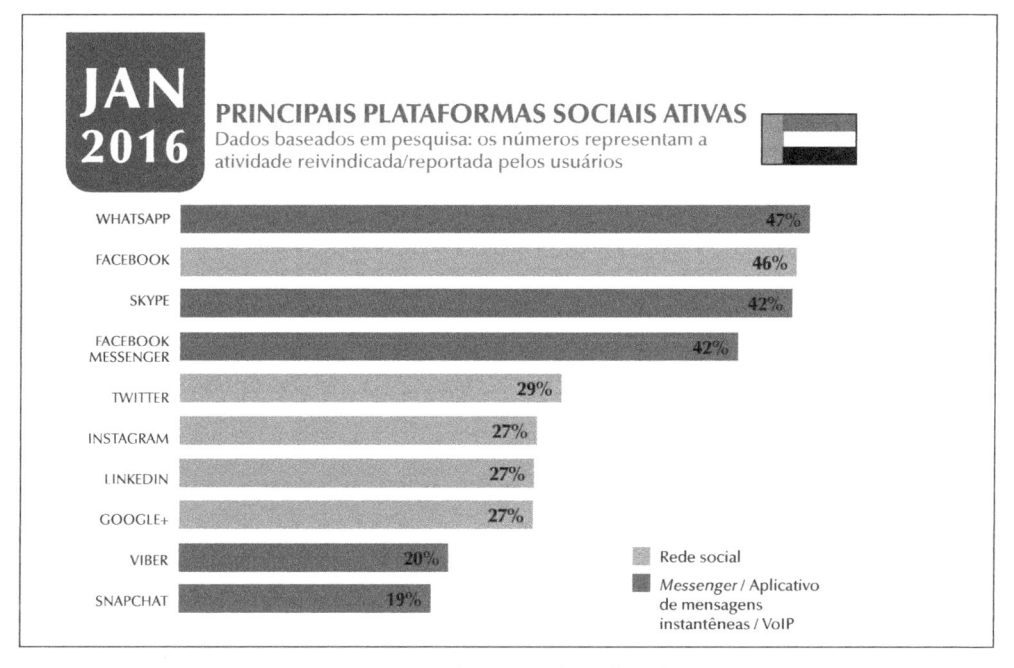

JAN 2016 — PRINCIPAIS PLATAFORMAS SOCIAIS ATIVAS
Dados baseados em pesquisa: os números representam a atividade reivindicada/reportada pelos usuários

- WHATSAPP — 47%
- FACEBOOK — 46%
- SKYPE — 42%
- FACEBOOK MESSENGER — 42%
- TWITTER — 29%
- INSTAGRAM — 27%
- LINKEDIN — 27%
- GOOGLE+ — 27%
- VIBER — 20%
- SNAPCHAT — 19%

Legenda: Rede social / Messenger / Aplicativo de mensagens instantâneas / VoIP

Fonte: We Are Social, 2016. Adaptado pela autora.

Figura 4.11 Redes sociais mais usadas nos Emirados Árabes.

Já na Alemanha e França, o Facebook está no topo da lista de redes sociais (39% e 43% da população, respectivamente), embora os usuários o acessem menos do que qualquer outra nação da União Europeia.

Nos Emirados Árabes Unidos, o WhatsApp é a principal rede, com 47% dos acessos, seguido pelo Facebook e Skype, com 46% de penetração cada um.

Isso nos leva a concluir que, por diferentes motivos, sejam eles culturais, socioeconômicos ou mesmo psicológicos, o **uso de mídias sociais para ampliação dos relacionamentos tem sido um movimento crescente em todos os países**, principalmente nos emergentes, independentemente se são redes com abrangência nacional ou regional, voltadas para todos os públicos (redes de massa) ou mais específicas (redes de verticais ou segmentadas). Isso pode estar relacionado a um desejo de inclusão, ou de participação maior na globalização, ou simplesmente ser um fator de comportamento e perfil. Sem dúvida os seres humanos encontraram uma nova forma de se fazer ouvir. De qualquer maneira, o que não podemos fazer é ignorar essa revolução no comportamento humano trazida pela *web*, pois ela impacta a maneira como as pessoas se relacionam umas com as outras, ou com as empresas e com o consumo.

5

A REINVENÇÃO DAS AGÊNCIAS NA ERA DIGITAL

OBJETIVOS

- ✓ Entender o novo papel das agências no cenário digital.
- ✓ Compreender através de pesquisas e casos as possibilidades de atuação nesse cenário.

O crescimento do uso das mídias digitais trouxe impactos não apenas para os empresários, industriais, profissionais e prestadores de serviços, como também para as agências de comunicação (publicidade, relações públicas – RP – e de assessoria de imprensa – AI), que têm repensado suas estratégias de atuação para entender e atender melhor às necessidades de seus clientes corporativos, nessa nova era em que a interação passou a ser a palavra de ordem. Grande parte dessas agências tem evoluído na busca pelo conhecimento e experiências para auxiliar seus clientes a ingressar e/ou manter sua presença digital e quais as formas de estabelecer a melhor comunicação com seus públicos.

Tanto as grandes agências, que atendem contas de maior porte, como as agências menores, mais voltadas para atendimentos de nicho, encontram-se hoje equiparadas no sentido de buscar um modelo adequado para atuar nesse momento de grande transformação digital, pois, mesmo havendo grande demanda, sabe-se que diversas atividades são menos rentáveis se comparadas às ações voltadas para o marketing de massa e mídia tradicional.

Na prática, quando a mídia digital e as redes sociais ainda eram uma novidade, muitas agências, mesmo sem especialização, passaram a gerir e alimentar com conteúdo esses canais para seus clientes, ainda que de forma incipiente. Mas o mercado amadureceu bastante nos últimos tempos e as empresas perceberam a necessidade de contar com profissionais especializados, qualificados e focados para fazer esse trabalho, o que requer atualização contínua, ou *non stop learning*. Não há verdades, conceitos e processos absolutamente consolidados, até porque tudo muda muito frequentemente. O Facebook é um exemplo de rede que apresentou crescimento avassalador em poucos anos. Num futuro breve, no entanto, poderemos nos deparar com alguma outra nova rede. Isso demonstra que as regras do jogo mudam constantemente. Saem na frente aqueles que conseguem ser ágeis o bastante para acompanhar esse ritmo.

O trabalho de comunicação na Internet, na essência, não difere do que já é feito pelas agências nos modelos tradicionais, pois requer a mesma atenção prévia de diagnóstico (avaliação do que o cliente deseja e precisa), planejamento estratégico, escolha da linguagem, ferramentas, monitoramento, análise e mensuração. No entanto, para cada uma dessas etapas, o canal virtual possui peculiaridades que precisam ser conhecidas no detalhe.

O desafio, além da adequação ao novo contexto, envolve a assimilação de processos, já que esses diferem da publicidade convencional. No lugar de campanhas de grande impacto e data para começar e terminar, há a necessidade de um diálogo constante, cujo crescimento é orgânico. Em vez de investir milhões de reais com mídia, vale mais a pena, em alguns casos, gastar algumas horas na construção de um relacionamento que seja capaz de gerar mídia espontânea – uma situação na qual a mídia comprada tem apenas a função de potencializar as ações.

Uma pesquisa realizada pelo *site* de empregos Trampos.co, em parceria com a *boutique* de comunicação Alma Beta para traçar o perfil dos profissionais específicos de mídias sociais, mostrou que 26% deles trabalham em agências digitais, 18% em agência *full service*, 9% em clientes e 7% em agências/produtoras especializadas em mídias sociais. O *social media* está alocado, na maioria, em departamentos dedicados exclusivamente a mídias sociais ou equivalente (38%), no departamento de marketing nas empresas (20%) ou nas áreas de criação (12%) e de planejamento (9%) das agências. Porém, a maioria das equipes de mídias sociais é coordenada pelos departamentos de planejamento das agências (28%).

Os planejadores aproveitam o monitoramento para pensar nas maneiras de explorar a marca nas redes sociais e integram ações sociais às demais disciplinas da campanha, no caso de a agência gerenciar todas as atividades de comunicação de um cliente. A criação atua gerando o conteúdo para essas redes e também estabelece ações pontuais para aumentar a *performance* da marca.

Essa pesquisa também mostrou as principais atividades desempenhadas pelos profissionais de mídias sociais (Figura 5.1):

- Redação (59%);
- Planejamento (55%);
- Gestão de Comunidades (52%);
- Produtor de Conteúdo (42%);
- Análise de Métricas (44%);
- Monitoramento (46%);
- Planejamento Estratégico de Campanhas (51%);
- Tratamento de Imagens (35%);
- Compra de Mídia (29%);
- Atendimento (28%);
- Gerenciamento de Equipe (28%);
- Relacionamento com Influenciadores (24%);
- Produção/Edição de Vídeos e Áudio (12%).

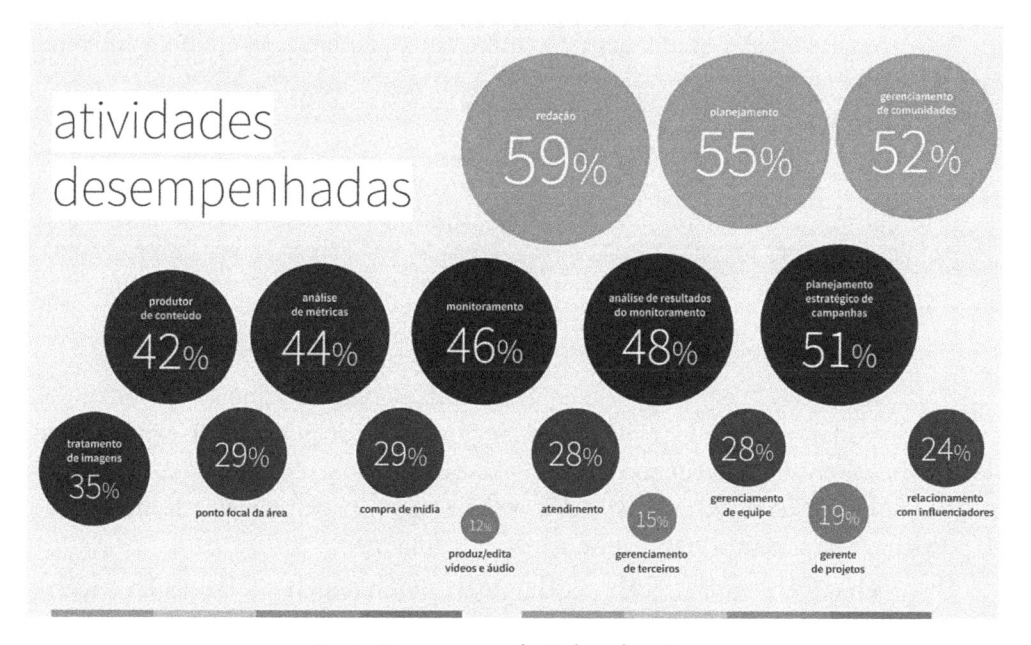

Fonte: Trampos.co, adaptado pela autora.

Figura 5.1 Principais atividades desempenhadas pelos profissionais de mídias sociais.

Nessa pesquisa ainda foram levantados *cases* nacionais que servem de inspiração para os profissionais de mídias sociais, e as marcas mais mencionadas foram, por ordem:

1. Ponto Frio.
2. Guaraná Antarctica.
3. Prefeitura de Curitiba.
4. Itaú.
5. Netflix.

Já os *cases* estrangeiros mais citados foram:

1. Oreo.
2. Heineken.
3. Coca-Cola.
4. Old Spice.
5. Nike.
6. Barack Obama.

As agências brasileiras citadas no estudo, que estão fazendo um bom trabalho, foram:

1. w3haus.
2. New Vegas.
3. Ogilvy.
4. Isobar.
5. DM9.

Mudanças nas agências que atuam na área, porém, continuam acontecendo, como a divisão das verbas de mídia digital entre agências de publicidade e especializadas em mídias sociais de pequeno e médio portes. Há ainda a continuidade do processo de compra dessas especializadas pelas grandes agências de publicidade, ou mesmo as pequenas se mantendo como butiques de atendimento.

Outra mudança também vem ocorrendo há algum tempo nos modelos de remuneração. Isso porque, nas agências tradicionais, a lógica está relacionada diretamente aos investimentos em mídia, e nas agências focadas em mídias digitais o que se busca é a geração de mídia espontânea, a construção de relacionamento de médio e longo prazos e resultado. Nesse caso, o que impera é a remuneração por *fee mensal*, e a definição do valor obedece a critérios ainda pouco claros, uma dificuldade que ocorre porque o mercado está se formando.

Além disso, algumas agências oferecem um atendimento mais amplo ao cliente, que inclui monitoramento das redes sociais, serviço de SAC 2.0, ações de "ativações" e relacionamento com influenciadores. São atividades diferentes que acabam levando os profissionais das agências a acumular várias funções. Sem dúvida, o monitoramento e os relatórios contribuem para o planejamento e criação das ações de comunicação e, assim como o relacionamento com influenciadores, podem ser feitas pela agência. Quanto ao SAC, o ideal é que, se não ficar dentro das empresas, onde o atendimento pode ser feito por pessoas que realmente entendem sobre o produto/serviço, respondam às dúvidas e resolvam os problemas, isso seja terceirizado para uma consultoria ou agência especializadas e treinadas para os negócios daquela companhia.

É importante entender que a agilidade na criação e publicação de conteúdos de acordo com o assunto do momento é fundamental para obter bons resultados nas redes sociais e *blogs*. É o que chamamos de *real time* marketing, ou **marketing de oportunidade**, que ganhou grande velocidade com as mídias sociais. Em diversos casos, as empresas optam por ter uma equipe interna, em vez de terceirizar a administração das redes sociais para uma agência. Dessa forma, os responsáveis pelas redes podem ganhar agilidade nas decisões e participar mais ativamente do desenvolvimento de estratégias para a marca.

Devemos destacar também que, atualmente, a preferência do público é mais voltada para conteúdo de bastidores, original e pouco trabalhado, diferentemente do que ocorre na mídia tradicional. As pessoas têm interesse pelo que é mais próximo da realidade, da vida de pessoas, celebridades, influenciadores, e também de marcas de empresas.

5.1 Ações na Web 2.0

Por conta da falta de familiaridade com as novas mídias, grande parte das empresas ainda sente um pouco de dificuldade para estabelecer um *briefing* para suas agências sobre o que exatamente espera e quais seus objetivos com uma estratégia digital. Para isso, muitas delas recebem o suporte de profissionais especializados, ou consultorias, para definir o melhor caminho. Nos últimos tempos foi possível perceber que as mídias digitais se tornaram canais fundamentais de iniciativas de comunicação, especialmente em campanhas publicitárias e lançamentos de produtos e serviços.

A escolha dos canais dependerá do propósito da iniciativa. Em alguns casos, apenas um deles pode dar conta do recado. Em outros, a gama de opções pode ser maior. Nos últimos anos, Facebook, Instagram, LinkedIn, Snapchat, YouTube, entre outras, ganharam força no planejamento digital, mas nada impede que Slideshare, Pinterest,

Tumblr e as redes segmentadas, ou mesmo os aplicativos, sejam considerados para a comunicação com o público. Para saber mais sobre mídias sociais veja o Capítulo 4.

Rodrigo Capella, diretor da Interview Comunicação, autor do *blog* PR Interview (http://printerview.wordpress.com/) e professor de cursos do Comunique-se, sugere que o primeiro passo deve ser a criação de um QG (quartel general) digital, para centralizar ações iniciais, para só depois utilizar as outras redes.

> Vamos supor que o QG seja um *site* para esclarecer dúvidas sobre diversos temas e com foco no consumidor final. No Facebook pode-se criar uma *fanpage* com vídeos de bastidores e com profissionais tirando dúvidas. Já no Twitter, podem-se fazer entrevistas com profissionais que dominam os temas abordados no QG e ainda postar *links* para o *site* e criar campanhas para gerar acesso para o portal. Há ainda o Robo.to, uma excelente ferramenta de áudio, vídeo e texto, na qual podemos propiciar uma experiência positiva de uso ao internauta. Em suma, os canais variam conforme as necessidades, foco, atitude da marca e objetivos, entre outros pontos.

Conforme mencionado, é importante considerar que boa parte das empresas ainda tem dúvida e certo receio em experimentar ações mais interativas. Por isso, cada vez mais faz parte das atribuições dos profissionais de agências de comunicação agir como consultores, incumbidos de apresentar esse novo ambiente e suas ferramentas para seus clientes, mostrando a eles que se trata de mais uma ação de comunicação e relacionamento que exige um planejamento, objetivos, metas e indicadores para acompanhamento.

Há vários exemplos de ações propostas para esses novos canais, como alguns trabalhos realizados pela LVBA Comunicação para seus clientes. Para a Pedigree (marca de produtos para animais), a LVBA desenvolveu o projeto "Dia da Adoção", para reforçar sua imagem de especialista em cachorros e trazer visibilidade para o seu projeto "Adotar é tudo de bom", em que a marca apoia e promove a adoção de cachorros sem lar. Com base nesse *briefing*, foi realizado um evento no Parque Villa-Lobos, em São Paulo, pegando carona no Dia Nacional da Adoção (25 de maio) com parceria de cinco ONGs especialistas, no qual foram adotados 354 cachorros, sendo 131 só no parque. No Facebook foram 1,5 milhão de pessoas impactadas somente em São Paulo, e mais de 1,1 milhão em todo o Brasil. O Twitter teve 1,2 milhão de citações e 17.495 pessoas participaram do desafio criado para o evento no Instagram (Instamission).

Gisele Lorenzetti, diretora executiva da LVBA Comunicação, destaca que um dos maiores desafios do mundo digital está no *timing*, ou seja, no **tempo de resposta**. "A *web* interativa demanda respostas rápidas, praticamente imediatas, e as empresas, juntamente com suas agências, precisam se adequar a esse novo cenário."

É recomendável a criação de um manual de atuação das empresas nas redes sociais, bem como um manual de conduta para os profissionais, bem como um Guia para Crises nas Redes Sociais. A marca presente nesses canais e que não possui regras definidas para nortear os profissionais responsáveis por alimentar essas redes com conteúdo corre o risco de acabar publicando algo inadequado e que pode ir contra os valores da empresa.

Um bom exemplo de uso positivo das redes sociais é o da rede de eletrodomésticos Ponto Frio, do Grupo Via Varejo. No início de 2015, a empresa atingiu mais de 206 mil consumidores por meio do Twitter e cerca de 1,2 milhão no Facebook, ao criar um personagem – o Pinguim – que, com sua comunicação jovem e criativa, captou a atenção do público através da sua irreverência – algo bastante diferente do seu tom institucional. A linha editorial divertida adotada por esse personagem utilizou as oportunidades e os assuntos do dia a dia para criar *posts* no Twitter e Facebook, valendo-se dos memes (misturam imagens de personagens conhecidos com frases engraçadas), *buzz* (repasse de mensagens), notícias, comentários sobre programas de TV, entre outros, que foram repercutidos como mídia espontânea várias vezes nos principais jornais *on-line*.

Quando a empresa entrou no Twitter em 2008, o personagem Pinguim já era o porta-voz da marca, mas ainda exibia personalidade mais contida e formal, próxima ao que é visto em suas lojas e comunicação em geral. A mudança aconteceu aos poucos, com diferentes formatos de interação testados e mantidos de acordo com a aceitação dos internautas. Hoje, o Pinguim faz piadas, posta fotos com sua namorada, a Pinguina (personagem criado exclusivamente para as redes sociais), e associa suas ofertas aos assuntos do momento.

Isso ficou evidente quando o vídeo viral "Perdi meu amor na balada", criado pela Nokia, surgiu nas redes sociais e mobilizou internautas. Antes mesmo de ser revelado que se tratava de uma campanha da empresa de celular, o Pinguim "teve a sacada" de aproveitar a história para divulgar um dos aparelhos de GPS vendidos pelo Ponto Frio e postou no Twitter: "Vi que vocês estão perdendo muitas coisas na balada, seus lindos! Tenho uma dica para vocês encontrá-las", anunciou o Pinguim.

A marca ainda ganhou repercussão entre os tuiteiros ao interagir com outra empresa nas redes sociais. Em uma postagem, o Pinguim dizia estar com vontade de comer um McFish, sanduíche da marca McDonald's. A rede de *fast-food* entrou na brincadeira e respondeu ao *post*, convidando o Pinguim a ir até a loja. A repercussão disso na rede gerou impacto positivo, a ponto de o personagem Pinguim ser citado pelos próprios internautas como exemplo a ser seguido por outras marcas.

Fonte: Disponível em: <https://twitter.com/pontofrio>. Acesso em: 30 nov. 2017.
Figura 5.2 Twitter do Ponto Frio.

Caso – Cerveja Skol

Para o segmento de cervejas, as "redes sociais" sempre existiram no mundo físico, já que as pessoas costumam se reunir com amigos e família para beber juntas numa mesa de bar, em restaurantes ou em casa, o que torna esse produto por si só algo tipicamente "social". Por esse motivo, a marca Skol sempre teve uma cultura voltada para o social, o que fez muita diferença antes mesmo da criação da sua presença digital, como pôde ser demonstrado no filme *Alto Verão* (2006), construído a partir das histórias enviadas pelos consumidores conectados à sua rede. Uma ação que também uniu conceitos como *storytelling* e *crowdsourcing*, em que são criados conteúdos utilizando o coletivo (esse tipo de ações é detalhado no Capítulo 4).

O "Dia do Amigo" é outro exemplo do esforço que a empresa empreendeu para promover o social, mesmo fora do ambiente digital, ao incentivar a comemoração dessa data com promoções, ativações no ponto de venda e até mesmo a criação da cerveja "litrão", garrafa de um litro para o consumo com mais pessoas, levando-as a se conectarem na vida real. Essa atitude demonstra que uma estratégia social não precisa ficar restrita apenas às redes sociais e ao ambiente digital, mas fazer parte de algo maior. Dessa forma, a Skol conseguiu mostrar que é possível integrar ações *on-line* e *off-line* e vice-versa, e se posicionou como uma marca social e jovem.

Ao se conectar com esse universo, a empresa entendeu que para ser considerada sempre jovem era essencial se tornar "amiga" de seus consumidores, pois é o que esse público valoriza. O primeiro passo nessa direção foi a construção de uma *fanpage* no Facebook. Com a conquista de mais de 12 milhões de fãs (no início de 2015), se tornou uma das principais *fanpages* do Brasil. O importante já não era mais a construção de audiência, afinal isso havia sido conquistado, mas sim sua retenção. O segundo passo foi a entrega de um conteúdo relevante, que tivesse relação com o consumidor e fosse valorizado por ele.

> Até aquele momento a marca havia realizado a estratégia básica de relacionamento nas redes sociais – algo que deve fazer parte do planejamento de qualquer empresa que deseja adentrar esse universo –, ou seja, conquistou audiência (muitos amigos) e construiu os pilares do seu conteúdo. Foi então que a marca resolveu fazer a diferença e surpreender seu consumidor com algumas ações. A primeira delas partiu do desafio de definir o que seria colocado na sua linha do tempo (*timeline*) do Facebook. **A empresa optou por contar novamente com a colaboração da sua rede, usando o modelo de *crowdsourcing*, ou seja, as histórias que eles tinham vivido com a marca ao longo dos anos** para começar a construir o que seria a história de Skol nas redes sociais. Os autores dos casos mais engraçados tiveram suas fotos estampadas na embalagem especial da cerveja de 550 ml – a lata dos fãs da Skol lançada em 2012, cuja proposta era ser compartilhada com os amigos. A segunda ação foi referente ao ovinho da Páscoa. A Skol presenteou seus fãs, tanto os mais engajados quanto aqueles apaixonados pela marca, dando a eles a oportunidade exclusiva de comprar os *kits* na *fanpage*. Esses *kits* foram vendidos em menos de duas horas. Além de tudo, essa ação foi repercutida de forma espontânea na mídia *on-line*. O terceiro passo importante dado pela marca foi a criação de serviços que pudessem facilitar a vida do seu público (jovens de 18 a 24 anos), com o objetivo de fortalecer os laços de amizade. A partir desse entendimento, surgiu a rádio Skol – uma plataforma de música *on-line* totalmente colaborativa e personalizada que se valeu de experiências vividas por outras marcas como a "Oi". São nove canais para atingir todo tipo de público presente no Facebook e no *site*. Além desse serviço, outros mais foram criados, como o Guia de Preços Skol ou GPS Skol, permitindo ao usuário encontrar a Skol com o melhor preço e traçar rotas até o endereço sugerido; e o serviço de atendimento Skol 360, informando ao usuário sobre o que é preciso para se fazer um churrasco. Apesar da construção efetiva desses três pilares (audiência, conteúdo e serviços), a marca ainda tinha como principal ponto de deficiência (algo que ocorre com a maioria das empresas) o desconhecimento sobre sua base, ou seja, ela sabia um pouco sobre o grupo de consumidores e seus interesses, mas nada sobre cada um deles individualmente. A segunda deficiência era a falta de informação para calcular o quanto as ações desenvolvidas contribuíram efetivamente na geração de vendas. A primeira iniciativa com o objetivo de conhecer o consumidor individualmente foi batizada pela empresa de "Skoland" ou "Terra da Skol", novo portal da marca que agrega todas as suas plataformas proprietárias, como os serviços, campanhas, promoções, e também as redes sociais (Twitter, Facebook, Instagram), em que cada pessoa deve fazer um cadastro para poder interagir com qualquer conteúdo do portal. Além de ser fonte de informações para uma atuação mais customizada, a iniciativa permite ainda identificar o grau de participação e engajamento de cada internauta por meio dos pontos que este acumula em cada uma das suas interações com os serviços, as promoções ou o próprio conteúdo do portal. Essa estratégia é denominada "Redondômetro", e permite trazer conhecimento a partir da interação entre pessoas e a empresa. A ferramenta foi baseada na mecânica de g*amefication*, trazendo aprendizados para dentro do universo digital.

O caso da Skol mostra as possibilidades de ações e estratégias que as marcas podem desenvolver nas mídias sociais para conquistar audiência com conteúdo relevante, promovendo serviço e experiência e conhecendo seu consumidor individualmente, e assim construir de fato uma estratégia de relacionamento consistente e customizada. Para que uma ação nesse formato seja desenvolvida com sucesso é imprescindível a parceria entre cliente e agência e, principalmente, uma visão de ambos para identificar as oportunidades.

5.2 Agências digitais

O desafio das agências de comunicação não é diferente daquele enfrentado por todas as agências especializadas em prestar serviços de publicidade, marketing, criação e gerenciamento de *websites/e-commerce*: o de reconhecer, priorizar e desenvolver os canais de maior importância, além da aptidão para conectar os principais pontos entre as marcas, os consumidores e os indivíduos que influenciam as tendências e a tomada de decisão.

Assim, a principal tarefa dessas agências é auxiliar seus clientes a ter foco nas redes que sejam, de fato, relevantes para eles e nas quais possam inserir conteúdos interessantes para seu público-alvo, caracterizando uma participação não apenas destacada, mas necessária. Além disso, elas devem concentrar seus esforços e recursos nas ações em que sua presença contribui para a movimentação da comunidade, gera relacionamento e traz maiores resultados, de acordo com os objetivos de cada companhia. No entanto, a participação é apenas parte da equação. Valores, finalidade, recompensa, reconhecimento e responsabilidade requerem esforços concentrados dentro e fora das mídias digitais, inspirando atividades *on-line* e *off-line*.

Como destaca **Brian Solis**, norte-americano especialista em *social media*, autor do livro *Engage!* e o primeiro a cunhar a expressão PR 2.0, **apenas ações pontuais não fazem uma empresa ter presença marcante nas mídias sociais. É preciso continuidade**. No B2B (*business to business*) ou no B2C (*business to consumer*), as pessoas igualmente querem saber como as empresas se posicionam e ficam atentas à sua interatividade. A mídia social dá às empresas a capacidade de ouvir os consumidores e de se engajarem em tempo real. E a tarefa de cativar os consumidores nas redes sociais não é simples porque reputação, confiança e relacionamento são estabelecidos não só por palavras, mas principalmente por ações.

Na avaliação de Solis, o mundo está cada vez menor, pois se **antes éramos todos afastados por seis graus de separação, agora, graças às mídias sociais, são apenas quatro os laços de amizade que separam uma pessoa de qualquer outra**. E o desafio para as agências de comunicação também é muito grande porque hoje, qualquer um, munido de ideias e de uma conexão de Internet, pode criar seu próprio veículo de mídia e de informação.

Reclamações, antes restritas a um bate-papo entre amigos e familiares, hoje ficam registradas por escrito e ao alcance de uma pesquisa básica no Google. É impossível controlar a troca constante de informações disseminadas por *posts*, *tweets* e fóruns de discussões. Do mesmo modo, não devemos pensar exclusivamente em conteúdo, mas analisar em qual contexto e formato cada informação deve ser veiculada. Um bom texto publicado em um jornal não necessariamente serve para ser postado em um *blog* corporativo ou em redes de relacionamento, assim como um comercial de TV nem sempre terá o mesmo efeito no YouTube ou outra rede de vídeo.

Como na era da Web 2.0 todas as empresas são empresas de mídia, cada vez mais se faz necessário designar uma equipe multidisciplinar de profissionais para cuidar exclusivamente de mídias sociais, com a responsabilidade pela criação de conteúdos relevantes para pessoas que buscam informações – devidamente contextualizadas e integradas com a imagem e os valores que a empresa deseja mostrar para o mundo externo, capazes de ganhar reverberação espontânea nas mídias sociais.

Essa função também contempla monitorar continuamente os vários canais, não apenas para saber o que as pessoas estão falando da sua empresa na *web*, mas também para ter *insights* sobre ações que poderiam ser feitas, e até contribuir com comentários e artigos em *blogs* de terceiros. Esses profissionais podem ser contratados tanto pelas empresas como pelas agências de RP e AI, ou ainda pelas agências digitais, para atender o cliente.

O mais importante nesses canais não é necessariamente conquistar grande quantidade de seguidores, mas sim estabelecer um relacionamento com aqueles que realmente importam e se engajam com a sua a empresa. E esta, de sua parte, deve desenvolver a habilidade de empatia, interagindo continuamente e procurando compreender os anseios e interesses das pessoas com as quais deseja se conectar. E, a partir disso, fazer que suas mensagens ganhem ressonância.

Nesta era em que cada indivíduo é potencialmente capaz de fazer alguma diferença na Internet por meio de toda informação que produz e compartilha, uma empresa precisa estar sempre produzindo conteúdos, dando continuidade às suas conversações na rede. E esse é um caminho sem volta.

Atuação da equipe de mídias sociais

Ações necessárias para uma atuação adequada nas redes sociais:

1. **Diagnóstico e Planejamento:** etapa em que se analisará o cenário em que a marca está inserida, a atuação dos principais concorrentes e fazer um *benchmarking* do setor, analisando produtos, mercado, linguagem etc. Nessa fase também é definida a estratégia a ser aplicada aos canais da marca, a seleção de quais plataformas serão trabalhadas para criar páginas da empresa, estabelecimento da frequência de postagens, definição da *persona da marca*, elaboração das ações contínuas e campanhas especiais (*games*, aplicativos, sorteios e concursos culturais) e o cronograma de execução.

2. **Produção de Conteúdo:** planejamento que engloba a definição da linha editorial, a linguagem a ser usada, o tom de voz e as principais fontes de referên-

cia. É preciso definir sobre o que a "marca vai falar" e sobre o que "não vai falar", por exemplo, temas polêmicos. Inclui ainda a elaboração do manual com as diretrizes gerais que deverão ser seguidas pela equipe de criação no desenvolvimento das campanhas e nas chamadas de ações catalisadoras ou especiais, bem como orientações para toda a curadoria de conteúdo, definição se será conteúdo próprio ou de curadoria de terceiros.

3. **Gestão e Relacionamento:** gerenciamento das publicações dos conteúdos, envolvendo também as respostas aos usuários e ações para incentivar a participação deles e da comunidade. Inclui a identificação e execução de ações corretivas com usuários que se destacam nas mídias sociais e busca de outros com potencial para se tornar colaboradores da marca. É responsabilidade dessa função ainda estabelecer um plano de gestão de crise, como citado, que tem uma função preventiva para o caso de a empresa se ver envolvida, em algum momento, em uma circunstância de crise, que, como sabemos, hoje, com as mídias sociais, se alastra numa velocidade incontrolável.

4. **Monitoramento:** coleta de menções feitas à marca em diferentes plataformas *on-line*. Para isso podem ser utilizadas ferramentas gratuitas (funções restritas) ou pagas (funções analíticas e de cruzamento de dados mais avançados). Essas informações devem ser classificadas, categorizadas, analisadas e consolidadas na apresentação de um relatório. Lembrando: é um processo contínuo.

5. **Métricas:** identificar e definir os principais KPIs (indicadores-chave de *performance*) da marca e das campanhas especiais realizadas. Com isso, são construídos *reports* dos indicadores e estabelecido o ROI (Retorno do Investimento) para as ações e ou campanhas.

5.3 Atividades da equipe de Relações Públicas e Assessoria de Imprensa 2.0

É importante sempre reforçar que estamos na era da midiatização dos indivíduos, em que cada um de nós pode ser um canal de mídia: produzindo, compartilhando, disseminando conteúdos próprios e de terceiros, bem como os endossando junto às suas audiências em *blogs, microblogs*, fóruns de discussão *on-line*, comunidades em *sites* de relacionamento, entre outros.

Existem níveis de usuários-mídia: os que apenas consomem conteúdo e o replicam; os que participam com comentários em iniciativas *on-line* de terceiros; e os que, de fato, produzem conteúdo ativamente. Esses diferentes comportamentos não estão relacionados à intensidade de uso das redes sociais, e sim à forma como se comportam com relação ao seu meio social. Esses tipos de comportamento, se categorizados, poderiam ser organizados assim:

- Observação (*Watching*): consumo da produção de outros, para entretenimento, aprendizado ou apoio em decisões.
- Compartilhamento (*Sharing*): redistribuição em redes sociais, para apoiar outros e demonstrar conhecimento.
- Comentário (*Commenting*): resposta a produção de outros, para participar e colaborar com ideias e opiniões.
- Produção (*Producing*): criação própria e publicação, para expressar identidade, ser ouvido e reconhecido.
- Curadoria (*Curating*): integração e tratamento, para dar suporte a produto ou comunidade, e ser reconhecido.

Assim, poderíamos representar graficamente como uma pirâmide de engajamento, como podemos ver na Figura 5.3.

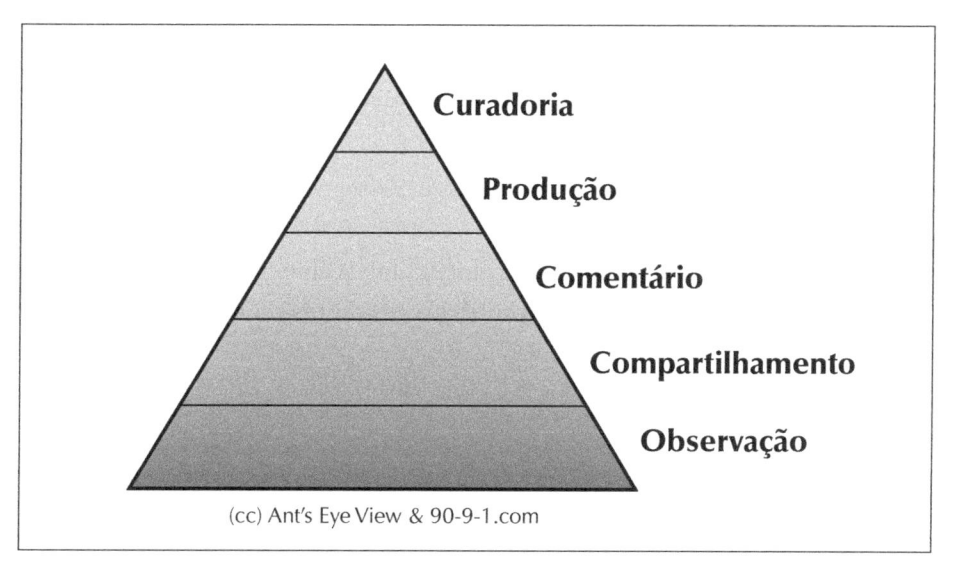

Fonte: Keen, 2009, adaptado pela autora.
Figura 5.3 Perfil dos usuários de mídias sociais.

Ao observarmos esses comportamentos, sejam características ou nível de participação, nota-se um padrão global, o que ajuda a compreender os motivos que transformaram a Internet em uma das mais poderosas ferramentas para influenciar, pois as conexões entre as pessoas estão expostas, e naturalmente as pessoas ou marcas mais preparadas para influenciar têm facilidade em gerar audiência para seu conteúdo (textos, fotos, vídeos).

Diante dessa perspectiva, a tecnologia da informação passou a fazer parte da atividade de comunicação organizacional e da mídia, o que alterou a relação entre empresas, comunicadores e públicos, já que, ao entender esses estudos e tipo de comportamento individual, é possível estruturar uma **estratégia digital baseada em influência**, direcionada para cada tipo de público. Isso aumentaria a eficiência das ações de relacionamento, gerando mais influência, e sendo possível até prever a reação das pessoas, de acordo com seus níveis de participação e tipo de envolvimento. Se houver certa personalização de linguagem ou conteúdo para cada perfil, naturalmente o efeito será maior. Se pessoas que possuem a característica de compartilhar determinado tipo de conteúdo receberem um material preparado para ser compartilhado e direcionado para que ele seja o agente desta ação, isso facilitará o envolvimento e consequentemente a disseminação dessa informação.

Em um passado recente era "caro" e difícil para o consumidor encontrar outras opiniões sobre um produto ou serviço que desejava comprar, o que hoje é suprido pela Internet. Resta às empresas criar cenários favoráveis para repercussões espontâneas de opiniões positivas em torno de seus produtos, ideias e serviços, promovendo o engajamento entre as pessoas.

As agências de relações públicas com foco em digital e de assessoria de imprensa 2.0 se caracterizam pela atividade de mediação e interação das empresas com seus públicos na Internet, especialmente no que diz respeito às suas expressões e manifestações nas mídias sociais, com enfoque em criar reputação positiva para a marca, visando o fortalecimento da sua imagem, ou mesmo sua recuperação, se necessário.

Significa agregar às táticas tradicionais de divulgação de conteúdos como vídeos, áudios, fotos, imagens e *links* os recursos digitais como *blogs* e *releases on-line* para que sejam encontrados em ferramentas de busca e *sites* de conteúdo vertical e possam ser aproveitados de forma diferente, além de olhar estrategicamente para canais que permitem a participação e o retorno dos usuários.

O conteúdo gerado pelo usuário nas resenhas que produz em *sites* de comércio eletrônico, nos *blogs* e *microblogs* passa a ser mídia essencial na reputação de marcas, produtos e serviços, e motor de estímulo de boca a boca. E o trabalho de garimpo das informações, análise, proposição de planos de ação e mensuração são atribuições das relações públicas, até mesmo para a identificação e uma atuação com ênfase na solução de problemas num contexto de gestão de crises.

Fernanda Domingues, jornalista, RP e sócia-diretora da FD Comunicação, defende o papel das relações públicas neste novo cenário:

> Mais que assessores de imprensa ou relações públicas, nós somos comunicadores. E estamos sempre atentos às notícias, mudanças e inovações, o que nos faz perceber que nos últimos 20 anos, com o aparecimento da Internet, o mundo da informação mudou mais rápido que nas décadas anteriores. Uma pesquisa realizada pela Burson-Marsteller comprova que uma notícia divulgada no Twitter demora cerca de uma hora para

aparecer em uma publicação *on-line*, e pelo menos duas horas para sair nas emissoras de rádio. A mesma reportagem pode levar mais de duas horas e meia para ser divulgada na TV, e oito horas para sair na mídia impressa. Apesar da rapidez espantosa com que se espalha uma mensagem através desses novos canais, o mais interessante do fenômeno das mídias sociais é que agora não são necessários intermediários: uma empresa ou pessoa pode comunicar-se diretamente com sua massa de seguidores. E os consumidores ganharam voz ativa.

Diante desses fenômenos da comunicação, cabe aos assessores de imprensa e de relações públicas estudarem *cases*, olhar para o público-alvo de seus planos de comunicação e criar as estratégias mais adequadas, sem medo de ousar, tendo em mente que um novo mundo requer uma nova forma de pensar. *Social Media* é mais do que simplesmente integrar um *blog* ou uma rede social ao plano de comunicação de um cliente. É a oportunidade de envolver diretamente os consumidores dos produtos da empresa-cliente que queiram comprar ou recomendar produtos e serviços à sua rede de contatos. Engajar e inspirar esses indivíduos exige novas técnicas, metodologias e uma inegável compreensão dos usuários de *blogs* e redes sociais para entender por que eles se interessariam pelo produto que sua assessoria representa. Cabe a nós, comunicadores, conhecer a fundo o gosto dos leitores/consumidores com quem queremos falar, para que nossa notícia seja bem-vinda. Estamos todos aprendendo, no dia a dia do trabalho, e temos a vantagem de saber que o ser humano é um ser sociável.

O consultor de marketing digital e professor Nino Carvalho observa que uma das principais evoluções necessárias para o profissional de relações públicas e assessores de imprensa é aceitar a mudança no conceito de imprensa.

No mundo digital, com a nova dinâmica de mercado trazida pelo crescimento da Internet, os disseminadores da informação não estão mais restritos à imprensa tradicional. Hoje, blogueiros, tuiteiros, colunistas de *sites* hipersegmentados, autores de *podcasts*, entre outros, são influenciadores-chave, ou seja, são tão ou mais importantes no processo de transmissão e consumo de informações corporativas quanto outrora foi a mídia tradicional, como a TV, jornal ou rádio. Portanto, não é mais suficiente ampliar o leque de *mailing* de imprensa da organização para as versões *on-line* de veículos tradicionais. É essencial que a empresa tenha processos sistemáticos de identificação, contato e gestão de relacionamento com outros influenciadores, pois, em boa parte das ocasiões, o impacto de ter seu *release* exposto em um *blog* segmentado vale muito mais do que uma nota em um jornal impresso de grande expressão.

5.4 Releases, podcasts e outros recursos

Além do *press-release* convencional (informações sobre o cliente em formato de notícia) enviado tradicionalmente por *e-mail* para o *mailing* de jornalistas dos veículos de comunicação, os assessores de imprensa contam com novas formas e ferramentas para divulgar as ações de seus clientes e para capturar a atenção dos seus colegas que estão do outro lado do balcão. Um dos novos recursos é o **Social Media Press Release (SMPR)**, que embute diversos recursos multimídia, além de *links* para vídeos. Com isso, o jornalista tem acesso aos contatos gerais do cliente, como telefone, *e-mail* e *site*, e informações da assessoria de imprensa. Semelhantemente ao que é oferecido no *press release* convencional, os profissionais de redação podem ter acesso direto à fonte (ao porta-voz da empresa) sem precisar ligar para as agências de comunicação.

Mas, como bem lembra Rodrigo Capella, Diretor Geral da agência Ação Estratégica:

> É lógico que colocar os contatos do porta-voz no SMPR exige um trabalho prévio e muito bem planejado, principalmente relacionado à consciência organizacional. Processos devem ser criados, rotinas precisam ser estabelecidas, e o mais importante: as assessorias precisam entender que o seu trabalho não se limita somente ao agendamento de encontros e entrevistas. Cada vez mais os assessores de imprensa são consultores e devem agir estrategicamente, adquirindo a confiança do cliente. Este é um ponto importante. Com o fator confiança estabelecido, um porta-voz não dará entrevista a um veículo sem comunicar para a assessoria de imprensa e, desta forma, o assessor não será extinto do processo.

Em outros espaços do SMPR, podem ser incluídas declarações de executivos da empresa, fotos, MP3, *podcasts*, *vídeos releases* e *links* para RSS, Digg e Delicious, entre outros ambientes virtuais, além de disponibilizar notícias do setor ao jornalista, oferecendo dados de mercado para os profissionais de redação contextualizarem a matéria final com mais elementos. No entanto, o SMPR deverá levar certo tempo para se consolidar devido aos custos e tecnologia necessários. Um dos exemplos desse novo formato pode ser visualizado no endereço: <http://www.shiftcomm.com/downloads/smprtemplate.pdf>.

Outra opção para a comunicação no ambiente 2.0 é o **vídeo release**, uma das ferramentas voltadas para consolidar marcas, reforçar conceitos e estreitar o relacionamento das empresas com os diversos públicos. Um exemplo é o *vídeo release* feito para divulgar o Glow, perfume da atriz Jennifer Lopez, protagonizado por ela, destacando-a como uma mulher latina e eleita pela revista *People* como uma das mais bonitas do mundo. Calcada no novo tripé jornalístico: entretenimento, prestação de serviço e informação, a iniciativa obteve boa repercussão e ganhou destaque em diversos canais, como E!, Extra e VH1 em um período curto. Para visualizá-lo, acesse o endereço: <http://www.youtube.com/watch?v=oW-D-cA1It4>.

Outra opção interessante é utilizar o *podcast*, um formato de arquivo padronizado mundialmente para distribuição automática de áudio. Apesar de ter sido criado a partir da popularização dos iPods, não é preciso ter um tocador de MP3 para ouvir um *podcast*, já que é possível ouvi-lo por meio de qualquer computador, da mesma forma como se faz com qualquer arquivo MP3. Um dos exemplos de boa utilização desse tipo de recurso é o projeto da Amil, em que médicos conceituados falam sobre temas de saúde, como autismo, doenças respiratórias, depressão, entre outros. Veja no *link*: <http://www.painel.med.br/rss/index.pl?C=A&V=663D313933266163743D73686F7746656564>.

> ### Atribuições das agências nas redes sociais
>
> As agências que atuam no desenvolvimento de estratégias para as redes sociais têm a tarefa de descobrir a ferramenta digital mais adequada para atingir os objetivos de seus clientes, bem como desenvolver e monitorar conteúdo, comentários e acessos, além de analisar as métricas de *performance*. É delas a incumbência de criar relacionamentos *on-line* e ajudar as empresas a enfrentar, de forma estratégica, os desafios desse mundo sem fronteiras.
>
> Entre as atribuições incluem-se:
>
> 1. Monitoramento *on-line*: monitorar *sites*, comunidades e *blogs* que tenham relação com as atividades dos clientes;
> 2. Relacionamento na Internet: identificar *sites*, comunidades e *blogs* importantes para uma empresa, marca ou pessoa, de forma que estas possam se relacionar e transmitir mensagens. Manter a conversação constante com os canais identificados como relevantes;
> 3. *Blog*: criar uma plataforma na Internet, com conteúdo e *design* para transmitir uma mensagem. Os textos escritos em um *blog* podem ser feitos pelo presidente ou pelo porta-voz da empresa. A escolha da pessoa, ou pessoas, deve estar alinhada com o objetivo da ação;
> 4. Redes de relacionamento: criar um canal para que o público determinado pela empresa se relacione e discuta ideias relacionadas ao tema proposto;
> 5. *Podcast* e *Webcast*: realizar gravações em áudio ou vídeo para transmitir uma mensagem;
> 6. Vídeos: produzir vídeos adequados que tenham como objetivo espalhar mensagens específicas para o público-alvo;
> 7. Criação de *sites* e *hotsites*: páginas na Internet que apresentam as empresas/pessoas, ou alguma ação da empresa.

5.5 Gerenciamento de crises

Uma questão relevante, que em geral ganha uma amplitude maior no meio digital por se propagar mais rapidamente e atingir maior contingente de pessoas do que no mundo físico, refere-se às crises, ou seja, situações negativas que podem trazer grandes prejuízos para a imagem das empresas, suas marcas, produtos e serviços. Mas é importante entender que existem diferentes tipos de crise que acontecem sempre nos dois ambientes, e cabe ao profissional de relações públicas, assessor de imprensa, gestor de comunicação ou o responsável pela gestão das mídias sociais encontrar alternativas que contribuam para reverter os danos. Afinal, estamos falando de pessoas, e não de máquinas. E são elas que disseminam uma crise.

Os processos de gestão de crises virtuais são muito parecidos com aqueles usados para tratar um problema nos meios tradicionais de comunicação. A diferença está na utilização de diversos recursos, também digitais, para minimizar o estrago na imagem da companhia. Pode-se, por exemplo, criar um *blog* emergencial para esclarecer os fatos, ou usar os canais digitais já existentes para expor a versão oficial da companhia, e assim por diante. Mas o processo interno da organização, para esses casos, segue a mesma linha.

Há casos cuja solução é mais complexa, por exemplo, o de determinada celebridade ou artista bastante conhecido e que divulga no seu Twitter, em seu *blog* ou em alguma rede social que está insatisfeito com determinado produto ou empresa. Isso é uma questão de gosto, de opinião, e não se pode contestar. Afinal, cada pessoa tem liberdade para expressar aquilo que a agrada ou desagrada. No entanto, esse simples comentário pode gerar uma crise para a empresa que fabrica aquele produto porque, certamente, irá aparecer nas primeiras posições das páginas de busca, ou até mesmo pode integrar os *trending topics* do Twitter. Uma forma de reverter essa situação é criar uma quantidade maior de conteúdos interessantes e que destacam o lado positivo da empresa ou do produto em questão para que se tente ao menos reverter os impactos nos resultados de busca.

Nos casos em que ocorre insatisfação dos clientes quanto à qualidade de um produto ou serviço, ou mesmo sobre um mau atendimento, e essa queixa figurar em *sites* específicos, como o Reclame Aqui ou o Ebit, a ação da empresa deve ser imediata – tanto no que se refere a dar ao reclamante uma resposta sobre como irá solucionar o problema quanto em solucioná-lo de fato, por meio da melhoria efetiva do produto ou serviço.

Um caso interessante, com farto material para pesquisa na Internet, é o da Petrobras, que criou há alguns anos o *blog* Fatos e Dados, incorporado ao *site* institucional da empresa (www.petrobras.com.br/fatos-e-dados) e voltado a esclarecer quaisquer distorções a respeito da companhia que venham a ser publicadas pelos veículos de comunicação da mídia tradicional. Nesse espaço, a Petrobras posta, na íntegra, as entrevistas e informações que cedeu a jornalistas, para que o público possa comparar o que foi dito pela empresa e o que foi publicado (veja a Figura 5.4).

Fonte: Disponível em: <http://www.petrobras.com.br/fatos-e-dados/diretor-de-governanca-riscos-e-
-conformidade-faz-balanco-das-acoes-da-area.htm>. Acesso em: 21 jul. 2017.

Figura 5.4 *Blog* Fatos e Dados da Petrobras.

Para qualquer crise, seja no ambiente físico ou no virtual, as empresas precisam estar preparadas, dispondo de processos estruturados e ferramentas adequadas. E esta, talvez, seja ainda a maior dificuldade de hoje, porque muitas organizações não inseriram as mídias sociais em seus processos de gestão de crise, o que precisa ser feito com extrema urgência. Na verdade, para qualquer empresa, é preciso, antes de tudo, se organizar internamente para se expor nesses meios, conforme explicado anteriormente. Afinal, não adianta criar vários canais se antes não for feito um bom planejamento sobre o que se pretende fazer neles em termos de conteúdo, que tipos de respostas serão fornecidas, qual o público que se pretende atingir, entre outros fatores. Caso contrário, a empresa corre o sério risco de amplificar problemas, ou até de oferecer apenas mais um canal (além do SAC e do *e-mail*) para que clientes manifestem sua insatisfação.

Um caso de gerenciamento de crises com sucesso em redes sociais foi o das batatas Ruffles. A empresa identificou que usuários estavam criticando a marca porque as embalagens continham muito ar. A empresa ouviu seus consumidores e criou um infográfico divertido para mostrar o motivo do ar dentro das embalagens plásticas: proteger as batatas contra quebras. Pessoas compartilharam a imagem e a empresa reverteu a situação de crise, o que trouxe um grande retorno positivo à marca.

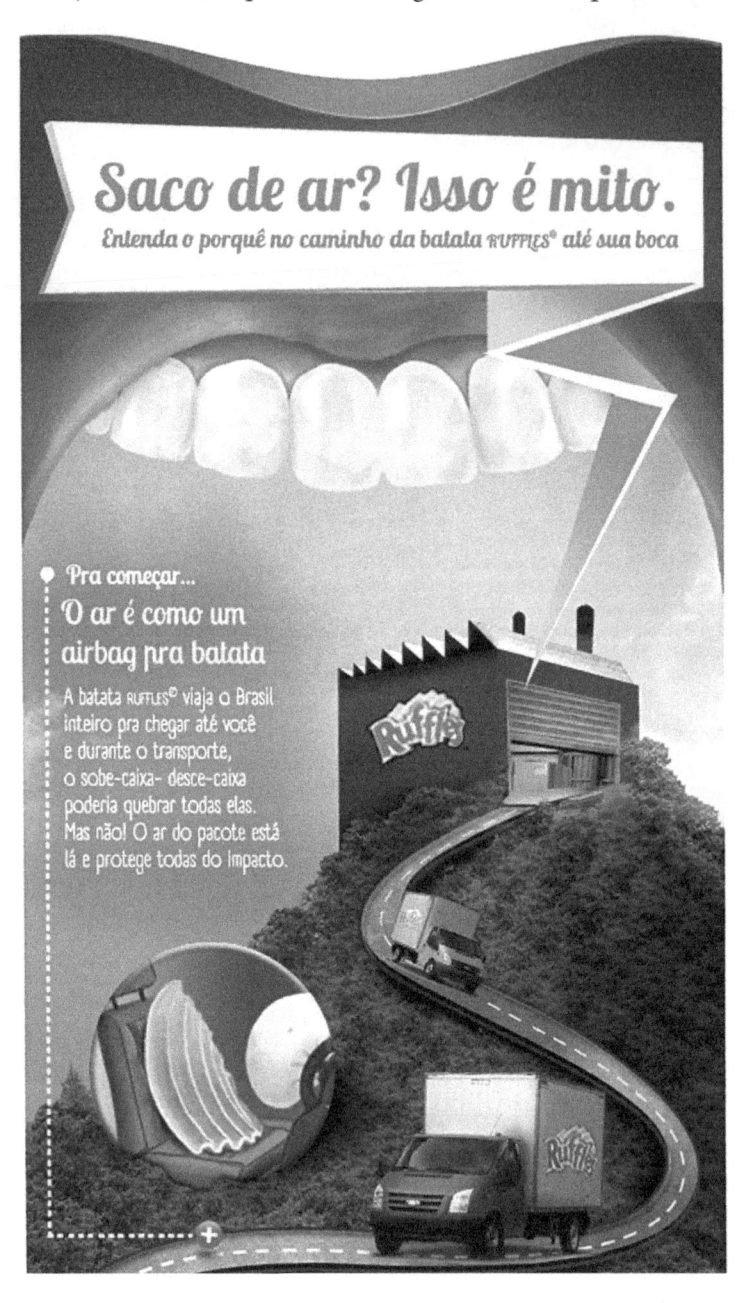

Fonte: Disponível em: <http://www.cidademarketing.com.br/2009/blog/mercadologia/545/ruffles-cria--infogrfico-e-/divulga-nas-redes-sociais-para-defender-asaco-de-ara.html>. Acesso em: 21 jul. 2017.

Figura 5.5 Infográfico Ruffles.

Como bem ressalta Eduardo Vasques, Digital Marketing Planner no Grupo TV1:

> A nova comunicação exige, de quem atua no ramo, uma enorme predisposição para estudar e renovar o conhecimento. Acreditar que é possível reverter situações críticas, problemas variados com o público, falhas operacionais com campanhas em mídias diversas, inclusive digitais, apenas com a utilização das redes sociais é inocência. Comunicação não resolve problema de gestão. Investir nestes novos canais significa complementar uma estratégia muito maior e integrada de comunicação. Os recursos proporcionados pela evolução das plataformas eletrônicas e do processamento de informações trouxeram uma avalanche de dúvidas e deixou bastante nebulosa a missão de quem coordena e cuida da imagem, marca e reputação de uma instituição – seja ela pública, privada ou simplesmente uma pessoa – diante de seu público.
>
> Na prática, é importante ressaltar, porém, que a transparência, a ética, a essência e os princípios da comunicação corporativa continuam a valer. O que se altera neste novo universo é o meio. E não podemos afirmar que isso seja uma questão simples de ser solucionada. Cada um possui características intrínsecas, modelos de utilização, recursos socioeconômicos para o acesso. E tudo isso faz uma grande diferença na rotina diária da construção e propagação de informações nas redações, nas agências de comunicação e, especialmente, nas empresas. Por mais que haja interferência de máquinas, o relacionamento é construído por gente.
>
> As redes sociais sempre existiram. Elas já se faziam presentes nas rodas ou no churrasco com os amigos, no almoço de domingo com a família, nos encontros religiosos, na hora do cafezinho com os colegas no escritório. Eram e continuam sendo impulsionadas a partir de vínculos afetivos ou pelo grau de interesse pelo tema ou assunto. E mais do que dominar tecnologia ou teorias consagradas de marketing, para integrar este novo e complexo ambiente, as organizações devem ter como meta entender muito mais de relacionamento e de pessoas. As ferramentas – e são centenas as chamadas mídias sociais – vêm e vão, mas a necessidade de comunicação e diálogo entre as pessoas jamais será substituída. Até porque as redes sociais, como são conhecidas , não passam de meios e, por essa razão, não influenciam opiniões.
>
> Pessoas influenciam opiniões. Participar desse ambiente da maneira adequada não é mais algo que pode ser definido somente no departamento de marketing ou de comunicação. Os muros destes feudos foram abaixo. Principalmente se considerarmos que os colaboradores de uma empresa também são formadores de opinião e que qualquer pessoa minimamente instruída e com poucos recursos financeiros pode ter acesso ao mundo inteiro quando usa a *web*.

Com a mudança no perfil dos consumidores e o aumento do nível de exigência, ter sua marca exposta na Internet está se tornando cada vez mais comum. Se a empresa não souber lidar com uma crise é provável que essa insatisfação possa se refletir no seu faturamento. Por isso é essencial o monitoramento para evitar que ela aconteça, ou seja, estar atento a tudo o que está sendo dito sobre sua marca e seus produtos na *web*, e também à concorrência e ao mercado em que atua. É importante sempre lembrar dos influenciadores, dos fornecedores e os funcionários. Se a crise acontecer, será necessário elaborar um plano de criação de mensagens com foco e alcance específicos para cada situação.

Muitas empresas se prejudicam porque não sabem como responder às críticas. Algumas criam comentários falsos, elogiando a empresa para que outros consumidores vejam, achando que isso resolverá o problema. Mas pode piorar a situação. Como dito, **transparência é fundamental**.

Um caso muito emblemático ocorreu há alguns anos, quando uma jornalista comprou um anel numa loja virtual chamada Visou. O *e-mail* de confirmação chegou, mas o produto não. Quase dois meses depois do pedido, ela decidiu reclamar diretamente na página da empresa no Facebook. Mas não teve o retorno que esperava. Pelo contrário, foi desrespeitada e até foi vítima de xingamentos e palavrões por parte do atendente responsável por gerenciar esse canal virtual. O texto gerou alta repercussão. No dia da primeira publicação, a palavra "Visou" figurou nos *trending topics* do Twitter no Brasil e o *site* chegou a sair do ar. Esse caso pode ser considerado um dos mais negativos em termos de mídias sociais no País. A empresa deveria, no mínimo, ter feito uma retratação pública, pedido desculpas diretamente à cliente e realizado planejamento de uma profunda campanha de melhoria de imagem ao invés de "comprar a briga" com a consumidora e com os outros internautas que protestaram na sua *fanpage*.

Um caso similar ocorreu há aproximadamente três anos e envolveu novamente a marca de calçados Arezzo – que em 2011 havia despertado a ira de protetores de animais e acabou suspensa, devido a uma campanha utilizando peles naturais. No caso mais recente, em um *post* que viralizou no Facebook, com milhares de curtidas e compartilhamentos em poucos dias, e apareceu na primeira posição da busca orgânica pela marca, uma consumidora manifestou indignação com uma compra feita por sua mãe no mês anterior. De acordo com a consumidora, após usar a sandália apenas duas vezes, a palmilha de um dos pés começou a descolar. Foi quando ela conseguiu ver, sob o nome da Arezzo, a marca de uma concorrente, a Via Uno. As duas empresas, apesar de trabalharem no mesmo segmento, apresentam conceitos, supostos índices de qualidade (e valores) bem diferentes. A empresa comentou somente na sua página no Facebook, ao receber um compartilhamento da reclamação, após quase uma semana do ocorrido, que está em contato com a cliente para esclarecer o ocorrido, confirmou a falha na produção do modelo, explicando o processo de produção, e reafirmou o compromisso com a qualidade. A demora no esclarecimento sobre o ocorrido e a falta de um pedido de desculpas (similar ao caso anterior) contribuíram para a viralização desse caso, inclusive de mídia espontânea negativa nos principais meios de comunicação tradicionais, como as revistas *Exame* e *Época Negócios*. Esse exemplo demonstra que, mesmo após três anos do primeiro caso emblemático, a empresa ainda não havia aprendido a lidar com esse tipo de situação.

Outro caso, mais antigo, se tornou um clássico da Internet por ter sido considerado um excelente **gerenciamento de crise**, visto que apresentou um resultado completamente diferente do anterior. Foi uma sátira feita pelos comediantes do *site* Porta dos Fundos, que circularam um vídeo na Internet parodiando o atendimento dos restaurantes da rede Spoleto, sem dizer o nome da empresa, mas usando cenário, roupas, entre outros, para tornar óbvio de quem estavam falando. A rede de restaurantes resolveu atacar o problema com uma iniciativa que surpreendeu: o diretor entrou em contato com os comediantes e encomendou um segundo vídeo para continuar a história. Só que, no final, o vídeo mostra a seguinte mensagem: "Isso jamais pode acontecer; se você for mal atendido, entre em contato e nos ajude a melhorar." Após este fato, o segundo vídeo foi vinculado ao primeiro, que continuou a repercutir, ultrapassando 13 milhões de visualizações em 2017. Essa atitude rendeu admiradores para a marca, bem como a colocou nos holofotes da imprensa e das mídias sociais como um exemplo do que fazer em situações de crise ou iminência de crise. Nesse caso, a marca se saiu muito bem, pois admitiu que esse tipo de situação não deveria ocorrer, mas que, se acontecesse, ela estava aberta às críticas e sugestões de seus consumidores. Existe uma tendência da área de marketing das empresas denominada *flawsome*, que consiste exatamente em admitir falhas e reconhecer que a empresa também pode errar. A atitude traz humanidade e humildade para a marca e, normalmente, a aproxima de seus consumidores e influenciadores, que passam a enxergá-la com bons olhos. Esse é o tipo de atitude de uma empresa verdadeiramente 2.0!

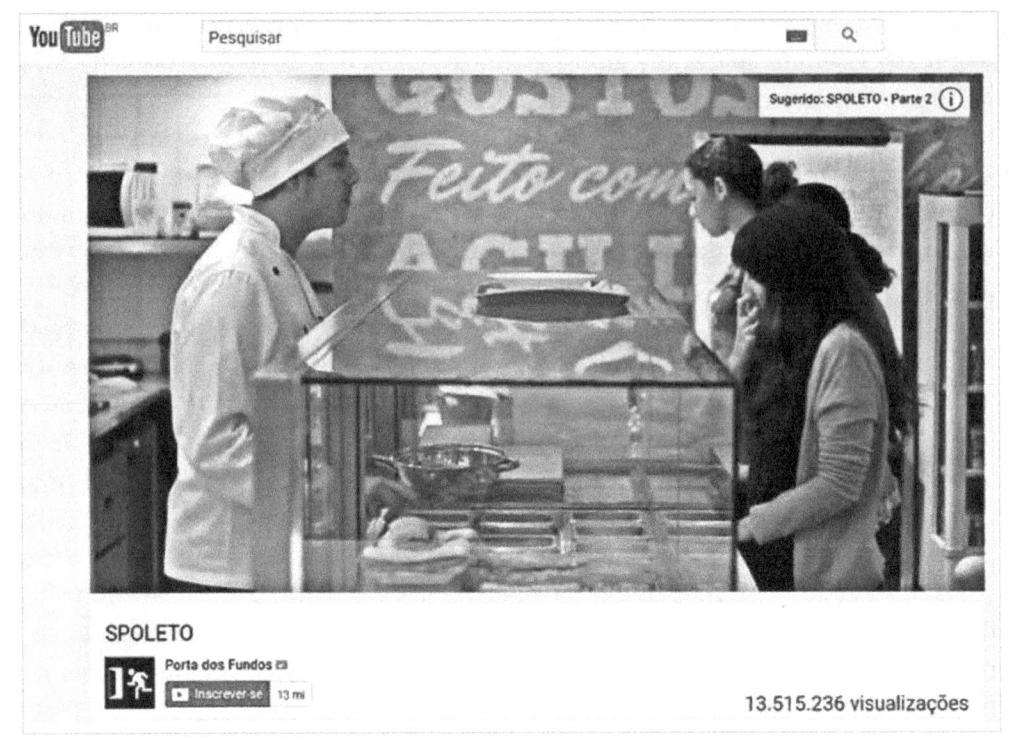

Fonte: Disponível em: <https://www.youtube.com/watch?annotation_id=annotation_242449&feature=iv&src_vid=ebe-3s4TLfQ&v=Un4r52t-cuk>. Acesso em: 27 nov. 2017.

Figura 5.6 Porta dos Fundos – Spoleto (vídeo 1).

Na mesma semana do desfecho do caso Spoleto, a página do Facebook "Gina Indelicada", uma bem-humorada criação de um estudante de publicidade inspirada numa marca de palitos, mas sem a devida autorização da empresa – com quase 5 milhões de seguidores (em abril de 2015) –, se tornou exemplo do potencial que um conteúdo viral tem para disseminar uma marca na Internet. Apesar do resultado, a empresa não capitalizou a publicidade instantânea e, ainda, chegou a iniciar um processo judicial por uso indevido da marca, mas depois desistiu e até tentou negociar uma parceria com o estudante (ou até sua contratação) para melhor explorar a presença digital da marca e se aproximar dos jovens. Na verdade, a marca poderia ter acompanhado o caso, se pronunciado, mas não com uma ação judicial, e sim com uma versão da empresa em relação aos fatos. Dessa forma, tornou-se antipática.

Uma empresa que soube lidar com situação parecida foi a Danone. Quando foi postada uma sátira sobre a linha de iogurtes Activia – "Misturei Activia com..." –, a marca apenas acompanhou o que estava ocorrendo na *web* e tirou proveito da situação, uma vez que, de certa forma, os *posts* lembravam a funcionalidade do produto. Decisão correta, já que um processo poderia atrair a antipatia dos milhões de fãs da página.

Esses casos demonstraram o quanto é importante cultivar os relacionamentos e saber lidar com as mais diferentes situações para, assim, evitar ou mesmo minimizar as crises. Promover ações constantes de relacionamento com os influenciadores com o objetivo de transformá-los em defensores da marca é essencial para a vida digital do negócio. Produzir conteúdo também ajuda na prevenção e na reação a uma crise. Mas também é importante criar e manter um comitê para gestão de crises para minimizar os problemas, caso aconteçam. Isso assegurará à empresa maior agilidade na tomada de decisões e na execução de um plano, que pode incluir comunicados oficiais direcionados para o público-alvo e veiculados em canais de mídia convencional ou não.

5.6 Maior foco nas PMEs

É cada vez mais comum as empresas recorrerem às agências especializadas em criar e gerenciar *sites* institucionais, *sites* de *e-commerce*, além de cuidar de toda a parte de publicidade e de marketing na *web*, entre outras atribuições. O problema é que também é igualmente recorrente as empresas, em especial as de menor porte, se decepcionar com o atendimento que lhes é prestado. Por terem menor conhecimento e recursos – de capital e humano –, as PMEs acabam não recebendo a mesma atenção que as agências dedicam às grandes companhias, apesar de demandarem uma quantidade maior de serviços e necessitarem de várias ações pontuais, com maior rapidez.

Uma parcela das PMEs ainda apresenta resistência em investir na Internet por não acreditar que terá bons resultados. Por outro lado, muitas empresas percebem a necessidade de estar no mundo *on-line* por entender que se trata de um canal de venda com custos menores e também por ser uma forma de concorrer inclusive com as empresas de maior porte, porque na Internet há oportunidades especiais para nichos de mercado. Basta saber explorá-las adequadamente.

Em termos de marketing e publicidade, é possível obter ótimos resultados utilizando ferramentas gratuitas e pagas que permitem gerar um fluxo qualificado de clientes.

Tradição e modernidade

Uma empresa que optou por criar uma agência digital para atender as necessidades de marketing da sua própria loja *on-line* e, numa fase posterior, prestar serviços para o mercado foi a loja Eletrônica Santana. A loja física, criada em 1964 para vender peças e componentes eletrônicos de eletrodomésticos (de aparelhos de TV e de rádio) para técnicos e oficinas de consertos, principalmente da Zona Norte da capital de São Paulo, passando a vender aparelhos novos nas décadas de 1970 e 1980, continua em plena atividade até hoje, depois de ter sobrevivido a várias crises ao longo dos anos – a principal delas causada pelo governo de Fernando Collor de Mello, que literalmente confiscou o dinheiro da população como um todo e abriu o mercado para as importações, o que incentivou as pessoas a adquirir produtos novos ao invés de consertar os que tinham. Para se manter em atividade, a Eletrônica Santana apostou em novos nichos: as áreas de telefonia e de segurança, passando a vender produtos para o mercado corporativo.

Na tentativa de impulsionar mais uma vez os negócios, a empresa decidiu investir no comércio eletrônico em 2003, que se mostrava promissor e cujos custos de implantação eram bem inferiores aos de instalar outra loja física. Mas a tarefa foi árdua, segundo revela Rubens Branchini Martins, diretor comercial e de marketing da empresa e filho do seu fundador:

> Naquela época não havia especialistas, nem cursos de *e-commerce*, e nós mesmos desenvolvemos o *site* com base em muita leitura de livros e pesquisas. Foi um trabalho complexo e tivemos que enfrentar vários problemas relacionados às formas de pagamento, ao *layout* e à plataforma de *e-commerce* que não tinha boa arquitetura, o que tornava a navegação difícil para o internauta e também dificultava a nossa gestão. Outro desafio foi a publicidade *on-line*, até que decidimos utilizar as ferramentas do Google, como o AdWords, o que nos deu um gás tremendo.
>
> Fomos uma das primeiras empresas a anunciar no Google e nos tornamos até um *case* de sucesso daquela companhia, apresentado em diversos eventos voltados para PMEs. A parceria se mantém até hoje. Com isso ganhamos maior visibilidade e muitas empresas de pequeno porte passaram a nos procurar para saber o que e como fizemos.

5.7 Transformações na relação com o mercado

Não resta dúvida de que as empresas cada vez mais precisam se familiarizar com os temas do mundo digital, como Web 2.0, Web 3.0, comunidades, *e-commerce*, *games* etc. e pensar em novas formas para se comunicar com seus públicos, tanto interno como externo. Disso poderá depender o futuro dos seus negócios, pois a Internet há muito tempo se tornou uma importante plataforma de informação e colaboração.

A era da Web 2.0, marcada pela **interação** e pela **participação**, impacta diretamente as empresas e o consumo porque o internauta tem o poder de influenciar tanto na formatação de novos produtos como determinar a ruína de uma marca, dependendo de suas ações e do seu poder de influência.

A Web 3.0, também chamada *web semântica*, por sua vez, se caracteriza como a Internet inteligente, que transforma o conteúdo desorganizado da *web* em informação relevante para a tomada de decisão, através do cruzamento de dados. Isso evita que as pessoas recebam uma enorme quantidade de páginas inúteis a cada busca realizada. Ao mesmo tempo, há maior sintonia entre o perfil de quem realiza uma busca de algum tipo de informação e os resultados a ele apresentados.

Se por um lado esse futuro se mostra fascinante em termos de oportunidades de novos negócios e de agilidade na obtenção de informações, por outro, tem trazido à tona questionamentos sobre privacidade das informações, segurança e ética. Para as empresas, o que se torna imperativo é acompanhar e participar dessa evolução.

Diante desse novo cenário é importante criar estratégias para aproveitar ao máximo todos os benefícios que essa comunicação pode proporcionar, como destacou o profissional Emerson Calegaretti, um dos pioneiros da Internet brasileira:

> Um movimento transformou o usuário da Internet de ator passivo para protagonista, de mero consumidor de conteúdo para gerador desse conteúdo. Com o surgimento e a evolução de ferramentas de comunicação instantâneas, compartilhamento de fotos e vídeos, *blogs* e *microblogs* e finalmente as redes sociais, esse movimento se acelerou. Agora o conteúdo presente na *web* não é relato de poucas pessoas sobre o que acontece no mundo; ele agora é um reflexo de mim, de você e de nossas opiniões.
>
> Todas essas ferramentas sociais na *web* nos permitem interagir e mudar o rumo desse conteúdo, dando voz a nossas ideias. Essa é uma fantástica evolução do ponto de vista social, mas criou um inferno para os profissionais responsáveis por gerenciar a relação com seus clientes. Agora o consumidor tem voz em um sem-número de canais, tanto para mostrar seu amor como seu ódio por uma marca, um produto, um serviço, uma empresa. Muitas empresas encaram essa nova fase no mundo das comunicações como um desafio intransponível.
>
> Com muitas novidades, a tendência natural do ser humano é se fechar, aguardar um movimento mais claro das multidões e só então agir. As corporações não são diferentes. Todos aguardam "o que os outros vão fazer" para só então tomarem um passo adiante. Infelizmente, quando acordarem poderão perceber que seu concorrente não só já deu um passo adiante, como também criou uma relação sólida e benéfica com seus consumidores. As empresas podem querer apenas estender os canais de *feedback* dos consumidores, mas existem outras oportunidades nessa operação.
>
> É possível melhorar a reputação e imagem da sua empresa, gerar novas oportunidades através de negócios continuados e diminuir custos de atendimento, entre outros. Se optar por apenas estender seus canais,

minha recomendação é que você crie uma interconexão dos canais de *web* (*e-mail*, comentários feitos no *blog* corporativo, formulários no seu *site* etc.) aos sistemas atuais de gerenciamento de relacionamento. Sua única preocupação, de fato, é que esse tipo de comunicação seja apenas reativa, você apenas passa a dizer que "está aberto para reclamações pela Internet". Isso é o mínimo que qualquer empresa séria pode fazer, mas não vai mudar a imagem de seus produtos ou de sua empresa e nem vai gerar novos negócios.

O objetivo de toda empresa é tornar qualquer interação com um atual ou futuro consumidor uma oportunidade de encantar essa pessoa. Portanto, não basta ouvir e reagir de maneira formal e burocrática. Para esse novo consumidor, acostumado a interagir profundamente através da *web*, é necessário dar um passo a mais e se antecipar às suas necessidades, estando mais presente na sua vida enquanto ele usa a Internet.

É preciso ter consciência de que a comunicação entre as empresas e o consumidor se transformou em uma avenida de mão dupla, e por isso as corporações precisam aprender a ouvir mais do que falar. Também é fundamental entender que cada rede social é distinta. Existem redes profissionais, como LinkedIn e Plaxo; redes para compartilhamento de fotos, como Pinterest, Instagram, Photobucket e Flickr; redes de vídeos, como YouTube, Videoblog, Vine e DailyMotion; e tantas outras.

Cada uma delas requer uma comunicação empresarial adequada às suas características e ao público que as compõe. Vale lembrar ainda a importância de divulgar em todas as ações de marketing os canais de que a empresa dispõe, como *blogs*, *e-mail*, *chats*, *website*, telefones, Twitter etc., uma forma de mostrar postura aberta e de que existe disposição de atender bem ao cliente nessas múltiplas plataformas.

6
INCLUSÃO DIGITAL

OBJETIVOS

- ✓ Entender a importância da inclusão digital e suas características no Brasil.
- ✓ Conhecer o potencial da Internet para atender a população de baixa renda.

A sociedade está passando por grandes e profundas transformações, alavancadas principalmente pela globalização e pela rápida evolução da tecnologia no mundo moderno. O consumidor deixou de ser apenas um espectador dos fatos para assumir o papel de protagonista da história. Sabemos que cada vez mais ele interage e participa do processo de criação de um produto, do seu lançamento e até do seu sucesso ou fracasso. Isso passa pela grande interação proporcionada pela Internet e pelas mídias sociais. Porém, temos de lembrar que, para uma boa parte da população mundial, especialmente dos países emergentes, isso tudo ainda é muito novo.

Tratando de número de internautas, o Brasil está com cerca de 67% da sua população conectada, com 139 milhões de pessoas. A venda de computadores em anos anteriores teve um grande crescimento. Estima-se que praticamente a metade tenha sido destinada às classes de baixa renda – um público que vem aderindo à tecnologia rapidamente e que busca soluções mais simples, em todos os sentidos, o que exigiu da indústria e do varejo uma readaptação, tanto de produtos como de serviços, para permitir seu acesso.

As vendas de *tablets* e computadores vêm caindo desde então. Além do *tablet* já não ser mais uma novidade no mercado, há uma "canibalização", principalmente pelos lançamentos de *phablets* (celulares inteligentes com telas maiores), que caíram no gosto do público. A categoria reúne celulares com telas tão grandes, entre 5 e 7 polegadas, que fazem parecer pequenos *tablets*, daí o nome com junção das palavras *phone* e *tablet*.

Destaca-se por outro lado o crescimento da aquisição de aparelhos celulares, principalmente *smartphones*, o que, juntamente com o maior acesso aos computadores, demonstra claramente as mudanças no perfil dos consumidores. Segundo o estudo do instituto We Are Social, com uma população brasileira de 209 milhões no final de 2016, o número de conexões *mobile* é 14% maior que o total da população, o que demonstra uma migração para o acesso móvel pelas classes C e D e o uso dos *smartphones* como fator de inclusão social.

Além disso, não podemos esquecer a crescente influência na construção das marcas devido a essa maior interação dos compradores, que cada vez mais percebem seu poder. Alguns começam a navegar muito singelamente, apenas para tentar localizar velhos amigos nas redes sociais, pois sentem que já não podem ficar de fora; depois enviando *e-mails*, e logo passam a usar a *web* para realizar pesquisas informais, de preços, discutir, elogiar ou rejeitar alguma marca ou produto, seja porque não gostou ou porque não foi bem atendido em determinada empresa, por exemplo.

Com isso, pode-se afirmar que as marcas que continuarão progredindo e se consolidando serão aquelas que mudarem suas atitudes para se conectar mais efetivamente com esses consumidores, criando vínculos e experiências reais e autênticos, inclusive utilizando o mundo virtual para atingir seu objetivo.

6.1 A verdadeira democracia

Não há nada mais democrático do que a Internet, no sentido de que cada vez mais ela está presente em todos os lares, em todas as empresas, contagiando um número crescente de pessoas – dos mais jovens, pela facilidade que estes têm com as inovações, às pessoas de mais idade, pelo desafio que representa e pela dificuldade em entender como funciona. E, além de grande crescimento nas camadas de maior idade na população, observa-se também um crescimento vertiginoso no acesso vindo de todas as classes sociais.

Outro ponto é a **acessibilidade** gerada pela popularização do *smartphone*, com o qual se pode navegar de qualquer lugar, a qualquer hora. Se por um lado isso é fabuloso, por outro nos traz uma sensação de total dependência, pois quando as pessoas se esquecem desse aparelho, logo surge uma perturbação, como se tivessem esquecido de alguém, ou como se faltasse uma parte sua. A verdade é que todos nós ficamos com a percepção de que estamos perdendo alguma coisa, alguma informação, só pelo fato de não estarmos conectados por alguns momentos. O celular virou quase uma extensão do nosso corpo e ocupa cada vez mais um espaço importante por viabilizar muitas atividades como acessar vídeos, *e-mail*, consultar localização, temperatura, checar a cotação da Bolsa de Valores, fotografar e, obviamente, para falar.

Outra ferramenta ainda mais veloz e de grande poder de disseminação são as redes sociais. Elas aumentam essa democracia, pois podem ser consideradas medidores de tendências, ou um termômetro útil para as empresas acompanharem suas marcas ou suas crises. No mundo empresarial, muitas companhias fazem acompanhamento sobre o que as comunidades falam a respeito dos seus produtos ou serviços. Voltando a falar na democracia gerada pela Internet, o principal ponto a ser observado é a possibilidade de cada ser humano publicar aquilo que bem entende e disseminar esse conteúdo. A *web* trouxe um poder nunca antes visto às mãos dos consumidores, dada a possibilidade de influenciar outras pessoas e, portanto, seu consumo, suas opiniões, seus interesses. E isso é para o bem e para o mal, ou seja, tanto pode ser utilizada de forma positiva como negativa.

Levando isso para o contexto político, já que estamos falando sobre democracia, percebe-se que mesmo quando alguns governos tentam proibir ou monitorar o uso da *web* e das redes sociais, isso se mostra completamente inviável, visto que a liberdade é inerente ao funcionamento da Internet. Tanto as empresas como os políticos não podem mais se esquivar ou ficar distantes desse meio de comunicação. O que deve ser feito, em se tratando de consumidores e de eleitores, é usar esse caminho como plataforma para interagir, com total transparência, com cada um desses públicos e, com isso, tentar atingir seu objetivo, seja ele qual for.

6.2 Novo alvo: público de baixa renda

Muito se tem discutido sobre como alcançar o público de baixa renda nas ações de marketing, mas ainda há um longo percurso a ser traçado para entender sua dinâmica. Há inúmeras empresas preocupadas em criar itens diferenciados, com quantidades menores, novas embalagens, para assim reduzir o preço dos produtos. Há muitos acadêmicos pesquisando e teorizando sobre o assunto, definindo perfis, criando modelos etc. Mas isso ainda é pouco, se considerarmos que persiste uma distância enorme entre tais ações e a realidade que cerca a vida dessas pessoas. Na verdade, existe um grande abismo entre aqueles que desenham as estratégias e seu público-alvo.

Apesar da realização de inúmeras pesquisas voltadas para compreender esse público, por meio de quaisquer métodos, sejam entrevistas ou por uma convivência com as famílias de baixa renda, há ainda uma grande distância. Esse abismo se reflete em diversos pontos de "não contato", como a cultura, o vestuário, o gosto musical, a estética, os lugares frequentados, enfim, quase tudo é diferente em comparação às classes mais abastadas. E obviamente isso interfere na forma como consomem produtos, crédito, serviços e cultura.

Um olhar mais atento pode demonstrar que existe um ponto em comum entre o público consumidor de baixa renda e as pequenas e médias empresas (PMEs): ambos querem ser tratados com mais clareza, transparência e objetividade. Por isso, a comunicação dirigida a eles precisa levar em consideração esses pontos, que são fundamentais, mas por razões diferentes.

No caso do pequeno e médio empresário, em geral, ele "não dispõe" de tempo para tentar decifrar o que alguns consultores querem dizer e, além disso, muitos não possuem formação em outro idioma ou mesmo em outras disciplinas, como tecnologia da informação, para decifrar inúmeras siglas. Costumo dizer que nós, comunicadores, educadores e consultores, temos a missão de levar conteúdo e conhecimento de uma forma mais simples, para que todos consigam assimilar de maneira mais prática.

O público de baixa renda, por seu lado, pode apresentar alguma dificuldade em decifrar o que certas campanhas publicitárias querem dizer. Isso foi verificado em pesquisa realizada pelo Instituto Data Popular há alguns anos, na qual foram apresentados anúncios de produtos e avaliados o entendimento e as percepções de diferentes classes sociais. Fica clara a necessidade de uma **comunicação mais explícita e literal** se as empresas quiserem ser compreendidas pelas classes mais populares. Ao tentar criar um conteúdo mais inusitado, muitas empresas acabam tornando suas mensagens confusas diante desse público.

Por outro lado, é fascinante verificar que o acesso a esse novo mundo da Internet tem trazido melhorias para a vida de muita gente, como nos casos de pessoas de locais remotos do Brasil, com acesso extremamente rudimentar e que, mesmo assim, se beneficiam do universo digital, como a garota indígena de uma cidade no Pará que comprava livros e aguardava duas semanas pela sua chegada, pois era o único meio, visto que não há livrarias nem bibliotecas na sua cidade. Ou então a agricultora pernambucana que usa a *web* para obter informações sobre previsão do tempo, para saber quando é a melhor época para plantar, bem como fazer coleta de água da chuva.

Há o caso de um rapaz, Bruno Barreto, que criou sozinho um sistema chamado SACSP, para a cidade de SP, captando diversas reclamações postadas por cidadãos paulistanos sobre problemas da cidade e gerando, através de uma profunda análise, um novo olhar para essas reclamações, com interpretações que antes ficavam invisíveis. O *site* chamou a atenção da prefeitura e hoje Bruno dá consultoria para novos projetos de dados públicos. Esses são apenas alguns sinais dos novos tempos que estamos vivenciando.

> **Portão de embarque para a *web***
>
> Apesar da grande expansão do uso da Internet nos últimos anos, boa parcela da população brasileira ainda se encontra à margem dessa realidade. Para contornar essa situação, o governo federal criou os chamados telecentros – centros públicos de acesso à Internet –, voltados a atender as pessoas das classes C, D e E e das regiões rurais, em que a iniciativa privada não tem interesse ou condições de explorar.
>
> Segundo a Pesquisa sobre o "Uso das Tecnologias da Informação e da Comunicação no Brasil – TIC Domicílios" – realizada pelo Centro de Estudos sobre as Tecnologias da Informação e da Comunicação (cetic.br), do Núcleo de Informação e Coordenação do Ponto BR (nic.br) – braço executivo do Comitê Gestor da Internet no Brasil (cgi.br), especialmente na zona rural os telecentros do governo são ainda mais importantes que nas áreas urbanas, já que em 2013 a proporção de usuários que navegaram pela *web* na zona rural foi de 15% da população, enquanto na área urbana foi de 48%, uma distância de 33%.
>
> Devemos considerar que muitos desses telecentros estão em áreas remotas, onde o acesso à Internet é ainda precário, o que faz que sejam, muitas vezes, a única alternativa para conseguir uma conexão à rede.
>
> Existe uma proposta tramitando no Congresso Nacional para regulamentar essa atividade, e fazer que as *Lan houses* passem a ser definidas como Centros de Inclusão Digital (CIDs). Para isso, esses estabelecimentos deverão ter *hardware* e *software* que permitam inibir o acesso a conteúdos inapropriados a menores de 18 anos. O objetivo é transformar esses locais em empresas prestadoras de serviços que propiciem o desenvolvimento educacional e cultural das populações de baixa renda. O Sebrae também possui um projeto que visa reforçar a legalização e profissionalização do segmento.
>
> Embora o acesso domiciliar à Internet tenha registrado crescimento significativo também nas classes menos favorecidas da população, grande parte ainda não consegue pagar pela banda larga, o que torna esses centros uma alternativa atraente, principalmente nas zonas rurais do País.

Um grupo que tem merecido a atenção dos analistas é o dos jovens pertencentes às classes C, D e E. Hoje, esses jovens, mais sintonizados do que as gerações anteriores, devido à facilidade de acesso via celulares e Internet, não se limitam mais ao universo do seu bairro e amigos. Eles passaram a ter um consumo similar ao da classe média alta. Para isso, utilizam-se, assim como os adultos, das facilidades trazidas pelo crédito. Com isso, podem comprar o mesmo tênis de marca que o jovem da elite usa.

De qualquer forma, os hábitos das classes populares ainda diferem bastante se comparados aos da elite, por serem mais conservadores, mais religiosos e também mais solidários, pois costumam compartilhar suas vidas com membros da sua comunidade. O que diferencia mais fortemente o consumo do grupo de baixa renda é que ele é voltado para a inclusão; o jovem cidadão deseja "fazer parte", enquanto o da alta renda busca exclusividade e "quer ser diferente", como consta de pesquisa do Instituto Data Popular:

Que o mercado de baixa renda é um fato, ninguém duvida mais. Seja no mundo real ou no mundo virtual, as classes C, D e E vieram para ficar. Com a democratização do consumo e uma sólida política de Estado que incentiva a inclusão digital, os menos favorecidos também passaram a ter acesso às novas tecnologias e puderam, finalmente, se lançar no mundo virtual. O computador deixou de ser um bem restrito e passou a fazer parte do cotidiano das pessoas de baixa renda. Em uma das pesquisas que o Instituto Data Popular fez para identificar as razões da compra do primeiro computador, percebemos uma relação direta entre a ascensão social da família e a preocupação com o futuro profissional dos filhos. Os pais acreditam que o computador é uma ferramenta que vai complementar a educação. Por isso, cada vez mais essas máquinas invadem as casas das classes C, D e E. O aumento da posse de computadores, juntamente com o fato de que 60% dos cartões de crédito ativos no Brasil em 2015 são dos consumidores das classes C, D e E, ante 50% em 2014, passou a ter um impacto inevitável no *e-commerce*. Com computador em casa e cartão na mão, essa parcela dos consumidores passou a comprar pela Internet. E esse contingente continua crescendo. Para conquistá-los, o maior desafio do *e-commerce* é superar o medo da compra virtual, visto que mais da metade das pessoas de classe C, D e E concorda com a afirmação de que comprar pela Internet nunca é seguro, contra um terço das classes A e B. A maioria dos internautas emergentes é de mulheres, e o público é mais jovem do que a média de internautas. A Internet é o meio mais utilizado pelos jovens dessas classes, principalmente as redes sociais. Outro desafio é mostrar claramente quais são as oportunidades oferecidas pelo *e-commerce* e quais são as vantagens em relação ao varejo tradicional. As vantagens devem superar a principal limitação do canal de compras: a intangibilidade (a impossibilidade de ver, manusear e testar o produto). O fato é que os consumidores da base da pirâmide estão entrando no mundo digital e, assim como no varejo tradicional, só serão líderes de mercado as empresas que forem líderes nas classes C, D e E.

6.3 Inclusão digital das PMEs

Apesar da expansão nítida do mercado, as empresas de comércio eletrônico enfrentam três gargalos importantes. As travas estão nas áreas de logística, tecnologia e regulamentação do setor. Umas das soluções é a contratação de profissionais capacitados para exercer novas atividades ou contar com uma consultoria para apoiá-las em seu processo de adaptação e para que possam avançar com maior velocidade.

Se o empresário quiser se lançar em um projeto de *e-commerce*, por exemplo, pode contar inicialmente com organizações como a Associação Comercial de sua cidade, a Camara-e.net (Câmara Brasileira de Comércio Eletrônico), o Sebrae, entre outras.

Para o empresário ter um bom projeto é necessário iniciar com um planejamento que envolva toda a parte de avaliação financeira, bem como que tenha conhecimento sobre registro de domínio da sua empresa virtual; saber como proceder com relação à segurança do *site* e das transações financeiras a serem realizadas; precisa ter conhecimento sobre *web* marketing, ou seja, como divulgar seus produtos nesse novo espaço que ele ainda não domina. Precisa, ainda, ter acesso às soluções de logística para entrega dos produtos aos clientes e aprender sobre todos os pontos fundamentais para o bom funcionamento do seu negócio na *web*, além de uma certificação digital. Veja mais no Capítulo 2.

Esses são apenas alguns pontos relacionados à discussão com relação à **inclusão digital de empresas no Brasil**, visto que ainda há muito investimento a ser realizado em infraestrutura.

7
DESAFIOS PARA OS PROFISSIONAIS DA NOVA ERA

OBJETIVOS

- ✓ Conhecer o mercado e o perfil dos internautas brasileiros.
- ✓ Entender a importância de estar sempre atualizado e conectado com as principais tendências – *non stop learning*.

Neste capítulo trataremos sobre as imensas transformações provocadas pela Internet nos últimos 20 anos, que também trouxeram grandes desafios a todos, mas principalmente para os profissionais de marketing e comunicação, que sempre tiveram de buscar soluções inovadoras e que agora precisam acrescer às suas atividades uma quase frenética busca por conhecimento, pois aqueles que não conseguem acompanhar a velocidade das atualizações com grande frequência se sentem frustrados.

Como sempre repete um grande amigo, Romeo Busarello, diretor de canais digitais da Tecnisa: "Quando me observo, me desespero, mas quando eu me comparo, me tranquilizo..."

Para se ter uma ideia, há cerca de doze anos era lançado um dos *sites* mais importantes da Internet, o YouTube. Quem viu isso acontecer naquela época jamais imaginaria que ele ocuparia um espaço tão fundamental na vida da Internet e passaria a ter mais de 1 bilhão de usuários. A cada minuto são postadas cerca de 300 horas de novos vídeos no YouTube, segundo dados do próprio YouTube, o que nos faz repensar as dimensões do que é real e do que é virtual, pois esse "um minuto" pertence ao que chamamos de mundo real; essas 300 horas pertencem ao que conhecemos como mundo virtual.

A cada segundo é criado um novo *blog*, e o Brasil aparece como o segundo lugar no mundo em relação a esse alcance.

Hoje há mais de 2,7 bilhões de pessoas no mundo tinham perfis em redes sociais, e mais de 2 bilhões acessavam por meio móvel.

Esse cenário obriga empresas e agências de publicidade a se readequar diante da necessidade urgente de trazer resultados efetivos e com investimentos cada vez mais ajustados, além de aprender a utilizar as novas métricas disponíveis no mundo digital.

O Brasil é um dos países com maior número de internautas. A maior parte desse público navega de casa ou do trabalho e está observando a comunicação das empresas e seus produtos, trocando informações, jogando, "blogando", pesquisando, colaborando e influenciando o consumo uns dos outros. A Internet, como veículo de mídia, já é um dos principais meios, figurando sempre em segundo ou terceiro lugar (dependendo do instituto que faz a mensuração) no Brasil, tendo ultrapassado TV por assinatura, revista, jornal, guias e listas, rádio, enfim, fica atrás apenas da TV aberta. Segundo o IAB (Interactive Advertising Bureau), o Brasil fechou 2016 com um investimento anual de mais de R$ 11,8 bilhões, apresentando contínuo crescimento ano a ano.

A estimativa é de que 86% dos internautas brasileiros assistam a vídeos na *web*. Pesquisa realizada pela comScore, empresa especializada em medições de audiência na Internet, identificou que o Brasil está à frente, na América Latina, de México, Argentina, Colômbia e Chile em termos de penetração de audiência de vídeos *on-line*. Entretanto, dados da Adform indicam que, no País, o engajamento com anúncios *display* em vídeos é menor do que nos EUA ou em diversos países europeus. Uma pesquisa realizada em 2014 pelo Google e TNS mostrou que, entre os usuários de *smartphones*, 31% consome esse tipo de conteúdo todos os dias no Brasil. No México e na Argentina esses índices ficam em 25% e 19%, respectivamente. Em 2017, o número de pessoas que assistem ao YouTube passou de 82 milhões.

É importante ressaltar que há diferentes estratégias a serem aplicadas a cada negócio. Isso implica refletir sobre alguns pontos cruciais para as estratégias de marketing e comunicação.

Um dos maiores desafios atuais está relacionado à necessidade de **maior assertividade na definição do público-alvo que se deseja atingir**, o *target*. Para identificar quem são os consumidores da sua marca e localizá-los, será imprescindível utilizar aspectos que vão além da forma tradicional de análise por perfil sociodemográfico. É preciso segmentar também por perfil "psicográfico", ou seja, hábitos, comportamentos e atitude.

Hoje, mais do que nunca, é necessário usar metodologias baseadas em avaliação de aspectos comportamentais, em hábitos culturais, entre outros. Isso significa que o grau de dificuldade aumentou, e muito. Para se certificar disso, basta analisar de perto um exemplo, que é o do público jovem ou adolescente. Como se sabe, eles conseguem se conectar a diversas alternativas de mídia ao mesmo tempo, tornando quase impossível saber o tempo gasto em cada uma, quais suas preferências, onde está sua atenção, entre outros aspectos.

Para exemplificar esse fato, temos o desafio do consumidor multitela, pois **75% da audiência *on-line* brasileira utiliza regularmente pelo menos um de seus dispositivos eletrônicos, como computador/*laptop*, *smartphone* ou *tablet* enquanto assiste TV**, segundo um estudo denominado "Brasil Conectado – Hábitos de Consumo de Mídia", divulgado pelo IAB. Ao realizar essas tarefas simultâneas, quando a atenção não é distribuída igualmente entre TV e dispositivo, a atenção está provavelmente mais focada no dispositivo do que na TV.

Isso demonstra o que chamamos de "fractalização da comunicação", o que impõe aos profissionais uma investigação e um conhecimento muito maiores para que possam propor estratégias mais adequadas, pois hoje revistas concorrem com *sites*, *blogs* concorrem com jornais, *podcasts* com rádios, TV com YouTube, ligações telefônicas com WhatsApp, e assim por diante. Esse aumento na complexidade amplia o tempo que deve ser investido na etapa de planejamento das estratégias de comunicação, mais do que em qualquer outra atividade de marketing.

Os resultados serão proporcionais a esse planejamento, pois hoje não há mais espaço para ações imediatistas, ou mesmo irresponsáveis. O mercado cobra, e cobra caro!

Muitas vezes observa-se um fracasso no uso de ferramentas de marketing digital, mas quando se aprofunda a análise percebe-se que não foram feitas etapas anteriores de diagnóstico e planejamento adequadas, considerando o perfil do negócio e seu público-alvo. Quanto mais jovem for esse público, por exemplo, maior será a oportunidade para uso da Internet, pois 79% na faixa etária entre 9 e 17 anos têm perfis em redes sociais. Há uma tendência de crescimento no uso do *smartphone* como principal forma de acesso às redes sociais. O aparelho é usado por mais da metade desse público. As atividades mais desenvolvidas pelos jovens que acessam Internet são pesquisa para trabalho escolar (87%), assistir a vídeos (68%) e baixar músicas ou filmes (50%). A pesquisa "TIC Kids Online Brasil", feita entre setembro de 2013 e janeiro de 2014, também apontou que 61% dos usuários com idade entre 11 e 17 anos lembram de ter visto publicidade nas redes sociais, enquanto 30% viram em *sites* de jogos *on-line*. Entre os usuários, 57% disseram ter curtido alguma publicidade em redes sociais e 36% disseram ter compartilhado, o que significa que, para falar com esse *target*, deve-se elaborar uma campanha que obrigatoriamente inclua o mundo digital.

Outro ponto importante para o novo perfil de profissional de comunicação e marketing, sem dúvida, é **aprender cada vez mais a utilizar ferramentas de monitoramento e métricas eficazes**, única forma de se aperfeiçoar e redirecionar campanhas ainda durante sua execução.

Hoje existem diversas ferramentas que favorecem essa etapa, tornando possível saber quase tudo sobre a navegação do cliente no seu *site*, desde quando ele acessa, quanto tempo dedica a ele, páginas que mais visita, em que momento deixa o *site*, o que está procurando, se finalizou ou abandonou um processo de compras, enfim, depende apenas de quais são os objetivos de cada estratégia para buscar as respostas que suportem futuras decisões; além de todo monitoramento feito nas redes sociais para acompanhamento do que é dito sobre a empresa, como já exposto.

Esse processo deve ser contínuo; a empresa deve investir em um profissional, empresa ou equipe para fazer esse tipo de estudo permanentemente.

Para alguns setores, conhecer de perto o *e-commerce* tornou-se primordial, principalmente se o negócio da empresa é o varejo. As estratégias de marketing digital têm se mostrado eficazes em muitos negócios, tanto para aqueles totalmente *on-line* como para os que se utilizam de múltiplas plataformas de atendimento, cruzando o varejo físico com a loja virtual, o famoso *omnichannel*.

Há casos em que a Internet colabora no esclarecimento de dúvidas na etapa pré-venda, como no caso de automóveis, em que **aproximadamente** 93% das compras passam antes pela *web*, embora muitas vendas sejam fechadas nas lojas ou concessionárias, pois o cliente já chega decidido à loja sobre o que deseja e isso acelera o processo de atendimento.

Ou então no caso de imóveis, no qual mais de 90% dos processos de decisão contam com a *web*.

O mesmo vem ocorrendo com eletrodomésticos, informática, eletrônicos; enfim, quanto mais o produto em questão envolver uma compra comparada, mais o universo digital se mostra eficaz como apoio no processo decisório. Os usuários até acreditam que a Internet lhes dá mais **poder** para o processo das negociações de compra.

Igualmente imprescindível é aprender a utilizar as redes sociais a favor da empresa e analisar o que está sendo dito sobre seu produto ou marca, pois mesmo que a empresa ainda não esteja fazendo nada a esse respeito, algo já está acontecendo com ela e impactando seus negócios. E isso no Brasil tem um toque especial, pois 98% dos brasileiros aderiram fortemente a esse convívio em comunidades virtuais, permanecendo muito do seu tempo, mais de três horas por dia, navegando nas redes, buscando informações e recomendando produtos e serviços, segundo suas próprias avaliações.

Por isso, o Brasil foi considerado a "menina dos olhos" das grandes redes sociais. Esta foi a conclusão do *Wall Street Journal* ao analisar o crescimento e a participação do povo brasileiro em páginas como Facebook, Twitter e YouTube. Para essa conclusão, eles levaram em consideração estatísticas do SocialBakers, que mostram que o País é o segundo com mais usuários no Facebook, com 98 milhões de usuários atualmente. Também é o segundo em número de visitantes únicos do YouTube, um dos cinco principais mercados do Twitter e o segundo no LinkedIn, com aproximadamente 27 milhões de usuários e em fase de grande crescimento.

Outro cuidado é lembrar que o meio digital não é um canal de mídia como qualquer outro. Na verdade, ele demanda uma estratégia própria, uma nova forma de pensar, ou seja, não basta adaptar uma campanha feita para outro meio e replicá-la no digital... isso não trará sucesso.

Devem-se entender as principais diferenças entre um meio e outro e buscar trabalhá-los de forma integrada. Não existe mais *on e off-line* separadamente. Está tudo conectado, tudo junto e misturado. Deve-se identificar qual é o melhor meio para impactar as pessoas em determinado horário, por exemplo; permitir ao consumidor "saber mais sobre o produto/serviço", permitir comprar na hora que quiser, indicar a um amigo e trazer o cliente para o seu banco de dados. Permitir também oferecer outros serviços agregados, simultaneamente, como simulações de crédito, bem como a total personalização de campanhas, por exemplo. Esse tratamento *one to one*, de verdade, somente a Web permite.

Devem-se estabelecer estratégias de relacionamento com seu *prospect*, que poderão envolver *inbound* marketing, *mobile* marketing, SEO ou mesmo um simples envio de *e-mail* marketing com *link* para esclarecer dúvidas, ou um *newsletter* mensal.

Obviamente a Internet não é solução para todos os problemas nem veio para suplantar as outras mídias. Para as empresas, o melhor a fazer é usar esse novo meio para **aprender mais sobre o comportamento humano**, levantar informações sobre seus consumidores e aplicar as ferramentas colaborativas para se comunicar melhor, inclusive com suas próprias equipes, criando redes sociais corporativas, por exemplo, ou ainda se abrindo para trazer inovação através do uso de *crowdsourcing*.

A cada dia surgem novas oportunidades, e os profissionais estão sendo requisitados pelo mercado para profissões que até então não existiam, por exemplo: *Social Media Manager*, Analista de Monitoramento e Métricas, *Content Manager*, Diretor de canais digitais, *SEO/SEM Analyst*, Supervisor de *Business Intelligence* e assim por diante.

Além disso, é importante cada vez mais estar atento aos novos formatos de busca e recrutamento de profissionais, pois as empresas utilizam as informações coletadas nas redes sociais para levantar o perfil do profissional que estão contratando. Por isso, torna-se imprescindível ter muito cuidado com aquilo que se posta a respeito de si próprio em cada rede social, pois qualquer conteúdo poderá ser favorável ou desfavorável durante um processo seletivo. É fundamental também saber estruturar adequadamente a seu favor seu perfil no LinkedIn, principal rede profissional em uso no mercado atual.

Esse momento tem provocado uma enorme renovação no perfil que se espera dos profissionais, e mais especificamente nos perfis das áreas de marketing e comunicação, pois quem não tiver habilidade e capacidade para se reinventar e aprender continuamente provavelmente não superará esses desafios, ou não encontrará espaço no mercado daqui para diante.

Se por um lado esse futuro se mostra fascinante em termos de oportunidades de novos negócios e de agilidade na obtenção de informações, por outro tem trazido à tona questionamentos sobre privacidade das informações e ética.

Para os profissionais, o que se torna imperativo hoje, sem dúvida, é acompanhar e participar dessa evolução.

7.1 Geração Y, geração Z e o que mais vem por aí

Segundo Daniel Portillo Serrano, professor da Universidade Anhembi Morumbi, em artigo (http://www.portaldomarketing.com.br/Artigos3/Geracao_Y.htm) para o Portal do Marketing, o perfil da geração Y é composto basicamente por jovens e jovens adultos entre 18 e 30 anos, aproximadamente. Por ser uma geração relativamente nova, ainda não há uma conceituação clara de suas características, a não ser o fato que nasceram em um mundo que estava se transformando em uma grande rede global. A Internet, *e-mails*, redes de relacionamento, recursos digitais, fizeram que a geração Y conquistasse amigos ao redor do mundo sem a necessidade de sair da frente de seus computadores. A mobilidade nas comunicações é outra característica associada ao consumo desta geração. Afinal, essa é a primeira geração que não precisou aprender a dominar as máquinas, mas nasceu com TV, computador e comunicação rápida dentro de casa.

A geração Y não é fiel a marcas. Tentar fidelizar esse jovem pode ser um desperdício de investimento. Devido ao fácil acesso à informação, buscam aquilo que melhor lhes atende naquele momento em termos de qualidade, *status* ou seja lá o que estiver buscando. Mais do que marcas ou rótulos, **a geração Y busca inovação**. Um novo *gadget* (equipamento eletrônico) fará parte de sua lista de desejos antes mesmo de ser lançado. Passará horas em uma fila para adquirir em primeira mão um produto a ser lançado só para ostentar no trabalho ou faculdade, como um troféu. O jovem da geração Y também é multitarefa, consegue falar com amigos ao telefone, enviar mensagens, visitar os *sites* de relacionamento e ouvir música, tudo simultaneamente.

A Internet está para essa geração como as bibliotecas ou bancas de jornais para as gerações anteriores; por isso os dispositivos tecnológicos são itens imprescindíveis. A geração Y não tem necessidade de se aprofundar em determinado assunto, já que esse jovem mantém à mão *sites* de busca onde instantaneamente pode acessar a informação que necessita em milhões de veículos, o que significa que aos poucos a Internet vai substituindo os livros e o material didático.

O relacionamento não precisa ocorrer presencialmente e, na preferência desta nova geração, é melhor que não ocorra. Visitas são feitas virtualmente através de mensageiros instantâneos como WhatsApp, Messenger e *sites* de relacionamento, com a marca da nova geração, o imediatismo. Não precisa mais chamar seus amigos para mostrar as fotos; basta apenas publicar em seus *sites* que eles poderão acessar quando bem entenderem. Se precisar comunicar algo, não há necessidade de telefone, basta publicar uma mensagem em sua página. E, dessa forma, tem a certeza de que em alguns segundos toda a rede de relacionamento estará a par dessa informação. Os pais das pessoas da geração Y mantinham em média 15 a 20 amigos, incluindo três ou quatro contatos mais próximos. Hoje, um jovem mantém relacionamentos simultâneos e instantâneos com mais de uma centena de "amigos".

Cada nova geração passou a ficar constantemente disponível e conectada através de dispositivos móveis. A noção de grupo passa a ser virtual. Cada pessoa passa a ter o seu *videogame*, a sua TV, o seu celular e o seu equipamento de som. Isso muda a forma de comportamento e relacionamento social, já que antes as formas de diversão, entretenimento ou comunicação eram coletivas. No final do século XX, a televisão ocupava um lugar central na sala, reunindo a família no que se chamava "horário nobre". Hoje é comum ver cada membro da família conectado a um aparelho diferente, mesmo que todos estejam juntos na mesma sala.

A geração Z, dos nascidos entre 1990 e 2009, dispõe de todos esses dispositivos em equipamentos portáteis que não os prendem mais a lugar nenhum. A diferença entre as gerações Y e Z é que a primeira precisava se conectar à Internet para entrar no seu mundo, enquanto a segunda já nasceu conectada.

Além disso, **a geração Z provavelmente será a grande consumidora de tecnologia dos próximos anos** por acabarem consumindo os *gadgets* mais badalados e inovadores, já que a geração Y já entrou no mercado de trabalho e está produzindo o que eles não tiveram das gerações anteriores. Poucos fabricantes estão atentos a isso.

Para aprender a lidar com as gerações Y e Z, temos de estar presentes onde eles estão e sabermos como agir. Para isso, a empresa deverá criar conexões mais emocionais, lançar campanhas que tenham identificação para aumentar suas chances de "viralizar". Como diz Philip Kotler no livro Marketing *3.0*, as marcas deverão demonstrar seu valor para criar essa conexão emocional, pois as pessoas não compram mais apenas por critérios racionais. Elas decidem muito por **identificação com uma "causa"** que as empresas defendam.

Aliado a isso, é importante lembrar que 80% da mídia *on-line* alcança seu público-alvo, ou seja, com ela há menor dispersão. E a geração Y confia muito nas mídias digitais para gerenciar suas atividades diárias, se manter informada e fugir de tarefas rotineiras. Já o conteúdo e a comunicação digital literalmente ativam suas vidas sociais.

Não é tarefa das mais simples. Precisamos deixar muito claro, como diz o professor Silvio Meira, pesquisador especializado em engenharia de *software* do C.E.S.A.R., da Universidade Federal de Pernambuco, que ninguém sabe ao certo o que deve ser feito, e se alguma empresa disser que tem uma fórmula mágica, que sabe exatamente o que fazer e quais resultados essas ações trarão, provavelmente está mentindo. Estamos todos vivendo em "beta". Não está tudo pronto, nada é definitivo. Existem, sim, a possibilidade e a necessidade de criar junto.

Já que cada vez mais os consumidores estão presentes em diversos canais de compra e conectados em várias alternativas de mídia, como alcançá-los de forma eficaz? De acordo com dados apresentados pela empresa Acxiom, apenas 32% dos gestores de marketing sabem lidar com esse cliente multicanal, que, por sinal, é quase cinco vezes mais rentável que o comprador tradicional. Isso também é o que dizem outras pesquisas de empresas como Deloitte e Hybris. Ou seja, a empresa que não souber lidar com essa "multicanalidade" do consumidor estará literalmente perdendo dinheiro.

Mesmo que isso tudo seja muito novo, há experiências já testadas, histórias já contadas, que não nos obrigam a sair do zero. Ou seja, é possível aprender com os erros e acertos dos outros e buscar indicações e parceiros para acelerar o processo de aprendizado. Entre as ações já testadas e que demonstraram boa aceitação está, por exemplo, no caso de *blogs* de relacionamento criados pelas empresas, a aplicação eficaz da criação de conteúdo "rico", inovador e direcionado aos interesses do seu *target*, que agregue valor imediato. Outro ponto importante é **prover *feedback* frequente aos seus clientes e seus públicos de interesse,** bem como mostrar que sua empresa está acompanhando as mudanças do mercado.

7.2 Outros desafios: as classes populares

Nos últimos anos, os brasileiros das classes populares ganharam espaço no mundo digital. Cerca de 50% da classe média brasileira tem acesso à Internet, com 72% dos jovens com idade em torno de 22,5 anos conectados.

Apesar do salto no uso da Internet pelas classes de menor renda, o ritmo desse aumento vem se estagnando. Se esse ritmo de expansão for mantido, segundo projeção feita pelo Estadão Dados, isso significa que só em 2033 o acesso à Internet será universalizado no Brasil. Mesmo com esse cenário, a chamada classe C desponta de uma parcela da população antes marginalizada social e tecnologicamente e se torna um público cobiçado pelas empresas por ser uma classe que investe, participa e é emergente também no campo digital, até porque seu consumo atingiu um montante aproximado de R$ 1,35 trilhão em 2015, número maior que a soma dos valores do consumo das classes A e B.

No âmbito da América Latina, segundo estudo realizado pela agência americana Razorfish, esse perfil de consumidor está deixando de lado a televisão como principal forma de entretenimento devido à inclusão digital, principalmente os filhos da chamada nova classe média. Eles são mais informados, conectados à Internet e têm opiniões menos conservadoras sobre a mulher e o homossexualismo do que seus pais, revela o estudo "Geração C", feito pelo extinto Instituto Data Popular. Trata-se de um perfil dos cerca de 23 milhões de jovens de 18 a 30 anos com renda mensal entre R$ 219,00 e R$ 1.019,00 e representam 55% dos brasileiros dessa faixa etária.

Esse estudo concluiu que os filhos da classe C passam quase 50% mais tempo na escola que seus pais passaram, enquanto na classe A esse aumento é de 20%. E de cada R$ 100 que recebem, R$ 70,00 são destinados às despesas da família. Nas classes mais altas, a contribuição é de 20%. Além disso, esses jovens são os novos formadores de opinião: é para ele que o pai pergunta o que vai ser comprado e para onde a família vai viajar, demonstrando o quanto esse jovem será um adulto diferente do pai, o que acarretará uma mudança no perfil do Brasil.

A primeira mudança é que **os usuários de Internet da classe C já têm um perfil de navegação semelhante ao de internautas maduros**, especialmente no que diz respeito ao uso da rede como ferramenta de decisão para compra. A relevância da rede como principal fonte de informação é superior até à pesquisa nas lojas físicas para 23% da classe C, e as ferramentas de busca são o principal local de procura de lançamentos para 64% deles. Entre as principais informações buscadas por esses usuários estão fotos e vídeos sobre os produtos (60%), endereço do *site* de lojas (34%) e de fabricantes (30%). Opiniões de amigos também são consideradas no momento de decisão sobre a compra.

Há uma densa participação da Internet para pesquisa e consulta sobre produtos, e a rede vem crescendo sua penetração no ato da compra: hoje aproximadamente 27% dos *m*-consumidores e 44% dos *e*-consumidores pertencem a essa camada da população.

Empresas que negligenciam essa classe média digital, não trabalhando adequadamente linguagem, necessidades e não entendendo esse público, correm o risco de deteriorar sua própria perenidade e relevância de mercado. Seja pelos canais físicos ou digitais, ainda há um bom caminho a ser percorrido para atender a essa camada que não está acostumada, por exemplo, com certos termos, muito técnicos, ou em outros idiomas, que fazem que acabem desistindo de interagir com aqueles que não se preocupam em entendê-la.

Com o intuito de aproveitar oportunidades, algumas empresas têm buscado institutos especializados para compreender como essa parcela da população vive, pensa, age e consome. Para isso, contratam pesquisas em que seus gerentes passam dias na casa de famílias de baixa renda para poder "assimilar" as diferenças entre o "seu" e "aquele" cotidiano. Isso é ótimo, mas é fundamental que isso tudo seja revertido em ações de adequação de produtos e serviços, bem como em novas alternativas de pagamento, no caso de financiamentos.

Esse público também já está mais familiarizado com o uso de cartões de crédito, pois muitas pessoas, no início da popularização desse meio de pagamento, foram pouco ou mal instruídas e acabaram por se endividar. Depois desse susto inicial elas passaram a compreender melhor esse mecanismo financeiro e têm se adaptado.

Também nessa direção estamos observando casos interessantes de orientação ao consumidor, como o *site* da Febraban (www.meubolsoemdia.com.br), criado pela agência de Comunicação Fábrica, com base em pesquisas feitas pelo Instituto Data Popular, que traz informações sobre o funcionamento dos bancos, as modalidades financeiras, investimentos, dívidas etc.

Outra tendência é a forma de **adequar os equipamentos e a tecnologia a esses novos usuários**, responsáveis por grande parte das compras de computadores no País. Tem se tornado um desafio interessante compreender qual é a melhor linguagem e os serviços que agregam mais valor a ser percebido por esse público.

Afinal, a classe C se fortalece com poder de compra e é cada vez mais presente na Internet. Ela dita políticas e tendências.

7.3 Inclusão digital da terceira idade

A terceira idade vem se adaptando às novas tecnologias, tanto no uso das redes sociais quanto em conhecimentos básicos de informática aprendidos em cursos gratuitos de universidades.

A inclusão digital já se tornou parte da rotina de pessoas em todos os lugares mundo – passa-se cada vez menos tempo "desconectado" e utilizam-se os recursos digitais para a realização de muitas tarefas. Em uma época na qual a "Internet das coisas" é cada vez mais frequente, aqueles que não se adaptam se tornam "analfabetos digitais", praticamente excluídos da sociedade contemporânea.

DESAFIOS PARA OS PROFISSIONAIS DA NOVA ERA 219

Para as gerações mais novas, que já nasceram em um mundo digital, na maioria das vezes isso não representa nenhuma dificuldade; mas, e para os mais velhos? É característico das gerações mais antigas não apresentar tanto conhecimento em relação a isso. A partir de certa faixa etária, muitas pessoas não ficam a par de todas as funcionalidades digitais, e essa parcela aumenta juntamente com a idade. Entretanto, a terceira idade vem mostrando que não quer ficar de fora desse mundo novo.

Uma pesquisa do IBGE comprova que, ao contrário do que se imagina, **os idosos usam cada vez mais a Internet**. Em cinco anos, o número de pessoas acima de 60 anos que acessam a rede mais que dobrou: eram 5,7% em 2008, superados por 12,6% em 2013. Outra pesquisa de 2015, realizada pela AVG Technologies em diversos países, incluindo o Brasil, descobriu que o celular é o dispositivo mais utilizado entre os idosos, abrangendo 86% dos entrevistados. Percentual de 76% utilizam o Facebook e apenas 9% não usam nenhum serviço de comunicação.

A TECNOLOGIA NO COTIDIANO

USO DE DISPOSITIVOS DIGITAIS*

o celular é o dispositivo mais usado/comprado, utilizado por **86%** dos entrevistados

o *smartphone* é utilizado por **78%** dos entrevistados

os *desktops* e PCs também são usados por **78%** dos entrevistados

já os *laptops* são utilizados por **77%** dos entrevistados

em quinto lugar vem a câmera, usada por **74%** dos entrevistados

por último, o *tablet*, utilizado por **60%** dos entrevistados

Aplicativos mais usados
93% dos respondentes usam aplicativos em seus dispositivos

- Comunicação
- Sociais
- Banco e finanças
- Compras
- Notícias
- Viagens
- Entretenimento
- Saúde

Mídias sociais*

- Facebook: 76% dos usuários
- Google+: 52%
- LinkedIn: 52%
- Twitter: 25%
- Instagram: 24%
- Flickr: 4%

* Pesquisa realizada internacionalmente pela AVG Technologies em 2015.

Fonte: AV technologies 2015, adaptado pela autora.

Figura 7.1 Uso de aparatos tecnológicos na vida de todos.

7.4 Afinal, "o que querem as mulheres?"

Hoje, as pessoas se sentem cada vez mais livres e muito à vontade no mundo virtual. É o caso das donas de casa que até pouco tempo eram um público ausente desse cenário. No entanto, grande parte delas já navega diariamente na *web*, mesmo que seja apenas para enviar alguns *e-mails* para seus familiares ou buscar novas receitas de culinária.

No Brasil, 53% das pessoas que acessam a Internet são mulheres, conforme pesquisa divulgada em fevereiro de 2015 pelo Ibope Inteligência. Segundo o levantamento, as mulheres também representam 57% do *e-commerce* no País, embora os homens ainda tenham maior participação em volume financeiro nas compras *on-line*. Porém, **quando se trata de novos compradores, a maioria é de mulheres**, o que já vem impactando o perfil de produtos comprados, trazendo novas categorias para a liderança, como moda e vestuário, que atingiu o primeiro lugar em 2014, e cosméticos e perfumaria/cuidados pessoais/saúde, que ficou com o segundo lugar, quando a análise é feita pelo volume de vendas.

De acordo com pesquisa Ibope, a mulher da classe C é a mais conectada, com 66,09% de participação na *web*. Do público feminino na Internet, 31,64% pertencem às classes A/B e apenas 1,37% são das D/E. Na classe C, 66,85% das mulheres usam a Internet para buscar produtos.

Outro estudo feito pelo *site* <www.informationisbeautiful.net> identificou que as mulheres são maioria nas redes sociais: de 17 *sites* analisados, 12 têm maioria de público feminino. Facebook e MySpace são exemplos de redes sociais com maioria feminina; já YouTube e LinkedIn possuem uma igualdade entre público masculino e feminino. O Twitter no Brasil é um exemplo a ser citado como maioria de público masculino. A grande capacidade de comunicação e a necessidade de interação com outras pessoas são fatores que explicam a maioria do público feminino nas redes sociais. Além disso, o fácil manuseio e o grande alcance que essas ferramentas possuem podem ser uma das causas da atração entre mulheres e redes sociais.

Atualmente as mulheres possuem uma rotina extremamente dinâmica (casa, trabalho, estudo, marido, filhos etc.), e as redes sociais podem ajudá-las em vários aspectos: desde a divulgação do seu trabalho até na interação com parentes distantes.

Com isso, o que se vê são mulheres de diferentes faixas etárias compartilhando mais suas fotos na *web*. *Sites* do gênero se tornaram parte importante dessa experiência social. Elas ultrapassam os homens em todas as faixas etárias, tanto na preferência quanto no tempo gasto acessando *sites* de fotos, o que faz surgir uma dinâmica interessante: mulheres mais velhas se detêm nesse tipo de atividade por mais tempo que as mais jovens. Na faixa dos 55 anos ou mais, potencialmente com familiares distantes e netos, elas talvez estejam utilizando cada vez mais a Internet para manter contato com a família.

O *e-mail* continua sendo uma forma bastante popular de comunicação *on-line*, principalmente entre as mais maduras, que preferem a forma tradicional de se relacionar com a rede. Porém, o número de mulheres que usa a Internet para assistir a vídeos *on-line* é pouco menor que o de homens. Os jogos *on-line* também fazem bastante sucesso no Brasil; provavelmente isso se deve à crescente popularidade dos *games* acessados via redes sociais.

O principal público internauta de *sites* de jogos é o homem mais jovem. No Brasil, porém, as mulheres acima de 55 anos são responsáveis pela maior média de tempo gasto nesse tipo de atividade. Isso pode ser interpretado como um reflexo da crescente popularidade dos jogos casuais entre o público feminino mais maduro.

A importância da saúde, beleza, aparência e estilo na cultura brasileira se reflete no comportamento do público feminino *on-line*. **Brasileiras de todas as faixas etárias estão entre as maiores consumidoras mundiais de conteúdos de beleza**, moda e estilo na *web*. As internautas mais jovens (dos 15 aos 24 anos) são as que mais acessam esse tipo de conteúdo, e também as que passam o maior tempo médio nessa atividade. Muitas mulheres, mesmo trabalhando fora de casa, ainda são responsáveis pelos cuidados básicos com os filhos e são justamente elas as principais consumidoras da crescente oferta de conteúdos voltados aos pais na *web*, principalmente as de 35 a 44 anos, o que engloba não só páginas com informações sobre criação e aconselhamento, mas também *sites* de entretenimento e atividades infantis.

Quando o assunto são compras *on-line*, elas preferem acessar *sites* de vendas de perfumes e cosméticos, joias, acessórios e vestuário.

Outro estudo realizado pela Predicta, em parceria com o Instituto Multifocus, mostrou que 96% das mulheres costumam fazer comparações de preços pela *web*, mas apenas 4% disseram que fazer compras é sua maior motivação para acessar a rede; 31% afirmaram que não fazem compras *on-line* porque não conseguem analisar bem o produto; 19% receiam não receber o item adquirido e 25% não conseguem finalizar a compra porque não possuem cartão de crédito. A pesquisa revelou que mais da metade clica em propaganda *on-line* e mais de 30% afirmou que presta atenção ao que está sendo comunicado no ato da compra.

Além disso, os *sites* internacionais, especialmente chineses, como o AliExpress, se tornaram muito populares entre as brasileiras, que responderam por 60% dos pedidos do *site*, em parte porque são conhecidos pelo seu preço baixo e a grande variedade de roupas e acessórios. Segundo levantamento feito pelo Ibope E-commerce, o AliExpress é o *e-commerce* com maior número de vendas no Brasil.

As mulheres assumiram um papel fundamental no panorama da Internet dos dias atuais, e as brasileiras não são exceção. Elas utilizam a *web* para melhorar seu dia a dia, se comunicar, criar redes de contatos, pesquisar, comprar as últimas novidades da moda e buscar informações sobre carreira, cotidiano e a criação dos filhos. Há comprovação do interesse especial das internautas do País pelo tema beleza, moda e estilo, e é interessante perceber que veremos um amplo crescimento no mercado de portais com foco no público feminino, a partir do aumento da inserção da Internet nos lares e da disponibilidade da banda larga em todo o País. O potencial do mercado feminino *on-line* no Brasil, um dos países mais populosos e onde se encontra uma das maiores diversidades culturais e geográficas do mundo, é imenso.

7.5 *Crowdsourcing, open innovation* e *cocreation* – a sabedoria das multidões

A necessidade do ser humano de buscar algo novo é observada ao longo da história. E quando falamos do mundo corporativo isso se torna muitas vezes uma questão de sobrevivência, o que traz mais um desafio aos profissionais estratégicos nas empresas.

Com o advento da Internet inúmeras coisas têm mudado, e a forma de buscar inovação é uma delas. Muitas companhias estão utilizando um novo caminho colaborativo, o *crowdsourcing*, um modelo de produção de conteúdo, seja ele qual for (vídeos, textos, fotos, *podcasts* etc.) que utiliza a inteligência e o conhecimento coletivo e voluntário espalhado pela Internet para resolver problemas, desenvolver novas tecnologias, novos produtos ou novos projetos.

Utilizado adequadamente, pode gerar ideias novas, reduzir o tempo de pesquisa e de desenvolvimento dos projetos, diminuir custos, além de criar uma relação direta e até uma ligação sentimental com os clientes, já que estes gostam de participar, desde o início, de um novo empreendimento.

Um exemplo de *crowdsourcing* é a já bastante conhecida Wikipedia. Um "wiki" é uma coleção de páginas na *web* conectadas entre si, como qualquer outro *site* da Internet. Porém, os *sites* do tipo wiki possuem o diferencial de que a totalidade ou a maior parte de suas páginas podem ser, além de visitadas, editadas e atualizadas por **qualquer usuário a qualquer momento**, sendo essa sua principal característica.

No *crowdsource*, uma organização pode fazer um convite aberto, utilizando uma plataforma específica, a um grande grupo de pessoas ou comunidade para a **execução de determinada tarefa**, e geralmente paga por isso. Os projetos costumam ser organizados no formato de concurso. Mas como isso funciona? Muitas vezes a empresa consulta a "nuvem", onde anuncia seu problema e estabelece um valor. Nesse caso, os participantes propõem soluções e a empresa seleciona qual a melhor. As propostas podem vir de profissionais ou não. Embora isso seja bem mais difundido nos EUA, no Brasil ainda é pouco utilizado.

Existem, porém, outras formas de organizar projetos participativos, como a *open innovation* e o *open source*. Em comum, eles têm a abertura à participação como fonte de criatividade e diversidade. A ideia central da inovação aberta (*open innovation*) é que, num mundo com informações distribuídas, empresas não aplicam somente os próprios recursos em suas pesquisas, mas complementam esses recursos com projetos de inovação (patentes) comprados ou licenciados de outras empresas ou pessoas de fora da própria empresa, tornando o processo de inovação aberto.

No modelo *open source*, um grupo aberto de voluntários se auto-organiza e desenvolve um projeto que não é propriedade de ninguém. Há diversos exemplos de produtos obtidos através do *open source*, como os sistemas operacionais Linux e Android, do Google, criados por voluntários ao redor do mundo, o que demonstra que muitos internautas podem fornecer informações mais precisas do que peritos individualmente, ou seja, por trás disso está a ideia de que muitas cabeças pensam melhor que uma.

Um caso que demonstra claramente como isso funciona é o das comunidades voltadas à criação de aplicativos para aparelhos como iPhone e iPad.

Sendo assim, ***crowdsourcing*** é **a produção de conteúdo ou solução de problemas, em que qualquer indivíduo pode participar,** já que o convite é aberto para a multidão (grande grupo de pessoas ou comunidade), e *open innovation* diz respeito a informações sobre tecnologia/patentes para a melhoria de produtos.

Outro modelo de colaboração é a **cocriação**, resultado de atividades conjuntas entre a empresa e seus clientes voltadas para a geração de negócios e estratégias de marketing. Nesse caso, os mercados são fóruns de debate e discussão para empresas e consumidores mais ativos. Com isso, há uma mudança no modelo tradicional de consumo passivo para gerar opiniões, combinações e possibilidades. Afinal, anos atrás, a maneira de atingir o público definido era dar um produto e fazer testes para ver se era ou não apropriado. Hoje, com a cocriação, a marca pode oferecer aos clientes diretamente o que eles precisam e querem. Tudo isso traz uma experiência personalizada para os clientes, além de melhorar a rentabilidade. Todo mundo ganha, a organização conhece melhor a percepção do seu produto ou serviço e o usuário personaliza a oferta.

Na cocriação, o convite é feito para um **pequeno grupo de pessoas** com habilidades especiais. Essa é a maior diferença em relação ao *crowdsourcing*, a capacidade de trabalhar com um grupo especializado, capturar ideias e trabalho com eles através de várias etapas, para criar, em última instância, uma experiência melhor para o consumidor. *Crowdsourcing* centra-se na quantidade e resulta em mudanças incrementais; cocriação se concentra na produção de soluções de qualidade e inovação.

É interessante mencionar que inicialmente os usuários se engajaram no desenvolvimento de tecnologia, por exemplo, com os *softwares* de código aberto e em conteúdos amplos como a Wikipedia. Depois, foram convidados a auxiliar na construção de produtos mais elaborados, como automóveis (exemplo: Fiat Mio), e agora participam também da formatação de artigos bastante prosaicos, como salgadinhos e barras de cereais, que veremos a seguir.

Dissemina-se assim, nas estratégias das marcas, o conceito do *crowdsourcing*, ou da colaboração generalizada, e o conceito de cocriação, ou da colaboração de grupos específicos, na busca de objetivos comuns, no caso, objetivos próprios do marketing, como novos produtos, serviços e ações de comunicação.

Seria apenas questão de tempo, previam estudiosos, esse uso da inteligência coletiva no contato entre marcas e consumidores, pois ele pode proporcionar inúmeros benefícios: estreitar esse relacionamento, gerar *buzz*, apoiar ações promocionais e, provavelmente, gerar contribuições relevantes para o processo de definição de produtos e de sua comunicação. Esse **apelo à colaboração é ainda a evolução natural das características próprias dos meios digitais**, que já permitiram o compartilhamento de textos, imagens e vídeos, e agora permitem aos usuários compartilhar, também, suas ideias.

Embora usados hoje de maneira recorrente, os modelos de atuação embutidos em termos como *crowdsourcing* e cocriação não constituem exatamente novidades no marketing. Via pesquisas, por exemplo, essa atividade sempre buscou valer-se das informações provenientes dos consumidores. A grande mudança foi que as tecnologias possibilitaram realizar esse processo de forma mais aberta, direta e transparente.

No Brasil, a Coca-Cola apostou na colaboração em projetos como "Refresque Suas Ideias", que recebeu mais de 250 mil sugestões de artes para a decoração das latas do refrigerante Sprite; posteriormente essa contribuição dos consumidores apareceu também em um tênis lançado em parceria com a marca Redley. É importante ressaltar que através de ações como essas se estabelecem relações muito mais profundas entre as marcas e seus consumidores.

Também interessada em estreitar esse relacionamento, a marca de batatas Ruffles lançou a ação "Faça-me um Sabor", convidando o público a criar um novo sabor para seus salgadinhos. O convite foi aditivado com a promessa de recompensas financeiras (1% sobre todo faturamento líquido gerado pelo novo produto nos primeiros seis meses). A quantidade de sugestões recebidas no Brasil (2 milhões) superou aquela registrada nos demais países onde ocorreu a mesma ação: Inglaterra, Austrália, Turquia e África do Sul.

Antes de anunciar o novo sabor de Ruffles, os três sabores finalistas foram lançados no mercado para que o vencedor fosse escolhido pela combinação entre votação do público e resultados comerciais. Esses três sabores representaram em torno de 10%

das vendas da marca enquanto estiveram nas prateleiras, um índice bastante expressivo. Os três sabores eleitos pelo modelo de *crowdsourcing* na época foram: feijoada, burritos e calabresa.

Há algum tempo, a marca Taeq, do Grupo Pão de Açúcar, também convidou os consumidores a indicar, via Facebook, um sabor para uma nova barrinha de cereais, com a campanha "Barrinha Taeq do meu jeito". As três barrinhas mais votadas entraram para o processo de fabricação em série e os sabores eleitos pelo público foram: 1) coco, iogurte e creme de limão com chocolate ao leite; 2) figo, castanha-do-pará e cacau, com cobertura de chocolate meio-amargo; e 3) cereja, nozes e doce de leite, com chocolate ao leite.

Como se pode observar, essa é uma forma democrática e acessível para as empresas inovarem na criação de produtos.

O setor de serviços também apostou em ações apoiadas na colaboração: por exemplo, no mercado de telefonia celular a operadora TIM desenvolveu o projeto "Seu Ouvido Vale um Chip", destinado a estruturar um plano mais adequado às demandas do público jovem.

Além de valorizar marcas, **projetos fundamentados em *crowdsourcing* podem enriquecer produtos e serviços com novas características,** como mostra a plataforma de colaboração "Tecnisa Ideias", criada pela construtora paulista. Fonte de inúmeras sugestões que vieram a ser implantadas, entre elas a captação e armazenamento da energia gerada pelos movimentos realizados nas bicicletas ergométricas dos espaços fitness de seus edifícios para posterior uso nas áreas comuns desses condomínios. Desde seu lançamento, o projeto Tecnisa Ideias já recebeu mais de 1,1 mil sugestões, mais de 2 mil participações e mais de 30 ideias aprovadas, e 45% das ideias em análise são geradas por fontes externas.

No ambiente do marketing, muitos profissionais ainda percebem a colaboração como ameaça, e não como oportunidade. Porém, essa ferramenta é extremamente adequada ao atual estágio do relacionamento entre marcas e consumidores, no qual a transparência é fundamental. Vale apenas ressaltar que as marcas interessadas na colaboração dos consumidores precisam, porém, garantir o alinhamento entre os objetivos propostos nas ações de *crowdsourcing* e seus respectivos posicionamentos. Devem ainda estruturar sistemas de incentivos e campanhas propícios a gerar o engajamento e participação nos debates de maneira efetiva e proativa.

Além disso, é essencial planejamento para a definição de limites e prazos e sobre como serão as tratativas para os casos de frustração de consumidores diante das decisões feitas pelas empresas a partir de suas opiniões e sugestões, e o desenvolvimento de um comitê de crise e gerenciamento de campanha.

iStockphoto: o *case* da maior comunidade criativa do mundo: 100% feita de conteúdo gerado pelo usuário

Poucos conhecem a história da iStockphoto, que nasceu no ano 2000, justamente durante a bolha da Internet. Enquanto todas as "ponto.com" entravam em crise, fechando suas operações, e a Nasdaq em queda vertical, um fotógrafo canadense, Bruce Livingstone, criava a Stockphoto, com um novo modelo de negócios na Internet, e mal sabia ele que seu empreendimento se transformaria em um dos maiores *cases* de *crowdsourcing* do mundo!

Bruce começou a fazer *upload* de seus trabalhos em um servidor para poder trocar artes com amigos. Era um verdadeiro escambo: a troca de peças criativas era algo inovador para esse público. Uns trocavam fotos por ilustrações, outros buscavam referências artísticas. Um novo mercado de trocas criativas entre amigos, diretores de arte e fotógrafos tomava forma.

Primeiro dirigido ao mercado de língua inglesa: canadenses, americanos, depois ingleses e australianos, assim o negócio foi se expandindo, e de boca em boca ganhou o mundo! Em 2002 foi necessário criar um valor para as trocas – nasceu a moeda crédito. Depois os créditos passaram a ter um valor em dólar: 1 crédito, 1 dólar. O *e-commerce* foi a consequência natural do processo. Uma imagem, um dólar.

Surgiu o conceito de micropagamento, invenção legítima da Stockphoto, que a partir daí teve seu nome mudado para iStockphoto. A letra "i" foi somada como referência ao "eu" – eu crio meu conteúdo, faço *upload* e compartilho com meus colegas.

Essa é a essência da iStockphoto. Com 17 anos de vida, é hoje o maior banco de arquivos multimídia colaborativo, com mais de 9 milhões de fotos (70% do seu acervo), vídeos, músicas, animações em *flash* e vetor. E esse conteúdo é hoje compartilhado entre os diversos continentes e vem crescendo de forma vertiginosa.

Com tamanho sucesso, logo passou a ameaçar outros bancos de imagens, como o líder global do segmento, Getty Images, que em 2006 incorporou as operações da iStockphoto, com uma clara condição colocada pela iStock: a de manter sua independência criativa, sua autonomia e originalidade para que pudesse seguir o caminho de sucesso que vinha traçando nos últimos anos.

A fusão das duas empresas somou vantagens expressivas para a iStock. Um bom exemplo é o mecanismo de busca ultrassofisticado desenvolvido pela Getty Images e levado para a iStock.

Todos os arquivos são "uploadados" espontaneamente por artistas, que hoje já somam mais de 100 mil contribuidores de mais de 250 países.

E todo conteúdo "uploadado" no *site* deve seguir critérios de seleção e qualidade rigorosos.

Uma vez por ano, a iStockphoto elege 100 artistas inspetores que trabalham voluntariamente para avaliar novos *uploads*, julgando estética e tecnicamente o *design* e qualidade das obras para integrar o acervo da iStock.

A iStockphoto é de uma verdadeira "democracia criativa", pois promove, de verdade, uma via de mão dupla. De um lado, artistas têm a oportunidade de estar em um mercado de trabalho incrível a que muitos deles talvez nunca tivessem acesso. Apresentando e contribuindo para uma diversidade cultural fantástica, estes artistas podem expor seus trabalhos em um *marketplace* que só a iStockphoto tornou possível. Aliás, ela foi criada para isso.

> Um *designer* do sul da África, um fotógrafo na Rússia e um ilustrador na Lituânia, cada um deles pode compartilhar seus trabalhos, mostrar seu talento e obter sucesso como profissional criativo. Quanto mais seus trabalhos são vendidos, mais espaço vão adquirindo na comunidade e, consequentemente, recebendo mais *royalties*.
>
> Na outra ponta, o preço é acessível, seja para uma pessoa física que necessite fazer um *powerpoint*, uma micro, média ou grande empresa que precisa de materiais para sua comunicação, *site* etc. Então, quando falamos de *crowdsourcing*, conteúdo gerado pelo usuário, poucas pessoas sabem que hoje o maior exemplo vivo, econômico, sustentável e ético é a iStockphoto.

7.6 A Internet no universo político

Como foi visto, muitas coisas mudaram para as empresas, instituições, profissionais. Da mesma forma, para os políticos também fica evidente que utilizar os canais virtuais não é mais uma opção, e sim uma imposição. Os políticos – especialmente em tempo de eleições – que ignorarem como lidar com esse público de mais de 139 milhões de brasileiros conectados (em 2017) correm sérios riscos de deixar de existir no panorama de opções dos eleitores, lembrando que esse contingente *on-line* já é maior do que a população total de muitos países, como França e Espanha, por exemplo, e é o triplo da população do Canadá.

Essa "massa" está constantemente navegando, informando-se, comunicando-se, trocando dados e ideias, comparando antes de comprar, e o mesmo ocorre antes de votar, ou seja, buscam sempre informações antes de tomar suas decisões mais importantes. Hoje o relacionamento passa obrigatoriamente por esse canal, pois, como pesquisas indicam, as pessoas optam por se relacionar *on-line*, seja para a busca de informações prévias ao consumo de produtos e serviços, seja simplesmente para manifestar sua satisfação. Os internautas frequentam comunidades em que têm o domínio da situação, por vezes produzindo e disseminando vídeos e mensagens; e muitas vezes provocando maiores consequências, pois um simples *post* pode influenciar automaticamente milhares de pessoas.

Há exemplos em que filmes são alterados para produzir uma sátira, ou mesmo uma crítica, e acabam sendo muito mais vistos que o filme original. Da mesma forma que isso tem a capacidade de destruir a reputação de uma marca, também pode destruir a reputação de um político para sempre.

Assim como algumas empresas, entretanto, muitos políticos também ainda não atentaram para o poder que vem dos internautas que manejam bem as diversas ferramentas digitais. O que se pode perceber é que há muitas personalidades públicas, incluindo-se nesse rol os políticos, que ainda não tratam do assunto como uma prioridade, pois acreditam que a Internet impacta somente uma pequena camada da população. Em parte isso é verdade, pois há ainda restrições financeiras para que boa parte da população esteja *on-line*; mas devemos nos lembrar de que mais de **56%** (em 2016) da nossa população já está inserida na *web*, e parte de quem ainda não tem acesso via computador em casa ou no trabalho costuma utilizar caminhos alternativos, como ciberscafés, *lan houses*, escolas e casa de amigos, além, obviamente, de seus *smartphones*.

O recomendável é **unir ferramentas digitais às tradicionais para ampliar o contato com seus eleitores**. Essa integração pode ser feita, por exemplo, mantendo opções para aqueles que desejam ter um contato pessoal e direto, bem como um espaço para aqueles que preferem a *web*, via *chats on-line*, *blogs* e mesmo via criação e ou participação de comunidades virtuais.

No campo político, o caso que se tornou muito popular e que não pode deixar de ser citado como referência foi a campanha que levou à eleição, em 2008, e à reeleição em 2012 do ex-presidente americano Barack Obama. Ele se apoiou quase totalmente na Internet e no uso maciço das mídias sociais para difundir sua plataforma. Criou e se aproximou de diferentes comunidades, falando diretamente com cada uma delas para discutir suas necessidades específicas.

O sucesso, no caso da campanha do presidente Obama, se deve muito mais à sua visão estratégica do que apenas ao uso das ferramentas. O que isso quer dizer? Nesses casos, Obama já articulava o uso de sua comunicação via *web* muito tempo antes do período de campanha eleitoral. Ele estava na rede dialogando havia alguns anos. Sua estratégia foi primorosa ao criar comunidades para debater assuntos específicos, por exemplo, uma comunidade voltada para as questões dos negros e suas necessidades; outra para discutir ações pertinentes aos grupos religiosos e suas distintas demandas; outra para os latinos, os gays, e assim por diante. Obama se fez presente, obviamente, por meio de sua estrutura de assessores, em diferentes frentes, dando a impressão de estar em todos os locais ao mesmo tempo. E isso só foi possível graças à Internet.

Outro ponto fundamental de sua campanha foi a captação de recursos via *web*, gerando doações espetaculares. Primeiro porque a estrutura da campanha tinha realmente um apelo que falou fundo aos americanos que buscavam mudanças, com o *slogan* "Yes, we can", mas, além disso, havia uma questão cultural de maior participação da população, e de maior engajamento.

No Brasil, em 2014, os candidatos à presidência da República, como Aécio Neves, Dilma Rousseff e Marina Silva, também usaram as mídias sociais para falar ao público sobre suas plataformas e agenda de atividades. Isso demonstra como é viável e necessária a transposição do relacionamento para o universo digital, seja qual for o objetivo.

Naquelas eleições, como em nenhuma outra anterior, jamais se viu um público tão engajado em discussões de forma tão fervorosa. Até então, o que se via tradicionalmente no Brasil eram eleitores bem menos envolvidos em questões políticas.

Se compararmos ao caso Obama, porém, os políticos brasileiros cometem algumas falhas graves, e a maior delas é o fato de só se interessarem por esse relacionamento com o público via *web* no período de eleições, ou seja, tratam os meios digitais como mais um veículo de campanha, e não como uma oportunidade de interação permanente com seus eleitores.

Outro movimento que ganhou muita força em todo o Brasil, nas redes sociais, foram as **manifestações** envolvendo diferentes segmentos sociais, protestando contra a presidente Dilma Rousseff. Os manifestantes pediram o fim da corrupção, reclamaram da situação econômica e defenderam o *impeachment* da presidente. Segundo o instituto Datafolha, essa foi a maior manifestação política registrada no Brasil desde o movimento das Diretas-Já, em 1984. Só em São Paulo, calculou-se a presença de mais de 1 milhão de pessoas em uma dessas manifestações populares, que resultaram na saída da presidente em 2016.

Nas eleições para prefeitos em outubro de novembro de 2016 também foi possível notar o quanto a Internet fez a diferença, pois foi a primeira eleição com período reduzido de campanha – 45 dias – e com a proibição de doações de empresas para partidos políticos. Apenas para ilustrar, em São Paulo, como em algumas outras capitais, venceu a eleição um nome que nunca havia sido candidato antes.

Claramente, **as redes sociais se mostraram o meio de comunicação mais eficiente e mais utilizado para a divulgação das manifestações**. Elas são os principais canais de incentivo para que os atos continuem por um Brasil melhor.

Tudo isso demonstra que mais do que nunca os brasileiros estão expressando suas opiniões a respeito dos administradores públicos e o que esperam dos governantes.

Há uma certeza de que as eleições desde 2008 entrarão para os livros de história. E temos mais certeza ainda de que passaremos anos estudando a importância das redes sociais para manifestações populares.

7.7 Um mundo de aplicativos (apps)

Com o crescimento nas vendas de *tablets* e *smartphones*, o mercado de *mobile marketing* começa a deixar de ser promessa no Brasil. Vivemos a "era dos aplicativos". De acordo com a International Data Corporation (IDC), as vendas de *smartphones* e *tablets* vão continuar crescendo. Atingiu US$ 484 bilhões em 2015, mas menos acelerado se comparado aos anos anteriores. Os *downloads* de aplicativos móveis começarão a desacelerar, diferente do desenvolvimento empresarial de aplicativos móveis, que deverá dobrar.

Os aplicativos de vendas (*e-commerce*) ou com compras *in-app*, como *games*, vão movimentar US$ 300 bilhões. A venda dos programas nas lojas vai gerar US$ 40 bilhões. A exibição de publicidade deve movimentar US$ 34 bilhões. Os dados fazem parte de um relatório divulgado no início de 2015 pela empresa de pesquisas de mercado VisionMobile. Somando-se todos os segmentos listados na pesquisa, o mercado mundial de apps movimentou US$ 420 bilhões no mundo, em 2015.

Assim, uma das principais oportunidades para a economia criativa está no **mercado de aplicativos**. Existem 5 bilhões de celulares e mais de 500 milhões de *tablets* no mundo. As duas principais distribuidoras, a App Store e o Google Play, já registram mais de 100 bilhões de *downloads* por ano.

O Brasil tem muito espaço para se desenvolver nesse segmento, pois é um dos maiores consumidores de aplicativos no mundo e também um grande consumidor de *smartphones*. Porém, o País ainda engatinha na produção de aplicativos. O Ministério da Ciência e Tecnologia (MCT) adotou uma política de incentivo por meio de uma lei que entrou em vigor em outubro de 2013. A lei obriga os produtores de *smartphones* fabricados no País a utilizar aplicativos nacionais. A intenção foi criar uma forma de incentivar os desenvolvedores nacionais. Se o usuário não quiser utilizar, pode descartar, mas isso estimula os produtores.

Existem quatro sistemas operacionais para *smartphones* no mundo: iOS (Apple), Android (Google), Windows Phone (Microsoft) e RIM (Blackberry). Os mercados emergentes, como Brasil, Indonésia, México, Turquia e Índia, foram determinantes para aumentar a diferença entre Google Play e App Store quando comparado o volume total de *downloads* de cada loja. No terceiro trimestre de 2013, a quantidade de aplicativos baixados na loja do Google mundialmente era 25% maior do que na App Store. Um ano depois, a diferença foi de 60% a favor da Google Play. Quanto à divisão do faturamento, houve mudança drástica nesse período: a receita com Apps Android, que equivalia à metade daquela obtida com apps iOS, agora é praticamente igual à da plataforma concorrente.

A principal diferença entre as duas é a segurança, já que o usuário que possui iPhone ou iPad só pode adquirir aplicativos pela loja App Store, enquanto o do *smartphone* com Android pode fazer *downloads* em *sites* variados, além do Google Play.

O **custo para desenvolvimento varia** de acordo com a complexidade e a finalidade do aplicativo, mas pode ser de R$ 40 mil a R$ 150 mil, e leva de 40 dias a até meses para ser desenvolvido.

Hoje, no Brasil, o envolvimento direto com o público por meio da tecnologia móvel e de conteúdos adequados a cada perfil torna-se cada vez mais forte. Essa é uma grande oportunidade para as marcas criarem algo realmente novo. Os aplicativos vão além de entretenimento, sendo uma forma de relacionamento com seu público-alvo.

Essa rápida mudança fez que marcas e agências de *mobile* marketing se deparassem com o grande desafio de estabelecer um relacionamento duradouro, direto e pessoal com os consumidores. Para uma aproximação efetiva, as empresas devem oferecer conteúdo interessante, proporcionando serviço ou entretenimento direto no celular, incluindo de maneira natural a marca nesse ambiente. Porém, a utilização de dispositivos móveis em ações promocionais, de fidelização e campanhas de incentivo precisa ser pensada de maneira estratégica, não apenas pontual.

Diversas ferramentas do marketing digital podem ser utilizadas. Entre elas, podemos citar os *sites* e *hotsites* com *design* responsivo, que adapta o *site* ao usuário com base no tamanho da tela, plataforma e orientação, tornando a experiência muito mais interativa; os aplicativos, o QR Code, os *games* sociais, entre outras já citadas.

Nestlé, Pão de Açúcar, Tecnisa, Porto Seguro, Nívea Sun, Netshoes e Banco do Brasil oferecem serviços *mobile* para estar presentes na rotina dos internautas. São receitas na palma da mão, localizadores de loja, alertas sobre quando o usuário deve passar protetor solar, aviso sobre uma promoção específica só para quem está no estádio na hora de um jogo de futebol (notificações *push*), acessos bancários e até a venda de apartamentos pelo celular. Esses aplicativos mesclam criatividade, entretenimento, conectividade e principalmente funcionalidade, pois possuem a proposta de resolver tarefas simples e práticas do dia a dia.

A chance maior de sucesso de um aplicativo está principalmente no fato de oferecer serviços, condição prioritária no desenvolvimento dos aplicativos, que podem ficar ainda melhores se utilizarem a informação de localização do usuário. Esses serviços facilitam a rotina ou criam um entretenimento para ele. Como explica Léo Xavier, fundador do Grupo Pontomobi, os aplicativos devem se propor a poupar o tempo dos usuários ou a gastá-lo, como no caso de *games*, por exemplo.

Além de interativos, tais aplicativos possibilitam respostas imediatas, auxiliando as empresas a entender melhor seus consumidores, já que é possível trazer diversas informações sobre o comportamento do usuário e seu perfil de interação com os aplicativos; lembrando que os aplicativos são importantes meios de divulgação para a marca e ajudam bastante na interação com o mercado e o cliente final.

Segundo estudo de tendência desenvolvido pelo Gartner, multinacional de pesquisa e aconselhamento sobre tecnologia, 33% das marcas de consumo terão integrado pagamento em seus aplicativos móveis em 2015. Antes disso, esta tendência se desdobrará para que as empresas possam vender diretamente, aprimorando a experiência de compra de seus clientes. Tudo isso reforça que a utilização dessa ferramenta cresce e se fortalece rapidamente. O desafio das marcas e das agências agora é desenvolver estratégias de ativação, integrando as fortalezas de *mobile* marketing neste novo cenário de relacionamento com os consumidores.

7.8 *Digital transformation*

A tecnologia vem transformando a vida, o mundo e os negócios de maneira profunda e irreversível. Com isso, as companhias têm enfrentado desafios e encontrado oportunidades novas a todo momento.

Todos os setores, agricultura, turismo, público, saúde, financeiro, varejo, entre outros, têm sido impactados por essa tendência global. Com isso, novos modelos de negócio têm emergido, e com eles uma questão se tornou a pauta do dia: **a transformação digital**.

Segundo estudo do MIT Center for Digital Business e da Capgemini Consulting (2015), companhias com "**maturidade digital**" são focadas em integrar tecnologias digitais, como *mobile, social analytics, big data* e *cloud* para provocar transformações no funcionamento dos negócios, visando entregar aumento de produtividade e melhores resultados.

Entenda-se aqui o conceito de transformação digital como algo muito mais profundo que o uso de tecnologias digitais para simplesmente resolver problemas pontuais, ou mesmo que algumas ferramentas de marketing e divulgação.

Está ligado ao que chamamos de **Digital Mindset**, uma completa mudança na forma de entender e aplicar o uso da tecnologia. Inclui uma visão sobre como a empresa, as pessoas e os processos deveriam evoluir para alcançar maior valor para os diversos *stakeholders*: acionistas, consumidores, funcionários etc.

Pessoas: sobre *mindset*, entre os temas mais discutidos hoje está o foco em "pessoas" no universo digital. Uma nítida preocupação em identificar e preparar talentos voltados para enfrentar os novos desafios que essa transformação está trazendo para as empresas. Em uma análise bastante apurada sobre o atual **estágio de maturidade digital**, não apenas em termos tecnológicos, mas também relacionados ao aspecto humano, procura-se entender como está a digitalização das pessoas dentro das empresas. Embora haja um grande desnível nesses estágios entre as empresas, o que se percebe agora é uma consciência maior da necessidade de identificar e treinar as competências necessárias, bem como reter esses talentos digitais.

TI (Tecnologia da Informação): os departamentos de TI dentro das corporações passaram a ter um papel central nessa estratégia, sendo cada vez mais catalisadores desse processo de transformação digital, liderando a transição de modelos obsoletos e caros de gestão para estruturas inovadoras que sustentem a necessidade contínua de velocidade, mas também de segurança. Nesse sentido estamos debatendo hoje temas como *Cybersecurity*, Segurança na Era Cognitiva, Como pensar além da tecnologia, Tecnologia aplicada ao varejo para ampliar o *Omnichannel* e *Customer Experience*, bem como conectar o *back* e *front* das lojas, entre outras.

Marketing: como os consumidores estão **hiperconectados** e têm mudado de forma extremamente dinâmica, os CMOs se deparam com desafios nunca antes vistos. Com isso têm buscado investir em estratégias e novas tecnologias para que suas empresas não se percam nessa verdadeira corrida. Vejamos alguns tópicos discutidos: ***Big Data Analysis*** – esse tema foi recorrente, porém com um olhar mais prático, voltado para a análise de dados para ampliar os conhecimentos sobre seu público-alvo e trazer maior assertividade às ações de marketing, relacionamento e retenção de clientes. ***Cocreation***, como base imprescindível para a inovação. ***Customer Experience*** como chave para o engajamento e como utilizar aplicativos para testar essa experiência, e como o *mobile* pode acelerar a transformação digital visando produtividade e eficiência. *Growth Hacking*, no sentido de também analisar e otimizar todo tipo de dado possível, tanto interno como de plataformas externas, em um modo pouco tradicional, para gerar tráfego e trazer crescimento.

Concluindo, o que se discute é o fato de a transformação digital ser o único caminho possível para as empresas e instituições que queiram sobreviver nos dias atuais.

7.9 Como atuar nesse cenário de transformação

Esse momento traz grandes desafios para todos os envolvidos com marketing, comunicação e gestão. Há muito tempo não se viam tantas mudanças em tão pouco tempo. E isso tem feito muitos profissionais, de todas as idades e diversas áreas de atuação, buscar atualização com maior frequência, o que é muito positivo.

Entre milhares de dúvidas, um dos pontos que tem chamado muito a atenção de diversas empresas é a necessidade de **criação de conteúdo**, pois isso tornou-se uma importante forma de fazer marketing na Era Digital, e muitas empresas tem dificuldades em definir o que é conteúdo relevante para seu público-alvo.

Podemos ilustrar com o caso de uma empresa da área de crédito e cobrança, por exemplo, que poderia criar conteúdos relevantes e disseminá-los na rede, tais como dicas de como utilizar crédito de forma adequada, como não se endividar em excesso ou como obter uma melhor negociação com seu credor; se a empresa for do setor de seguros, poderá criar material útil, dando dicas sobre como prevenir problemas com a manutenção da casa ou veículo ou fornecer um guia prático e, depois, disseminar isso nas redes sociais nas quais a empresa está presente.

Para isso, o ideal é selecionar redes que façam sentido para o setor em que a empresa atua. Pesquisar e identificar comunidades que tratem de assuntos relativos àquela área de atuação, ou que tenham interesses nesses temas, também é recomendável. Dessa forma, a empresa não atingirá milhões de pessoas, mas certamente alcançará os potenciais clientes, foco do seu negócio.

Para executar isso e muito mais a empresa precisa ter profissionais hábeis, ou treiná-los, para gerir esses canais e seus conteúdos de forma estratégica e consciente da importância e do impacto deles. E aí está uma das grandes oportunidades para o desenvolvimento de novas profissões.

Para finalizar este capítulo, eu diria que o mais importante é que os profissionais, empreendedores e empresários devem **buscar conhecimento constantemente e procurar entender as novidades que surgem**. Quanto mais postergamos, é maior a chance de ficarmos completamente desatualizados.

Por falta de tempo ou interesse, muitos profissionais simplesmente adiam sua decisão de se cadastrar em alguma nova rede social, ou de entrar num novo portal, dizendo para si mesmos: "isso não vai agregar nada para minha vida ou carreira", ou "eu não gosto dessa coisa de redes sociais", e assim por diante. Mas o principal ponto por trás disso está o fato de esses indivíduos estarem adiando um novo contato com a nova realidade, adiando a compreensão sobre para onde as coisas estão caminhando, e aí reside um grande risco.

O conselho, portanto, é: **leia muito** sobre assuntos relacionados à mobilidade, inovação, cocriação, colaboração, compartilhamento, transformação digital, integração de meios, entre outros inerentes a esse momento; não deixe para amanhã seu cadastro numa nova rede, mesmo que seja somente para conhecer seu funcionamento; procure **entender as mudanças no comportamento dos consumidores** e suas motivações; participe de cursos de curta duração, eventos e grupos de discussão sobre esses temas.

Em suma, não adie o conhecimento, pois essa será a única forma de evitar a sua obsolescência profissional. A regra geral é *Non Stop Learning*!

REFERÊNCIAS BIBLIOGRÁFICAS

ANDERSON, Chris. *A Cauda Longa*: do mercado de massa para o mercado de nicho. Tradução de Afonso Celso da Cunha Serra. Rio de Janeiro: Elsevier, 2006.

ADOLPHO, Conrado. *Google marketing*. 3. ed. São Paulo: Novatec, 2010.

AZUMA, Ronald T. *A Survey of Augmented Reality*. August

CAVALLINI, Ricardo; XAVIER, Léo; SOCHACZEWSKI, Alon. *#Mobilize*. São Paulo: Edição dos autores, 2010.

DANTAS, Vera; AGUIAR, Sonia. *Memórias do computador*. São Paulo: IDG, 2005.

GABRIEL, Martha. *SEM e SEO dominando o marketing de busca*. São Paulo: Novatec, 2009.

_____. *Marketing na era digital*. São Paulo: Novatec, 2010.

GODIN, Seth. *Permission marketing*: turning strangers into friends and friends into customers. Nova Iorque: Simon & Schuster, 1999.

GOUVEA DE SOUZA, Marcos. *Neoconsumidor digital, multicanal & global*. São Paulo: GS&D/Ebeltoft, 2009.

KALAKOTA, Ravi; ROBINSON, Marcia. *E-business*. Porto Alegre: Bookman, 2002.

MELO DE SOUZA, Edson; GIURLIANI, Silvia. *Mídias sociais para pequenas e médias empresas*. São Paulo: Germinal, 2011.

SALVADOR, Maurício. *Como abrir uma loja virtual de sucesso*. Rio de Janeiro: Gramma, 2010.

SANTOS, Marcelo L.; FRANCO, Carlos E.; TERRA, J. C. *Gestão de conteúdo 360º*. São Paulo: Saraiva, 2009.

SHETH, Jagdish; ESHGHI, Abdolreza; KRISHNAN, Balaji C. *Marketing na internet*. Porto Alegre: Bookman, 2002.

SOLIS, Brian; KUTCHER, Ashton. *The complete guide for brands and businesses to build, cultivate, and measure success in the new web*. Nova York: Wiley, 2010.

TELLES, André. *A revolução das mídias sociais*. São Paulo: M.Books, 2010.

TERRA, José Cláudio. *Gestão 2.0*. São Paulo: Campus Elsevier, 2010.

TERRA, J.C. (Org.). *Inovação*: quebrando paradigmas para vencer. São Paulo: Saraiva, 2007.

Sites e portais:

_____. *Pinguim do Ponto Frio: case vende R$ 20mil pelo Twitter e Facebook*. Disponível em: <http://vdemaua.com.br/2013/08/06/pinguim-do-ponto-frio-case-vende-r-20-mi-pelo-twitter-e-facebook/>. Acesso em: fevereiro. 2015.

_____. *109 pedigree dia da adoção case social*. Disponível em: <http://pt.slideshare.net/alynecunha10/109-pedigree-dia-daadocaocasesocial>. Acesso em: abril. 2015.

_____. *Como as pessoas se comportam nas redes sociais*. Disponível em: <http://cappra.com.br/2012/09/18/perfil-socialgrafico-como-as-pessoas-se-comportam-nas-redes-sociais>. Acesso em: abril. 2015.

_____. *Brasil fechou 2014 como o 4° país com mais acesso à internet*. Disponível em: <https://www.taghos.com.br/brasil-fechou-2014-como-o-4o-pais-com-mais-acesso-a-internet/>. Acesso em: abril. 2015.

ADMINISTRADORES, Juliana Azuma. *99% das empresas usam e-mail marketing para atingir seus clientes, mas 70% não o fazem corretamente*. Disponível em: <http://www.administradores.com.br/noticias/marketing/99-das-empresas-usam-e-mail-marketing-para-atingir-seus-clientes-mas-70-nao-o-fazem-corretamente/86489/>. Acesso em: março. 2015.

ADMINISTRADORES, Marcos Hiller. *Não é merchan! O certo é product placement*. Disponível em: <http://www.administradores.com.br/artigos/negocios/nao-e-merchan-o-certo-e-product-placement/61320/>. Acesso em: março. 2015.

ADMINISTRADORES, Da Redação. *Mais uma polêmica envolvendo a Arezzo viraliza nas redes sociais*. Disponível em: <http://www.administradores.com.br/noticias/marketing/reclamacao-de-consumidora-com-marca-arezzo-viraliza-nas-redes-sociais/99895/>. Acesso em: abril. 2015.

ADNEWS, Da Redação. *Skol lança novo portal*. Disponível em: <http://www.adnews.com.br/internet/skol-lanca-novo-portal>. Acesso em: janeiro. 2015.

ADNEWS, Da Redação. *Skol 360° lança Serviços de Atendimento ao Churrasqueiro*. Disponível em: <http://www.adnews.com.br/publicidade/skol-360-lanca-servico-de-atendimento-ao-churrasqueiro>. Acesso em: janeiro. 2015.

ADNEWS, Da Redação. *Como a tecnologia está mudando completamente o planejamento de mídia*. Disponível em: <http://www.adnews.com.br/artigos/como-a-tecnologia-esta-mudando-completamente-o-planejamento-de-midia>. Acesso em: janeiro. 2015.

ADNEWS, Da Redação. *4 tendências do mercado de publicidade online em 2015 no Brasil*. Disponível em: <http://www.adnews.com.br/artigos/4-tendencias-do-mercado-de-publicidade-online-em-2015-no-brasil>. Acesso em: março. 2015.

REFERÊNCIAS BIBLIOGRÁFICAS

ADNEWS, Da Redação. *Joel Santana e seu inglês retornam em campanha do Head & Shoulders*. Disponível em: <http://www.adnews.com.br/publicidade/joel-santana-e--seu-ingles-retornam-em-campanha-do-head-shoulders>. Acesso em: março. 2015.

ADNEWS, Da Redação. *Hellmann's dá receitas personalizadas para tuiteiros*. Disponível em: < http://www.adnews.com.br/internet/hellmann-s-da-receitas-personalizadas-para-tuiteiros>. Acesso em: março. 2015.

AGÊNCIA BRASIL. *Brasil já tem 136 milhões de computadores em uso, aponta FGV*. Disponível em: <http://agenciabrasil.ebc.com.br/geral/noticia/2014-04/brasil-ja--tem-136-milhoes-de-computadores-em-uso-aponta-fgv>. Acesso em: fevereiro. 2015.

AGÊNCIA BRASIL, Helena Martins. *Comunicação: sociedade cobra ampliação do acesso à internet*. Disponível em: <http://agenciabrasil.ebc.com.br/geral/noticia/2014-09/comunicacao-sociedade-cobra-ampliacao-do-acesso-internet>. Acesso em: abril. 2015.

AGÊNCIA BRASIL, Fernanda Cruz. *Quase 80% dos jovens com acesso à internet mantêm perfil em redes sociais*. Disponível em: <http://agenciabrasil.ebc.com.br/geral/noticia/2014-08/quase-80-dos-jovens-com-acesso-internet-mantem-perfil-em-redes--sociais>. Acesso em: abril. 2015.

AGÊNCIA PARTNER. *Mídia programática a evolução da compra de mídia na internet*. Disponível em: <http://blog.agenciapartner.com/2015/01/midia-programatica-evolucao-da-compra.html>. Acesso em: fevereiro. 2015.

AVANADE BRASIL BLOG, Mauro Pedro da Silva. *Os temas de Varejo na NRF 2015*. Disponível em: <http://blog.avanade.com/brasil-blog/negocios-tendencias-e-mundo--de-ti/os-temas-de-varejo-na-nrf-2015/>. Acesso em: Março. 2015.

B2WDIGITAL. *Divulgação de resultados 3T13 e 9M14*. Disponível em: <http://www.b2wdigital.com/upload/releasesderesultados/00002536.pdf>. Acesso em: março. 2015.

BAMBOO WEB AGENY. A importância das redes sociais nas manifestações. Disponível em: <http://www.agenciabamboo.com.br/blog/redes-sociais-1/a-importancia--das-redes-sociais-nas-manifestacoes>. Acesso em: abril. 2015.

BLOG LOJA INTEGRADA, Da Redação. *Pequenas e médias lojas virtuais podem triplicar faturamento com e-commerce até 2016*. Disponível em: <http://blog.lojaintegrada.com.br/pequenas-e-medias-lojas-virtuais-podem-triplicar-faturamento-com-e--commerce-ate-2016/>. Acesso em: fevereiro. 2015

BRANDED3, Laura Crimmons. *As campanhas de marketing viral de todos os tempos*. Disponível em: <http://www.branded3.com/blogs/the-top-10-viral-marketing-campaigns-of-all-time/>. Acesso em: março. 2015

BRASIL ECONÔMICO, Rodrigo Carro. Internet mais acessível muda maneira de o brasileiro comprar carro. Disponível em: <http://brasileconomico.ig.com.br/nego-

cios/2015-01-19/internet-acessivel-muda-maneira-de-o-brasileiro-comprar-carro. html>. Acesso em: março. 2015

BRASIL ECONÔMICO, Douglas Nunes. *Aplicativos movimentam US$ 25bi no Brasil*. Disponível em: <http://brasileconomico.ig.com.br/ultimas-noticias/aplicativos-movimentam-us-25-bi-no-brasil_137815.html>. Acesso em: abril. 2015

BRASILLINK, Juan Pablo Suarez. *Compra programática: o futuro das campanhas veiculadas por mídias digitais*. Disponível em: <http://brasillink.usmediaconsulting.com/2013/05/compra-programatica-o-futuro-das-campanhas-veiculadas-por-midias-digitais/>. Acesso em: março. 2015

BRASILPOST, Ryan Holmes. *Cinco tendências que vão mudar como você usa as redes sociais em 2015*. Disponível em: <http://www.brasilpost.com.br/ryan-holmes/5-tendencias-que-vao-muda_b_6424508.html>. Acesso em: março. 2015

BUYONSOCIAL, Da Redação. *Grande potencial para o F-commerce no Brasil*. Disponível em: <http://www.buyonsocial.com/f-commerce/>. Acesso em: janeiro. 2015.

CARDOSO, Daniel. *Treinamento em comércio eletrônico e marketing digital*. Disponível em: <http://www.slideshare.net/Trecemd/web-aula-plataforma>. Acesso em: fevereiro. 2015.

CARVALHO, Emanuele. *Criação de marketing de conteúdo*. Disponível em: <http://aulasmd.blogspot.mx/2013/04/criacao-de-marketing-de-conteudo.html>. Acesso em: fevereiro. 2015.

CIO, Da Redação. *Brasileiros estão seriamente preocupados com dados pessoais*. Disponível em: <http://cio.com.br/noticias/2014/05/21/efeito-snowden-brasileiros-estao--seriamente-preocupados-com-dados-pessoais/>. Acesso em: março. 2015.

CLEARSALE, Letícia Vieira. *Ceará tem 9,7% em tentativas de fraude no e-commerce no 3º tri de 2014*. Disponível em: <http://portal.clearsale.com.br/novidades/Ceara-tem--tentativas-de-fraude-no%20e-commerce>. Acesso em: março. 2015.

CÓDIGO FONTE, Carlos L. A. da Silva. *Facebook elege os melhores jogos de 2014*. Disponível em: <http://codigofonte.uol.com.br/noticias/facebook-elege-os-melhores--jogos-de-2014>. Acesso em: março. 2015.

CONVERGÊNCIA DIGITAL, Fábio Barros. *Mercado corporativo dá sobrevida ao SMS no Brasil*. Disponível em: <http://convergenciadigital.uol.com.br/cgi/cgilua.exe/sys/start.htm?infoid=38129&sid=80#.VSq0TfnF91Z>Acesso em: março. 2015.

DBMASTER. Disponível em: <http://www.dbmaster.com.br/sites/DBMaster/Noticias/Pesquisa-IBOPE-aponta-que-as-mulheres-s%C3%A3o-maioria-entre--usu%C3%A1rios-de-internet-no-Brasil>. Acesso em: fevereiro. 2015.

DEGÁSPERI, Israel S.. *Entenda as diferenças entre Crowdsourcing e Open Innovation.* Disponível em: <http://www.blogtecnisa.com.br/inovacao/entenda-as-diferencas-entre-crowdsourcing-e-open-innovation/>. Acesso em: abril. 2015.

DOMINGOS, Alan. Facebook Summit 2015. Disponível em: <https://www.linkedin.com/pulse/o-que-rolou-evento-facebook-summit-2015-alan-domingues?forceNoSplash=true> Acesso em 18 de setembro de 2016.

DEURSEN, Felipe Van. *Como os fãs salvaram a Lego.* Disponível em: <http://super.abril.com.br/cotidiano/como-fas-salvaram-lego-642842.shtml>. Acesso em: abril. 2015.

DIGITAL, SOCIAL & MOBILE 2015, We Are Singapore. <http://pt.slideshare.net/wearesocialsg/digital-social-mobile-in-2015>. Acesso em: fevereiro. 2015.

E-COMMERCERORG, Da Redação. *Meios de pagamento no e-commerce.* Disponível em: <http://www.e-commerce.org.br/meiosdepagamento-ecommerce.php>. Acesso em: janeiro. 2015.

ECOMMERCE BRASIL, Da Redação. Índice de satisfação com compras pela internet supera os 90%. Disponível em: <http://www.ecommercebrasil.com.br/noticias/indice-de-satisfacao-com-compras-pela-internet-supera-os-90/>. Acesso em: março. 2015.

ÉPOCA NEGÓCIOS, Da Redação. *Ponto Frio aposta em personagem e bom humor e faz sucesso nas redes.* Disponível em: <http://epocanegocios.globo.com/Inspiracao/Empresa/noticia/2012/09/ponto-frio-aposta-em-personagem-e-bom-humor-para-conquistar-internauta.html>. Acesso em: fevereiro. 2015.

ÉPOCA NEGÓCIOS, Da Redação. *Gina Indelicada surpreende empresa: 'Vamos acionar o jurídico'.* Disponível em: <http://epocanegocios.globo.com/Informacao/Acao/noticia/2012/08/gina-indelicada-surpreende-empresa-vamos-acionar-o-juridico.html>. Acesso em: fevereiro. 2015.

ESTADÃO, Da Redação. *Loja virtual manda cliente "procurar macho".* Disponível em: <http://blogs.estadao.com.br/curiocidade/loja-virtual-xinga-cliente-e-manda-ela-procurar-um-macho/>. Acesso em: fevereiro. 2015.

ESTADÃO, Bruno Capelas. *Brasileiros são os mais viciados em ficar conectados, diz pesquisa.* Disponível em: <http://blogs.estadao.com.br/link/brasileiros-sao-os-mais-viciados-em-ficar-conectados-diz-pesquisa/>. Acesso em: fevereiro. 2015.

ESTADÃO, Da Redação. *Facebook chega a 1,35 milhões de usuários no mundo.* Disponível em: <http://blogs.estadao.com.br/link/facebook-chega-a-135-bilhao-de-usuarios-no-mundo/>. Acesso em: março. 2015.

ESTADÃO POLÍTICA, DA Redação. *Manifestações contra Dilma levam multidão.* Disponível em: <http://politica.estadao.com.br/noticias/geral,manifestacoes-contra-dilma-levam-multidao-as-ruas-do-pais,1651418/>. Acesso em: abril. 2015.

EXAME, Da Redação. *Mulher compra calçado da Arezzo com marca Via Uno escondida*. Disponível em: <http://exame.abril.com.br/marketing/noticias/mulher-compra-calcado-da-arezzo-com-marca-via-uno-escondida/>. Acesso em: março. 2015.

EXAME, Da Redação. *Venda de tablets no Brasil deve cair em 2015, diz IDC*. Disponível em: <http://exame.abril.com.br/economia/noticias/venda-de-tablets-no-brasil-deve-cair-em-2015-diz-idc>. Acesso em: abril. 2015.

EUGÊNIO, Márcio. O poder de uma boa história. Disponível em: <http://www.baguete.com.br/artigos/12/08/2014/o-poder-de-uma-boa-historia> Acesso em 18 de setembro de 2016.

FERRAZ, Karen. Descomplicando a mídia programática. Disponível em: <http://www.exchangewire.com.br/2016/06/13/descomplicando-a-midia-programatica/>. Acesso em 18 de setembro de 2016.

FOLHA DE S.PAULO, Da Redação. Receita da Amazon cresce 23% mas empresa tem novo prejuízo. Disponível em: <http://www1.folha.uol.com.br/paywall/login.shtml?http://www1.folha.uol.com.br/fsp/mercado/177535-receita-da-amazon-cresce-23-mas-empresa-tem-novo-prejuizo.shtml/>. Acesso em: março. 2015.

FOLHA DE S.PAULO, Da Reuters. Netshoes tem alta no faturamento e amplia distribuição na Argentina. Disponível em: <http://www1.folha.uol.com.br/tec/2014/06/1472359-netshoes-tem-alta-no-faturamento-e-amplia-distribuicao-na-argentina.shtml>. Acesso em: março. 2015.

FOLHA DE S.PAULO, Bruno Romani. *Smartphones crescem em tamanho e engolem venda dos tablets*. Disponível em: <http://www1.folha.uol.com.br/tec/2014/08/1495512-smartphones-crescem-em-tamanho-e-engolem-vendas-dos-tablets.shtml>. Acesso em: abril. 2015.

FOLHA DO MATE, Guilherme Siebeneichler. *Ibope confirma que mulheres usam mais a internet*. Disponível em: <http://www.folhadomate.com/blog/tudo-e-todas/0000/ibope-confirma-que-mulheres-usam-mais-a-internet->. Acesso em: abril. 2015.

G1, Da Redação. *Oito a cada dez internautas do Brasil estão no Facebook, diz rede social*. Disponível em: <http://g1.globo.com/tecnologia/noticia/2014/08/oito-cada-dez-internautas-do-brasil-estao-no-facebook-diz-rede-social.html/>. Acesso em: fevereiro. 2015.

G1, Da Redação. *Manifestantes protestam contra Dilma em todos os estados, DF e exterior*. Disponível em: <http://g1.globo.com/politica/noticia/2015/03/manifestantes-protestam-contra-dilma-em-estados-no-df-e-no-exterior.html>. Acesso em: março. 2015.

GGN, Luiz Eduardo Brandão. *Blogs do Brasil: 2° lugar no mundo em alcance*. Disponível em: <http://jornalggn.com.br/fora-pauta/blogs-do-brasil-2%C2%BA-lugar-no-mundo-em-alcance>. Acesso em: abril. 2015.

GGN, Luiz de Queiroz. *Brasil movimenta US$ 1,5bi na indústria de aplicativos*. Disponível em: <http://jornalggn.com.br/noticia/brasil-movimenta-us-15-bi-na-industria--de-aplicativos>. Acesso em: abril. 2015.

GHISE, Vinícius. Mídia Programática: O que é e como funcionam as plataformas. Disponível em: < http://www.viniciusghise.com.br/blog/midia-programatica/>. Acesso em 18 de setembro de 2016.

HAGE, Kamila el. *De cuecas a pães e vinhos, site agrega serviços de assinatura*. Disponível em: <http://revistapegn.globo.com/Revista/Common/0,,EMI317899-17192,00-DE+CUECAS+A+PAES+E+VINHOS+SITE+AGREGA+SERVICOS+DE+ASSINATURA.html>. Acesso em: fevereiro. 2015.

HERMANO MOTA. *69% das empresas monitoram o que é dito nas redes*. Disponível em: <http://hermanomota.com.br/2014/06/10/69-das-empresas-monitoram-o-que--e-dito-nas-redes-sociais>Acesso em: março. 2015.

IAB BRASIL. Brasil Conectado - Hábitos de consumo de mídia 2014. Disponível em: <http://pt.slideshare.net/skrol/pesquisa-brasil-conectado>. Acesso em: abril. 2015.

IDGNOW, Da Redação. *Internet é a principal fonte de entretenimento para 43% dos jovens*. Disponível em: <http://idgnow.com.br/internet/2014/07/17/internet-e-a-principal-fonte-de-entretenimento-para-43-dos-jovens/>. Acesso em: fevereiro. 2015.

IG, Da Redação. *Depois de xingar cliente de vagabunda, Visou pede desculpas publicamente*. Disponível em: <http://economia.ig.com.br/empresas/2012-09-11/depois--de-xingar-cliente-de-vagabunda-visou-pede-desculpas-publicamente.html>. Acesso em: fevereiro. 2015.

IMASTERS, Da Redação. *Relatório State of Marketing 2015 revela prioridades para profissionais de marketing*. Disponível em <http://imasters.com.br/noticia/relatorio--state-marketing-2015-revela-prioridades-para-profissionais-de-marketing/>. Acesso em: março. 2015.

INSIDERS, Da Redação. *Tendências para 2015 nas redes sociais*. Disponível em: <http://insidersmkt.com.br/tendencias-para-2015-nas-redes-sociais/>. Acesso em: março. 2015.

JORNAL DO BRASIL ONLINE, Da Redação. *Classe C deve movimentar R$ 1,35 trilhão em 2015*. Disponível em: <http://www.infoxnet.com.br/noticias/classe-c-deve--movimentar-r-1-35-trilhao-em-2015>. Acesso em: abril. 2015.

LORENTE, Beatriz Almodova. *Skol faz parceria para o dia do amigo*. Disponível em: <http://www.meioemensagem.com.br/home/comunicacao/noticias/2012/07/16/Skol--faz-parceria-para-o-amigo.html>. Acesso em janeiro. 2015.

MEIO E MENSAGEM, Da Redação. *Os desafios do OmniChannel*. Disponível em: <http://www.meioemensagem.com.br/home/marketing/ponto_de_vista/2012/03/01/Os-desafios-do-OmniChannel.html>. Acesso em: janeiro. 2015.

MEIO E MENSAGEM, Da Redação. *Spoleto tira proveito de viral irônico.* Disponível em: <http://www.meioemensagem.com.br/home/marketing/noticias/2012/08/30/Spoleto-tira-proveito-de-viral-ironico.html>. Acesso em: fevereiro. 2015.

MEIO E MENSAGEM, Da Redação. *As tendências de web, mobile e social em 2014.* Disponível em: <http://www.meioemensagem.com.br/home/marketing/noticias/2015/01/21/As-tendencias-de-web-mobile-e-social-em-2015.html>. Acesso em: fevereiro. 2015

MEIO E MENSAGEM, Da Redação. *Consumo de vídeos online é maior no Brasil.* Disponível em: <http://www.meioemensagem.com.br/home/midia/noticias/2014/11/25/Consumo-de-videos-online-e-maior-no-Brasil.html>. Acesso em: fevereiro. 2015

MEIO E MENSAGEM, Da Redação. *Facebook tem 89 milhões de usuários no Brasil.* Disponível em: <http://www.meioemensagem.com.br/home/midia/noticias/2014/08/22/Facebook-tem-89-milhoes-de-usuarios-no-Brasil.html>. Acesso em: março. 2015

MEIO E MENSAGEM, Teresa Levin. *FCB Brasil cria anúncio protetor para Nívea.* Disponível em: < http://www.meioemensagem.com.br/mob/comunicacao/interna.html?path=/home/comunicacao/noticias/2014/05/06/FCB-Brasil-cria-anuncio-protetor-para-Nivea>. Acesso em: março. 2015

MEIO E MENSAGEM, Da Redação. *Mulheres navegam mais no Brasil.* Disponível em: <http://www.meioemensagem.com.br/home/midia/noticias/2015/02/13/Mulheres-lideram-presenca-na-internet-no-Brasil.html>. Acesso em: abril. 2015

MMARKETING, Silvio Almeida. *42% das pesquisas orgânicas são provenientes de dispositivos móveis.* Disponível em <http://mmarketing.pt/2015/02/42-das-pesquisas-organicas-sao-provenientes-de-dispositivos-moveis/> Acesso em: março. 2015

MOBILE TIME, Da Redação. *25% das visualizações de páginas web no mundo acontecem em dispositivos móveis.* Disponível em: <http://www.mobiletime.com.br/05/06/2014/25-das-visualizacoes-de-paginas-web-no-mundo-acontecem-em-dispositivos-moveis/379939/news.aspx>. Acesso em: fevereiro. 2015

MOBILE TIME, Fernando Paiva. *Brasil: download de apps dobra em um ano.* Disponível em: <http://www.mobiletime.com.br/28/10/2014/brasil-download-de-apps-dobra-em-um-ano/395724/news.aspx>. Acesso em: abril. 2015

MOBILEXPERT, Laura Ximenes. *Aindroid supera Apple iOS em número de aplicativos.* Disponível em: <http://mobilexpert.com.br/mercado-telecom/materias/9415/android-supera-apple-ios-em-numero-de-aplicativos>. Acesso em: março. 2015

MOURA, Patrícia. *Ponto Frio fatura 20 milhões com redes sociais.* Disponível em: <http://www.missmoura.com/ponto-frio-fatura-20-milhoes-com-acoes-em-redes-sociais>. Acesso em: janeiro. 2015.

NIELSEN. *Número de pessoas com acesso à internet no Brasil supera 120 milhões*. Disponível em: <http://www.nielsen.com/br/pt/press-room/2014/Numero-de-pessoas-com-acesso-a-internet-no-Brasil-supera-120-milhoes.html>. Acesso em: fevereiro. 2015.

OLHAR DIGITAL, Da Redação. *Outlook.com barra 10 milhões de e-mails com spam por minuto*. Disponível em: <http://m.olhardigital.uol.com.br/noticia/microsoft-bloqueia-10-milhoes-de-spams-por-minuto-em-contas-do-outlook-com/44745>. Acesso em: março. 2015.

OLHAR DIGITAL, Da Redação. *Site AliExpress, do chinês Alibaba, lidera vendas na internet brasileira*. Disponível em: <http://olhardigital.uol.com.br/noticia/site-aliexpress-do-chines-alibaba-lidera-vendas-na-internet-brasileira/44884>. Acesso em: abril. 2015.

O QUE ROLA NO MUNDO. Google leva 0,5 segundos para ler todas as páginas web do mundo. Disponível: <http://www.oquerolanomundo.com.br/google/>. Acesso em: março. 2015.

OKABE, Márcio. *Como escolher sua plataforma de e-commerce*. Disponível em: <http://www.slideshare.net/konfide/como-escolher-sua-plataforma-de-ecommerce>. Acesso em: janeiro. 2015.

PIRES, Fábio. *O e-commerce e a era do OminiChannel*. Disponível em: <http://www.ecommercebrasil.com.br/artigos/o-e-commerce-e-a-era-do-omni-channel/>. Acesso em: janeiro. 2015.

PMWEB, Suelen Giacomele. *Seis previsões de mobile marketing para 2015*. Disponível em: <http://blog.pmweb.com.br/previsoes-de-mobile-marketing-para-2015/>. Acesso em: março. 2015.

POSTCRON, Josefina Casas. *Tendências nas redes sociais 2014: dados, infográficos e estatísticas*. Disponível em: <http://postcron.com/pt/blog/tendencias-redes-sociais-2014-infograficos-estatisticas/>. Acesso em: março. 2015.

PREDICTA, Bruno Borges e Luis Camargo. *Mídia programática: como se preparar para esta nova realidade?*. Disponível em: <http://www.predicta.net/tag/midia-programatica/>. Acesso em: fevereiro. 2015.

PROFISSIONAL DE E-COMMERCE, Da Redação. *E-bit: Os números do E-commerce no Brasil*. Disponível em: <http://www.profissionaldeecommerce.com.br/e-bit-numeros-do-e-commerce-no-brasil/>. Acesso em: março. 2015.

PROFISSIONAL DE E-COMMERCE, Da Redação. *Brasil é o décimo melhor mercado de E-commerce do mundo*. Disponível em: <http://www.profissionaldeecommerce.com.br/brasil-e-o-decimo-melhor-mercado-de-e-commerce-mundo/>. Acesso em: março. 2015.

PROPMARK, Keila Guimarães. *"First Kiss" é viral para marca de roupa*. Disponível em <http://propmark.uol.com.br/mercado/47613:first-kiss-e-viral-para-marca-de-roupa>. Acesso em: março. 2015.

PROPMARK, Kelly Dores. *Marcas surfam na onda dos apps*. Disponível em: <http://propmark.uol.com.br/digital/47319:marcas-surfam-na-onda-dos-apps>. Acesso em: março. 2015.

PROXXIMA, Da Redação. *Tecnisa gera mais de R$ 20 milhões em vendas de imóveis no Facebook*. Disponível em: <http://www.proxxima.com.br/home/negocios/2013/09/05/Social-Business--Tecnisa-gera-mais-de-R--20-milhoes-em-vendas-de-imoveis-no-Facebook.html?utm_source=newsletter&utm_medium=email&utm_campaign=newsletter-Proxxima-diaria&utm_content=noticias_diarias&utm_source=Virtual+Target&utm_medium=email&utm_content=&utm_campaign=Newsletter-Proxxima_-semanal&utm_term>. Acesso em: janeiro. 2015.

PROXXIMA, Da Redação. *Como a tecnologia inovou a forma de compra mídia online*. Disponível em: <http://www.proxxima.com.br/home/negocios/2014/08/27/An-lise--como-a-tecnologia-inovou-a-forma-de-comprar-m-dia-online.html>. Acesso em: fevereiro. 2015.

PROXXIMA, Da Redação. *7 definições para entender o universo da compra programática*. Disponível em: <http://www.proxxima.com.br/home/conectados/2015/02/11/7-defini--es-para-entender-o-universo-da-compra-program-tica.html>. Acesso em: fevereiro. 2015.

PROXXIMA, Da Redação. *Mulheres e o mercado de e-commerce no Brasil*. Disponível em: <http://www.proxxima.com.br/home/negocios/2015/02/24/Mulheres-e-o-mercado-de-ecommerce-no-Brasil.html>. Acesso em: março. 2015.

PROXXIMA, Da Redação. *As 5 tendências de comportamento nas redes sociais para 2014*. Disponível em: < http://www.proxxima.com.br/home/social/2014/01/13/As-5--melhores-e-piores-tendencias-de-comportamento-nas-redes-sociais-para-2014.html>. Acesso em: março. 2015.

PROXXIMA, Da Redação. *EUA: investimento em publicidade digital ultrapassa TV Aberta*. Disponível em: <http://www.proxxima.com.br/home/negocios/2014/04/10/Nos-EUA--publicidade-digital-ultrapassa-TV-aberta-pela-primeira-vez.html>. Acesso em: março. 2015.

PROXXIMA, Da Redação. *eMarketer: mais de 85% dos internautas do País assistem vídeos online*. Disponível em: <http://www.proxxima.com.br/home/negocios/2015/02/11/eMarketer-mais-de-86-dos-internautas-do-Pais-assistem-videos-online.html>. Acesso em: abril. 2015.

PROXXIMA, Da Redação. *Mulheres e o mercado de e-commerce no Brasil*. Disponível em: <http://www.proxxima.com.br/mob/negocios/noticias.html?path=/home/negocios/2015/02/24/Mulheres-e-o-mercado-de-ecommerce-no-Brasil>. Acesso em: abril. 2015.

PUBLICIDADE NA WEB, Da redação. *Investimento em marketing digital deve crescer 15% em 2015*. Disponível em: <http://www.publicidadenaweb.com/2015/01/08/investimento-em-marketing-digital-deve-crescer-15-em-2015/>. Acesso em: março. 2015.

PUBLICITANTES, Da Redação. *Firts Kiss: por que o vídeo do beijo fez tanto sucesso?* Disponível em <http://publicitantes.com.br/first-kiss-por-que-o-video-beijo-fez-tanto-sucesso/>. Acesso em: março. 2015.

PUBLICITÁRIOS SOCIAL CLUB, Renata Roque. *Mulheres e as redes*. Disponível em: <http://www.publicitariossc.com/2014/06/mulheres-e-redes-sociais//>. Acesso em: abril. 2015.

QUICKDROPS, Stanley Calderelli. *Personalização e interação via whatsapp*. Disponível em: <http://www.quickdrops.com.br/2014/05/comunicacao-personalizacao-e-interacao-whatscook.html>. Acesso em: março. 2015.

REINERT, Pedro. O futuro das plataformas de mídia. Disponível em: <http://www.anfibia.com.br/blog/category/tendencias/> Acesso em 18 de setembro de 2016.

REWEB, Da Redação. *Confira as novidades em marketing nas mídias sociais para este ano*. Disponível em: <http://www.reweb.com.br/tendencias-de-social-media-marketing-para-2015-postid-142>. Acesso em: março. 2015.

RFI PORTUGUÊS, Da Redação. *Em 2015, Instagram se consolida como umas das redes sociais mais populares do Brasil*. Disponível em: <http://www.portugues.rfi.fr/geral/20150105-em-2015-instagram-se-consolida-como-umas-redes-sociais-mais--populares-do-brasil>. Acesso em: março. 2015.

RUSSOWSKY, Henrique. 7 definições para entender o universo da compra programática. Disponível em: <http://www.proxxima.com.br/home/proxxima/how--to/2015/02/11/7-defini-es-para-entender-o-universo-da-compra-program-tica.html>. Acesso em 18 de setembro de 2016.

SANTOMAURO, Antonio Carlos. *Clipping Express - Crodwsourcing se consolida na construção de marcas e projetos*. Disponível em: <http://www.tecnisa.com.br/noticias/clipping-express-crowdsourcing-se-consolida-na-construcao-de-marcas-e-projetos/391>. Acesso em: janeiro. 2015.

SARRAF, Thiago. *Plataforma de E-commerce*. Disponível em: <http://www.slideshare.net/thiagosarraf/ppt-plataforma-ecommerce-2-versao-final>. Acesso em: fevereiro. 2015.

SOUZA, Rosangela. 8 termos cruciais em inglês para quem trabalha com marketing. Disponível em: <http://exame.abril.com.br/carreira/noticias/8-termos-cruciais-em-ingles-para-quem-trabalha-com-marketing> Acesso em 18 de setembro de 2016.

SCUP IDEIAS, Da Redação. *Quem é quem na equipe de mídias sociais dos sonhos?* Disponível em: <http://ideas.scup.com/pt/carreira/quem-e-quem-na-equipe-de-midias-sociais-dos-sonhos/>. Acesso em: janeiro. 2015.

SERRANO, Daniel Portillo. *Geração Y* Disponível em: <http://www.portaldomarketing.com.br/Artigos3/Geracao_Y.htm>. Acesso em: fevereiro. 2015.

SEBRAE, Da Redação. *A presença das empresas brasileiras nas redes sociais.* Disponível em: <http://www.sebraemercados.com.br/a-presenca-das-empresas-brasileiras-nas-redes-sociais/>. Acesso em: março. 2015.

SERRANO, Daniel Portillo. *Geração Z* Disponível em: <http://www.portaldomarketing.com.br/Artigos3/Geracao_Z.htm>. Acesso em: fevereiro. 2015.

SILVESTRINI, Gladinston. *O Peixe Urbano após o fim da febre das compras coletivas.* Disponível em: <http://exame.abril.com.br/revista-exame-pme/edicoes/0061/noticias/o-peixe-urbano-apos-o-fim-da-febre-das-compras-coletivas?page=2>. Acesso em: fevereiro. 2015.

SIMON, Cris de. *Skol lança ovo de Páscoa feito de cerveja.* Disponível em: <http://exame.abril.com.br/marketing/noticias/skol-lanca-ovo-de-pascoa-feito-de-cerveja>. Acesso em: janeiro. 2015.

SCUSSEL, Alexandre. *Skol lança aplicativo com localizador de cerveja.* Disponível em: <http://mundogeo.com/blog/2012/08/17/skol-lanca-aplicativo-com-localizador-de-cerveja/>. Acesso em: janeiro. 2015.

SOCIALFIGURES, Da Redação. *Investimentos em Mídia Online no Brasil chegam a 7 bilhões.* Disponível em: <http://socialfigures.com.br/2014/04/17/investimentos-em-midia-online-no-brasil-chegam-a-7-bilhoes/>Acesso em: fevereiro. 2015.

TASSINARI, Fernando. Como a tecnologia está mudando completamente o planejamento de mídia. Disponível em: <http://www.adnews.com.br/artigos/como-a-tecnologia-esta-mudando-completamente-o-planejamento-de-midia>. Acesso em 18 de setembro de 2016TECMUNDO, Da Redação. Facebook tem aumento de 75% na publicação de vídeos. Disponível em: <http://www.tecmundo.com.br/facebook/72423-facebook-tem-aumento-75-publicacao-videos.htm/>. Acesso em: fevereiro. 2015.

TECMUNDO, Leonardo Rocha. Venda de smartphones no Brasil bateu recorde no terceiro trimestre de 2014. Disponível em: <http://www.tecmundo.com.br/celular/69681-venda-smartphones-brasil-bateu-recorde-no-terceiro-trimestre-2014.htm>. Acesso em: março. 2015.

REFERÊNCIAS BIBLIOGRÁFICAS

TECHTUDO, Edivaldo Brito. *Spam já são dois terços dos e-mails, engenharia social quebra 'firewall humano'*. Disponível em <http://www.techtudo.com.br/noticias/noticia/2015/02/spam-ja-sao-tercos-dos-e-mails-engenharia-social-quebra-firewall-humano.html>. Acesso em: março. 2015.

TELECO, Da Redação. *Estatísticas de celulares no Brasil*. Disponível em: <http://www.teleco.com.br/ncel.asp>. Acesso em: Março. 2015.

TELECO, Da Redação. *Market Share das operadoras de celular no Brasil*. Disponível em: < http://www.teleco.com.br/mshare.asp>. Acesso em: Março. 2015.

TELETIME, Da Redação. *De olho em PMEs, iZettle espera fechar 2014 com 150 mil usuários no Brasil*. Disponível em: <http://www.teletime.com.br/18/11/2014/de-olho-em-pmes-izettle-espera-fechar-2014-com-150-mil-usuarios-no-brasil/tt/397802/news.aspx/>. Acesso em: Março. 2015.

TELESINTESE, Da Redação. *Brasil registra 2,3 milhões de tablets vendidos no terceiro trimestre*. Disponível em: <http://www.telesintese.com.br/brasil-registra-23-milhoes-de-tablets-vendidos-terceiro-trimestre/>. Acesso em: fevereiro. 2015.

TELESINTESE, Da Redação. *Mercado de apps deverá movimentar US$ 420 bilhões neste ano*. Disponivel em: <http://www.telesintese.com.br/mercado-de-apps-devera-movimentar-us-420-bilhoes-neste-ano//>. Acesso em: abril. 2015.

TI BAHIA, Da Redação. *Skol lança novo portal com conteúdos e serviços diferenciados*. Disponível em: <http://www.tibahia.com/tecnologia_informacao/conteudo_unico.aspx?c=N_MIDIA&fb=B_FULL&hb=B_CENTRA&bl=LAT1&r=N_MIDIA&nid=19740>. Acesso em: janeiro. 2015.

TI INSIDE ONLINE, Ana Luiza Pandolfi. *O online vai dominar o mundo*. Disponível em: <http://convergecom.com.br/tiinside/webinside/13/01/2015/o-online-vai-dominar-o-mundo/#.VSrHW_nF91Y>. Acesso em: abril. 2015.

TI INSIDE ONLINE, Da Redação. *Estudo revela que cerca de 50% da nova classe média têm acesso à internet*. Disponível em: <http://convergecom.com.br/tiinside/18/02/2014/estudo-mostra-perfil-e-poder-de-compra-da-classe-media-digital/#.VSrMyPnF91Z>. Acesso em: abril. 2015.

TRAMPOS.CO. *O raio-x dos profissionais de mídias sociais no Brasil*. Disponível em: <http://cdn4.trampos.co/download_files/files/4/0704e083904759c7b70c0faf98268427bf2726d7/original/tramposco_raiox_social_media.pdf?1411736358>. Acesso em: abril. 2015.

TUDOCELULAR, Da Redação. *Apenas metade dos brasileiros possui smartphone, aponta pesquisa*. Disponível em: <http://www.tudocelular.com/economia-e-mercado/noticias/n36357/apenas-metade-brasileiros-possui-smartphone.html>. Acesso em: março. 2015.

UOL ECONOMIA, Da Redação. *Gigante chinês Alibaba levanta US$ 21,8 bilhões e supera Amazon em valor*. Disponível em: <http://economia.uol.com.br/noticias/redacao/2014/09/18/gigante-chines-alibaba-levanta-us-218-bi-com-acoes-cotadas-a-us-68-cada.htm>. Acesso em: março. 2015.

UOL ECONOMIA, Marcela Avres. *Cnova tem alta de 23% no faturamento líquido do 3º tri, impulsionada por Nova Pontocom*. Disponível em <http://economia.uol.com.br/noticias/reuters/2014/10/07/cnova-tem-alta-de-23-no-faturamento-liquido-do-3-tri-impulsionada-por-nova-pontocom.htm>. Acesso em: março. 2015.

UOL JOGOS, Da Redação. Com nova expansão, "World of Warcraft" ultrapassa 10 milhões de assinantes. Disponível em: <http://jogos.uol.com.br/ultimas-noticias/2014/11/20/com-nova-expansao-world-of-warcraft-ultrapassa-10-milhoes-de-assinantes.htm>. Acesso em: março. 2015.

UOL NOTÍCIAS, Guilherme Tagiaroli. *Brasil tem 10 milhões de usuários do Tinder, criador explica sucesso do app*. Disponível em: <http://tecnologia.uol.com.br/noticias/redacao/2014/04/23/brasil-tem-10-milhoes-de-usuarios-do-tinder-criador-explica-sucesso-do-app.htm>. Acesso em: março. 2015.

VALOR ECONÔMICO, Thais Folego. Classes C, D e E têm 60% dos cartões de crédito ativos, diz Itaú. Disponível em: <http://www.valor.com.br/financas/3493642/classes-c-d-e-e-tem-60-dos-cartoes-de-credito-ativos-diz-itau>. Acesso em: abril. 2015.

WHATSAPPERS, Da Redação. WhatsApp já é o aplicativo de mensagens instantâneas mais usado no mundo. Disponível em: <http://br.whatsapperos.com/2014/03/05/whatsapp-ja-e-aplicativo-de-mensagens-instantaneas-mais-usado-mundo/>. Acesso em: março. 2015.

WE ARE SOCIAL. *Social, Digital & Mobile in 2015*. Disponível em: <http://pt.slideshare.net/wearesocialsg/digital-social-mobile-in-2015>. Acesso em: fevereiro. 2015.

WE ARE SOCIAL. *Social, Digital & Mobile in The Americas*. Disponível em: <http://pt.slideshare.net/wearesocialsg/social-digital-mobile-in-the-americas?related=1>. Acesso em: março. 2015.

WEBSHOPPERS. *31ª edição*. Disponível em: <http://www.webvenda.com/wp-content/uploads/2015/02/31_webshoppers.pdf>. Acesso em: fevereiro. 2015.

WIKINOTÍCIA. *O que é co-criação e qual é a diferença entre crodwsourcing e inovação aberta?*. Disponível em: <http://pt.wikinoticia.com/mundo-e-economia/Marketing/129251-o-que-e-co-criacao-e-qual-e-a-diferenca-entre-crowdsourcing-e-inovacao-aberta>. Acesso em: janeiro. 2015.

WIKIPÉDIA. *Laços sociais na rede*. Disponível em: <http://pt.wikipedia.org/wiki/La%C3%A7os_sociais_na_rede>. Acesso em: janeiro. 2015.

WIKIPÉDIA. Alibaba Group. Disponível em: <http://pt.wikipedia.org/wiki/Alibaba_Group>. Acesso em: março. 2015.

WSI, Robert Spadinger. Celulares no Brasil e América Latina e uso de mobile marketing. Disponível em: <http://www.wsi4u.com.br/celulares-no-brasil-e-america-latina-e-uso-de-mobile-marketing/>. Acesso em: março. 2015.

ÍNDICE REMISSIVO

A

Adfraud, 135
Advergames, 115
Advergaming, 72
Advertainment, 115
Agências de comunicação, 182
Alibaba, 47
Aliexpress, 47
Alternate Reality Game (ARG), 96
Alternex, 10
Amazon, 43
Análise *Swot*, 74
Aplicativos, 11
Apps, 108
ARPA (Advanced Research and Projects Agency), 9
Arpanet, 9
Associação para o Progresso das Comunicações (APC), 10
Atacadistas, 42

B

Backbone, 9
Banda larga, 2, 3
Big data, 16
Bing, 10
Bitcoins, 156
Black friday, 18, 36
Blogs, 141, 144
Bluetooth, 112
Booking.com, 141

Branding, 74
Busca orgânica, 78, 79
Busca paga, 78
Buscapé, 7, 51
Business plan, 74
Buzz, 72

C

Camiseteria, 155
Canais de contato, 36
Casas Bahia, 50
Cauda Longa, 23
Cetic (Comitê Gestor da Internet no Brasil), 162
Chargeback, 39
Clearsale, 39
Clickfios, 62
Cocriação, 152, 155
Código de Defesa do Consumidor (CDC), 138
Colaboração, 152
Comércio eletrônico, 7, 14
Compras coletivas, 41
Comunidades, 139
Confederação Nacional de Dirigentes Lojistas (CNDL), 19
Coquelux, 42
Crescimento da Internet, 2
Crowdsourcing, 152, 222

D

Data Management Platform (DMP), 134
Dispositivos móveis, 2

E

Ebit, 7
e-business, 155
e-commerce, 9, 15, 16, 154
e-consumidor, 19
e-consumidores, 18
Electronic Data Interchange, 13
Electronic Funds Transfer, 13
E-mail marketing, 86, 90, 162
Emerson Calegaretti, 161
Enterprise Resource Planning (ERP), 29
Escolaridade, 4

F

Facebook, 140, 144, 156
Facebook-commerce, 63
Faixa etária, 4
Fapesp (Fundação de Amparo à Pesquisa de São Paulo), 10
FControl, 39
Fermilab (Laboratório de Física de Altas Tecnologias de Chicago/EUA), 10
Fiat Mio, 153, 224
Fishing, 39
Flash mob, 99
Flores Online, 54
Franquias, 42

G

Gama 4x4, 61
Gateways de pagamento, 31
Geração Y, 214
Geração Z, 215
Giuliana flores, 55
Google, 10, 143
Google+, 140
Google Adwords, 29
Google Analytics, 8, 29
Grande teia mundial, 1
Grupo B2W, 48

H

Hoteis.com, 141

I

inbound marketing, 159
Instagram, 140
Instituto Brasileiro de Análises Sociais e Econômicas (IBASE), 10
Intermediadores de pagamento, 32

L

LinkedIn, 140
Links patrocinados, 80
Lojas customizadas, 41
Loja virtual, 23

M

Macy's, 46
Magazine Luiza, 57
Marketing boca a boca, 60
Marketing de conteúdo, 158
Marketing viral, 72, 91, 161
Maurício Salvador, 139
m-commerce, 20, 66
Microempresários, 9
Ministério de Ciência e Tecnologia (MCT), 10
Mobile marketing, 102
Mobile tagging, 112
Monitoramento, 142, 162
MSN, 10

N

Netshoes, 55
Network Control Protocol (NCP), 9

O

Omnichannel, 16, 37
Open source, 223

P

Pão de Açúcar, 142
Pequenas e Médias Empresas (PMEs), 8, 20, 58, 128, 162, 197, 206

Persona da marca, 150
Pesquisa *on-line*, 163
Pinterest, 141
Plataforma de *e-commerce*, 28
Precificação, 33
Presença na internet, 2
Press-release, 188
Privalia, 42
Procon, 138

Q

QR codes, 112

R

Realidade aumentada, 113
Reclame Aqui, 142, 143, 144
Rede de relacionamento, 144
Rede Nacional de Pesquisa (RNP), 10
Redes sociais, 139, 154, 166
Relacionamento, 137
Reputação, 148
Romeo Busarello, 156

S

SAC, 138
Salão internacional do automóvel, 153
Scoring, 38
Seguidores, 148
Segurança na internet, 37
SEM – *Search Engine Marketing*, 76, 162
SEO – *Search Engine Optimization*, 82, 85, 162
Serviço de Proteção ao Crédito (SPC Brasil), 19
Shoppings virtuais, 40
Slideshare, 141
Snapchat, 140
Social Media Press Release (SMPR), 188
Stakeholders, 232
Storyselling, 144
Storytelling, 160

T

Tecnisa, 156
Terceira geração da internet, 10
Threadless, 156
Tim O'Reilly, 10
Transfer Control Protocol/Internet Protocol (TCP/IP), 9
Transformação digital, 231
Triângulo de ouro da busca, 78
TripAdvisor, 141
Tumblr, 141
TV digital, 120, 138
Twitter, 140, 141, 144, 156

V

Vídeo release, 188
Vouchers, 41

W

Web 2.0, 10, 137
Web semântica, 10
Web TV, 121
West Wing, 42
World wide web, 9

Y

Yahoo, 10
YouTube, 141, 144

Z

Zappos, 45